Trop beau pour être vrai

KRISTAN HIGGINS

Trop beau pour être vrai

roman

Traduction de l'anglais (Etats-Unis) par
SANDRINE JEHANNO

**Harper
Collins**
POCHE

Titre original : TOO GOOD TO BE TRUE

Ce livre est publié avec l'aimable autorisation de HARLEQUIN BOOKS S.A.

© 2009, Kristan Higgins.
© 2013, HarperCollins France pour la traduction française.
© 2016, HarperCollins France pour la présente édition.

Le visuel de couverture est reproduit avec l'autorisation de :
Fond : © SOPHIE BROADBRIDGE/GETTY IMAGES
Illustration : © PETER DAZELEY/GETTY IMAGES
Réalisation graphique couverture : BELLE MECANIQUE
Tous droits réservés.

HARPERCOLLINS FRANCE

83-85, boulevard Vincent-Auriol, 75646 PARIS CEDEX 13
Tél. : 01 42 16 63 63
www.harpercollins.fr
ISBN 979-1-0339-0094-8

A la mémoire de ma grand-mère, Helen Kristan,
la femme la plus délicieuse que j'aie jamais connue.

Prologue

M'inventer un petit ami n'était pas nouveau pour moi. Je l'avais déjà fait, je l'avoue. Une petite liberté avec la réalité… Certaines femmes vont bien faire du lèche-vitrines en sachant qu'elles ne pourront jamais s'offrir ce qu'elles convoitent ; d'autres se prennent à rêver devant des paysages paradisiaques qu'elles ne visiteront jamais. Que dire de celles qui s'imaginent avoir rencontré l'oiseau rare, le type unique, tirant aussitôt des plans sur la comète ? Je dis bien « imaginent », c'est toute la nuance.

La première fois, j'étais en sixième. Petit retour en arrière… Heather B., Heather F. et Jessica A., les filles les plus populaires du collège, étaient là, entourées de leur cour. Rouge à lèvres, fard à paupières, mignons sacs à main et mignons petits copains. Même si, à cet âge, sortir avec un garçon revenait simplement à se regarder dans les couloirs, il n'empêche que ce statut hautement symbolique me faisait cruellement défaut ; comme l'ombre à paupières, d'ailleurs. Heather F., tout en regardant « son homme », Joey Ames, introduire — pour une raison propre à des garçons de sixième — une grenouille dans son pantalon, expliquait qu'elle pensait rompre avec celui-ci pour sortir avec Jason.

Et brusquement, sans réfléchir, je m'étais surprise à déclarer que moi aussi, j'avais un petit copain. Tyler, un garçon d'une autre ville. Devant le vif intérêt que je venais de susciter, je m'étais, bien sûr, enhardie. C'était un garçon vraiment beau, intelligent et cool. Plus vieux, aussi, puisqu'il avait quatorze ans. Ça sortait tout seul, sans que j'aie à me forcer !

Sa famille possédait un haras. Ils m'avaient même demandé de trouver un nom à leur plus jeune poulain, et c'est moi qui allais l'entraîner pour qu'il ne réponde qu'à mes ordres.

Qui ne s'est pas un jour inventé un garçon comme ça ? Quel mal y avait-il à se laisser bercer — ou presque — par l'illusion qu'il existait, quelque part dans le monde, un Tyler, propriétaire de chevaux, un contrepoids idéal à Joey Ames avec sa « grenouille-dans-le-pantalon » ? C'était un peu comme croire en Dieu. A quoi se raccrocher, sinon ? Mon mensonge était passé comme une lettre à la poste, et les filles m'avaient mitraillée de questions, avec, dans les yeux, un tout nouveau respect. Heather B. m'avait même conviée à sa fête d'anniversaire, et j'avais accepté avec joie. Bien sûr, la date approchant, j'avais dû annoncer la triste nouvelle : un incendie venait de ravager le haras de Tyler, précipitant le déménagement de la famille dans l'Oregon. Adieu Midnight Sun, mon poulain. Peut-être que les deux Heather et le reste des filles de ma classe avaient deviné la vérité, mais, au fond, ce n'était pas ça, l'important. J'avais aimé imaginer Tyler. Et j'avais trouvé ce « galop d'essai », si je puis dire, très grisant.

Je n'en restai pas là et remis cela quelques années plus tard. Ma famille et moi avions alors quitté notre petite ville de Mount Vernon, dans l'Etat de New York, et emménagé dans la bourgade plus huppée d'Avon, dans le Connecticut, là où les filles ont toutes les cheveux raides et les dents d'une blancheur éclatante. Jack, mon « petit ami que j'avais laissé derrière moi », était si beau, comme le prouvait d'ailleurs la photo que je gardais dans mon porte-monnaie — photo que j'avais découpée dans un catalogue. Cette fois, j'avais peaufiné mon histoire. Le père de Jack possédait un restaurant absolument ravissant, nommé Le Cirque (un peu d'indulgence, je n'avais que quinze ans). Jack et moi voulions prendre notre temps. Oui ! Bien sûr que nous nous étions embrassés… Et même un peu plus, mais il me respectait trop pour aller plus loin. Nous voulions attendre d'être plus âgés. C'était sûr, on se fiancerait plus tard, et sa famille, qui m'aimait beaucoup, le pressait déjà de m'acheter une bague chez Tiffany ; je ne la voulais pas avec un diamant, mais plutôt avec un saphir, du genre de celle de la princesse Diana, mais en plus petit.

Ma relation avec Jack ne résista pas à mon année de seconde. Que voulez-vous, il me fallait bien être disponible pour les garçons du coin ! Hélas, l'intérêt que ces derniers me portèrent ne fut pas à la hauteur de mes attentes. Je ne pouvais pas en dire autant pour ma sœur aînée… Margaret, qui venait me chercher de temps à autre en revenant de la fac, les attirait comme des mouches ! Et je ne parle pas de ma plus jeune sœur, qui n'était qu'en cinquième, mais laissait déjà entrevoir, elle aussi, tous les signes d'une super-beauté. Je restai donc célibataire, regrettant d'avoir rompu avec Jack, et de m'être ainsi privée du plaisir qui m'envahissait quand je m'imaginais être aimée d'un tel garçon.

Il y eut ensuite Jean-Philippe. Ah, Jean-Philippe ! Lui, je l'avais inventé pour repousser un garçon irritant et incroyablement collant, à l'université. Un étudiant en chimie qui, en y repensant, devait probablement souffrir d'une forme légère d'Asperger, syndrome qui le rendait insensible à tous les signaux négatifs que je m'évertuais à lui envoyer. Plutôt que de lui dire carrément qu'il ne me plaisait pas (je trouvais cela trop cruel), j'avais donné pour consigne à ma camarade de chambre d'écrire des messages et de les punaiser sur la porte pour que tout le monde puisse les lire :

« Grace, J-P a appelé… Encore ! Il veut que tu passes les vacances à Paris. Appelle-le *tout de suite*. »

J'ai adoré Jean-Philippe, aimé l'idée qu'un Français chic et élégant ait craqué pour moi ! Je me le représentais déambulant sur un pont, à Paris, le regard mélancolique perdu dans la Seine, se languissant de moi avec des soupirs à fendre l'âme, ou assis à une terrasse de café, mangeant des pains au chocolat ou buvant du bon vin. Oh, oui ! Mon béguin pour Jean-Philippe a duré très longtemps, rivalisant avec l'amour que je portais toujours à Rhett Butler, découvert à treize ans et qui ne m'avait jamais passé.

A vingt ans, je maniai ce qui, au cinéma, est le hors-champ ou le off. Et encore maintenant, à trente ans, le fait de prétendre que j'avais un petit ami était une ruse de l'esprit relevant de la technique du « sauve-qui-peut ». Ainsi, quand Florence, une des pensionnaires de Golden Meadows, la maison de retraite où j'anime un cours de danse, s'exclama : « Ma chérie, il faut que je te donne le numéro de mon neveu ! Bertie est docteur. Podologue. Tu vas l'adorer. Bon, il a des seins, et alors ? Sa mère était bien pourvue aussi ! Ça oui ! Les filles, de nos jours, sont trop difficiles. De mon temps, quand on n'était pas mariée à trente ans, on était une vieille fille… », toutes mes alarmes intérieures se mirent à clignoter. Et là, tout en essayant de la faire pivoter vers la droite, je sortis une nouvelle fois ma carte joker : « Il a l'air parfait, Flo… mais je viens juste de rencontrer quelqu'un. C'est vraiment bête ! »

Je n'avais pas seulement recours à ce subterfuge en société, il me faut bien le reconnaître. Le petit ami « off », pour rester dans les codes cinématographiques, était un petit plaisir participant, disons, à l'embellissement de ma réalité.

Je m'explique… Quelques semaines plus tôt, alors que je rentrais chez moi, sur une route sombre et peu fréquentée du Connecticut, ressassant des idées sombres sur mon ex-fiancé Andrew et sa nouvelle relation, un de mes pneus éclata. La voiture se mit à chasser dangereusement. Le volant tourna entre mes mains sans que je puisse le contrôler. Tandis que je me débattais, essayant d'empêcher la voiture de se retourner, je réalisai diffusément que les cris qui me parvenaient au loin (« Oh ! mon Dieu, mon Dieu ! ») étaient les miens. Ma dernière heure était peut-être venue, mais j'avais les idées on ne peut plus claires : je ne pouvais pas mourir maintenant, alors que je n'avais même pas réfléchi à ma tenue pour mes propres funérailles. (*Tout doux, tout doux, tu vas finir dans le fossé !*) Est-ce que mes cheveux friseraient, dans la mort comme de mon vivant ? Quelle image allais-je laisser de moi si le couvercle du cercueil restait ouvert ? J'en frémissais ! (*Braque plus fort, braque plus fort, tu perds le contrôle !*)

Mes sœurs seraient anéanties, mes parents murés dans leur chagrin cesseraient de se chicaner, au moins une journée. (*Accélère un peu, pour redresser la voiture!*) Et Andrew… bon sang de bonsoir, si, après ça, il n'était pas rongé par les remords, celui-là, de m'avoir quittée! (*Ralentis sans à-coups, mets les warnings. Bien, bien, sauvée…*)

La voiture arrêtée sur le bas-côté, je restai assise, tremblant comme une feuille, le cœur cognant sourdement contre mes côtes et résonnant dans mes oreilles comme un volet claquant sous les rafales, à l'approche d'un ouragan.

« Merci, Seigneur, merci, Seigneur », psalmodiai-je, en tâtant le siège passager à la recherche de mon téléphone portable.

Pas de réseau (bien sûr). J'attendis quelques instants, puis me résignai à affronter la pluie battante et le froid de ce mois de mars. Je sortis de ma voiture, examinai le pneu lacéré. J'ouvris le coffre, attrapai le cric et la roue de secours. Je n'en avais jamais changé, mais je m'y attelai avec la meilleure volonté, aspergée par de grandes gerbes d'eau glacée au passage des voitures. Je me pinçai assez méchamment la main, me cassai un ongle, endommageai mes chaussures.

Personne ne s'arrêta. Aucune voiture, même, ne ralentit. J'étouffai un juron, passablement irritée. Bon sang, n'y avait-il donc aucune âme charitable en ce bas monde? Je remontai en voiture, tachée de boue et de graisse, claquant des dents, les lèvres violettes et la bouche sèche, mais plutôt fière de moi. Sur le chemin du retour, je ne pensais qu'à un bon bain, m'imaginant déjà devant mon émission de téléréalité préférée *Projet haute couture*, en pyjama pilou, avec un grog chaud. Hélas, c'était sans compter sur mon chien Angus et la mauvaise surprise qu'il m'avait réservée.

Mon westie avait eu raison de la sécurité pour enfant que j'avais installée sur la porte du placard repeint récemment, et avait réussi, je ne sais comment, à renverser la poubelle, et à en éparpiller tout le contenu. Le doute sur la fraîcheur du poulet que j'avais jeté le matin même n'était plus permis. Les murs de ma cuisine étaient maculés de vomi canin, la figure de Fritz le Chat qui ornait la pendule murale disparaissait sous une traînée de bile jaunâtre. Des excréments liquides me menèrent jusque dans le salon, où je retrouvai le coupable, avachi sur le tapis oriental aux tons pastel que je venais juste de faire nettoyer, et qui était maintenant piqueté de petits tas de bave mousseuse. Piteux, Angus laissa échapper un rot, aboya une fois et remua la queue en signe de remords — ou d'amour.

Je pouvais dire adieu à mon bain. A mon grog chaud, à Tim Gunn et à *Projet haute couture*. Mais, me direz-vous, quel rapport avec le petit ami off ? Eh bien, pendant que je frottais le tapis avec de l'eau et du savon, tout en parlant à Angus pour le préparer au suppositoire que j'allais lui administrer sur ordre du vétérinaire, mon esprit, toujours aussi alerte, était déjà en train de revisiter les derniers événements.

Je reprends donc. Je rentrais chez moi quand mon pneu a éclaté. Je me suis arrêtée sur le bas-côté pour attraper mon téléphone portable. Bla-bla-bla et bla-bla-bla… Soudain, une voiture a ralenti et s'est arrêtée juste derrière la mienne. C'était une voiture hybride écologique, avec un caducée sur le pare-brise. Le bon Samaritain, sous les traits d'un mâle grand et svelte dans la trentaine agréable, s'est approché de ma voiture, baissé vers moi. Salut… Et voilà… Votre regard se pose sur quelqu'un et… paf ! Vous comprenez que l'Homme Que Vous Attendiez est là, devant vous.

J'ai accepté son aide — bien évidemment, puisque j'évoluais en mode imagination, je faisais ce que je voulais ! Dix minutes plus tard, il avait changé la roue de secours, rangé le pneu crevé dans le coffre et tendu sa carte professionnelle. Wyatt quelque chose, médecin, service de chirurgie pédiatrique. La classe.

Puis il m'a dit avec un grand sourire : « Passez-moi un coup de fil quand vous serez arrivée chez vous, juste pour me dire que tout va bien, d'accord ? »

Paf (*bis*) ! Je le couvais du regard, avec ses fossettes d'enfer et ses longs cils sombres, pendant qu'il griffonnait son numéro personnel sur la carte.

Oui, j'achevai de nettoyer le tapis sans même m'en rendre compte, le cœur plus léger. La tâche moins ingrate…

Evidemment que je savais que ce gentil et charmant docteur ne m'avait pas changé ma roue. C'était juste une petite et salutaire diversion… Non, il n'y avait pas eu de Wyatt (j'ai toujours eu un faible pour ce prénom, à la fois viril et élégant). Un mec comme ça, c'était trop beau pour être vrai, et je n'avais pas l'intention d'en parler à quiconque, bien sûr. C'était juste une petite stratégie d'adaptation face à la réalité, comme je l'ai dit. Cela faisait d'ailleurs plusieurs années que je n'avais pas introduit de petit ami fictif dans ma vie réelle…

… et voilà que ça venait de me reprendre.

1

— Et donc, avec cette seule loi, Lincoln a changé le cours de l'histoire américaine. Incompris, voire décrié par ses contemporains, il a pourtant su préserver l'Union, et il est considéré aujourd'hui comme le plus grand président que notre pays ait jamais eu.

Gagnée par l'enthousiasme, je sentis la chaleur envahir mes joues. Je venais de commencer mon cours sur la guerre de Sécession, la partie du programme d'histoire qui me passionnait le plus, et j'étais avec ma classe de terminale préférée, ce qui ne gâchait rien. Hélas, mon enthousiasme ne semblait pas avoir contaminé mes élèves : ils étaient plongés dans l'état semi-comateux du début d'après-midi. Tommy Michener, mon élève le plus brillant d'ordinaire, couvait du regard Kerry Blake, qui était en train de s'étirer langoureusement, autant pour le tourmenter en lui montrant ce qu'il ne pourrait jamais avoir que pour obliger Hunter Graystone, quatrième du nom, à tenter sa chance. Drôle de triangle amoureux… Je coulai un regard de biais vers Emma Kirk, qui gardait les yeux baissés sur son bureau. C'était une chic fille, jolie, gentille, qui n'avait pour handicap que son statut d'externe, qui l'excluait du groupe des élèves populaires, tous pensionnaires. Elle en pinçait sacrément pour Tommy, tout en étant consciente qu'il n'avait d'yeux que pour Kerry. Quel gâchis !

— Qui peut me résumer les points de vue des deux camps ? Alors ? Personne ?

Des rires étouffés fusèrent, provenant du dehors. Tous

les regards se tournèrent vers la fenêtre. La journée était douce et ensoleillée, et Kiki Gomez, professeur d'anglais, avait décidé d'entraîner sa classe à l'extérieur pour faire son cours. Force était de constater que ses élèves ne semblaient ni amorphes ni abattus, eux. Flûte ! Pourquoi n'en avais-je pas eu l'idée moi-même ?

— Je vous donne des indices, poursuivis-je, cherchant à susciter une étincelle d'intérêt dans leur regard vide. Droits des Etats contre fédéralisme. Union contre sécession. Autonomie contre indépendance et liberté individuelle. Esclavage contre abolition. Ça ne vous dit rien ?

A cet instant, la sonnerie de fin du cours résonna et mes élèves, léthargiques un instant plus tôt, reprirent instantanément vie sous mes yeux. En les regardant se précipiter vers la porte, je décidai de ne pas le prendre personnellement. Ils étaient d'ordinaire plus investis, mais c'était vendredi, et, à leur décharge, ils sortaient d'une semaine d'examens. Ils avaient besoin de décompresser ! Et puis, il y avait une fête, ce soir.

Manning Academy était une école préparatoire, la reproduction exacte des nombreuses autres qui parsemaient la Nouvelle-Angleterre : imposants édifices en pierre, façades habillées de lierre majestueux, magnolias et cornouillers, terrains de football américain et de hockey sur gazon. Pour le prix d'une petite maison, c'était la promesse pour les parents de voir leurs chères têtes blondes intégrer à la fin de leur scolarité l'université de leur choix — Princeton, Harvard, Stanford, Georgetown. L'école, fondée dans les années 1880, était en soi un monde, avec ses règles et ses coutumes. La plupart des enseignants vivaient sur le campus, mais ceux pour qui ce n'était pas le cas — et j'en faisais partie — étaient aussi pressés que les gamins de finir le dernier cours du vendredi après-midi pour rentrer chez eux.

Mais ce vendredi, j'aurais été plus qu'heureuse d'avoir une raison de rester à l'école : chaperonner la soirée dansante, entraîner une équipe de hockey sur gazon. J'aurais encore préféré être de corvée de toilettes, c'est dire. Tout, plutôt que ce qui m'attendait dans la soirée.

— Salut, Grace ! m'interpella Kiki, en passant la tête par la porte de ma salle de cours.

— Salut, Kiki. Vous sembliez beaucoup vous amuser, dehors.

— Nous lisions *Sa Majesté des mouches*, m'expliqua-t-elle.

— Je me disais… Tout s'éclaire. Il n'y a rien de tel que le meurtre de petit Porcinet pour égayer une journée, ironisai-je.

Elle sourit fièrement.

— Alors, tu as quelqu'un pour ce soir ?

Je fis la grimace.

— Non. Personne. Ça craint !

— Oh ! zut, dit-elle. Je suis vraiment désolée.

— Ouais, bon, ce n'est pas la fin du monde, non plus, murmurai-je, en redressant le menton.

— Tu le penses vraiment ou tu dis ça juste pour te rassurer ?

Kiki était célibataire comme moi, et elle était donc bien placée pour savoir ce que c'était, pour une trentenaire, d'aller sans cavalier à un mariage. Dans quelques heures, ma cousine Kitty allait se marier. Ce serait la troisième fois pour celle qui, enfant, m'avait ratiboisé la frange alors que je dormais chez elle. Troisièmes noces, peut-être, mais elle n'avait pas renoncé pour autant à la robe meringue, avec froufrous et crinoline.

— Regarde, c'est Eric ! lâcha-t-elle, pointant l'index vers ma fenêtre est. Oh ! merci, Seigneur !

L'Eric en question venait nettoyer les fenêtres de Manning Academy au printemps et à l'automne, tous les ans. En cet après-midi de début avril, il faisait doux et il était torse nu, équipé d'un atomiseur et d'une raclette. Il nous gratifia d'un sourire.

— Demande-lui ! s'exclama soudain Kiki, alors que nous l'observions, appréciant le spectacle.

— Il est marié, dis-je, sans le quitter des yeux.

Il y avait, dans le simple fait de le lorgner ainsi, une intimité folle, comme j'avais pu le ressentir lorsque j'étais en couple.

— Et heureux en couple ? s'informa Kiki, avec un air de briseuse de ménage.

— Oui. Il adore sa femme.

— Je déteste ça, marmonna-t-elle.

— Je sais. Trop injuste.

Eric, la perfection faite mâle, nous fit un clin d'œil, tout en faisant glisser sa raclette le long de la vitre avec la décontraction du type qui a conscience de sa beauté.

A chacun de ses mouvements, les muscles de ses épaules et ses abdominaux sollicités se contractaient. Le soleil se reflétait dans ses cheveux et l'auréolait de lumière. Une vision paradisiaque !

— Il faut vraiment que j'y aille, dis-je, sans esquisser le moindre mouvement. Je dois me changer, et tout et tout…

En pensant à ce qu'impliquait le « et tout et tout », je sentis mon estomac se tordre.

— Tu ne vois vraiment personne que je pourrais emmener, Kiki ? J'ai autant envie d'y aller que de me pendre… Et en plus, seule…

— Non, Grace, soupira-t-elle. Tu aurais dû engager quelqu'un, tu sais, comme dans ce film avec Debra Messing.

— Dans cette petite ville ? Tu me vois au bras d'un escort-boy… Ma réputation en prendrait un coup. Imagine en première page : « Une enseignante de Manning engage un gigolo. Les parents sont inquiets. »

— Et pourquoi pas Julian ? coupa Kiki.

Je souris en pensant à mon plus vieil ami, qui nous accompagnait souvent toutes les deux lors de nos virées entre filles.

— Ma famille le connaît. Il ne fera pas l'affaire.

— Comme petit ami ou comme hétéro ?

— Les deux, je suppose.

— C'est bête. Parce que c'est un bon danseur.

— C'est bien ce que je pense.

Je jetai un coup d'œil à l'horloge, et l'appréhension qui ne m'avait pas quittée tout au long de la semaine se transforma en angoisse qui me faucha debout. Ce n'était pas tant d'aller sans cavalier au mariage de cette bonne vieille Kitty que de savoir que j'allais y voir Andrew. Cela ne serait que la troisième fois depuis notre rupture, et avoir un cavalier à mon bras m'aurait bien arrangée.

Si je m'étais écoutée, je serais restée à la maison pour relire *Autant en emporte le vent* ou pour regarder un film, mais je l'avais un peu trop fait dernièrement. Si je ne voulais pas que mon père, mon meilleur ami gay et mon chien, quoique de très bonne compagnie, restent les seuls hommes de ma vie, je devais aller de l'avant. Après tout, il fallait voir les choses du bon côté : même si elle était infime, il y avait une chance que je rencontre quelqu'un à cette cérémonie.

— Quand même… Eric pourrait peut-être venir, reprit Kiki, en se rapprochant vivement de la fenêtre qu'elle ouvrit d'un coup sec. Ce n'est pas écrit sur son front qu'il est marié.

— Non, Kiki, arrête…

Elle n'écouta pas.

— Eric ! l'interpella-t-elle. Grace doit aller à un mariage, ce soir, et elle est sans cavalier. Son ex-fiancé doit y être aussi. Ça vous dirait de l'accompagner ? Faire semblant de l'adorer et tout le reste ?

— Ne l'écoutez pas, c'est gentil, mais non ! criai-je, en piquant un fard.

— Votre ex, hein ? répliqua-t-il, en essuyant un carreau.

— C'est ça. Je suis à deux doigts de me trancher les veines ! Je grimaçai un sourire pour montrer que je ne le pensais pas.

— Vous pourriez faire le chevalier servant. En tout bien tout honneur, bien sûr ! insista Kiki.

— Ma femme risque de ne pas l'entendre de cette oreille, répliqua-t-il. Encore désolé, Grace. Bonne chance.

— Merci, répondis-je. Ce n'est pas aussi dramatique que ça en a l'air !

— Elle fait la forte… C'est beau, hein ? plaisanta mon amie.

Eric acquiesça et passa à la fenêtre suivante. Kiki se pencha sur le rebord où elle avait pris appui pour le regarder s'éloigner, et faillit presque passer cul par-dessus tête. Elle se redressa et lâcha un soupir.

— Tu vas devoir y aller seule, ma vieille…

Son ton de voix me fit penser à un médecin en train de m'annoncer ma mort prochaine : « Je suis désolé, vous êtes en phase terminale. »

— Eh bien, ce n'est pas faute d'avoir essayé ! lui rappelai-je. Johnny, le livreur de pizzas, est comme qui dirait associé à Ail-et-Anchois, si tu vois ce que je veux dire. Brandon, celui qui travaille à la maison de retraite, m'a dit qu'il préférerait encore se pendre plutôt que de jouer le cavalier à un mariage. Et je viens juste de découvrir que le gars mignon de la pharmacie n'a que dix-sept ans. Il n'aurait pas été contre le fait de m'accompagner, sauf que Betty, sa mère, n'était pas du même avis… La pharmacienne a marmonné quelque chose sur le détournement de mineur et sur le fichier des délinquants sexuels. Je crois que j'irai dorénavant à la pharmacie de Farmington.

— Oups, fit Kiki.

— Pas grave. Je suis dans le pétrin et c'est à moi de m'en sortir ! J'irai donc seule, et me montrerai forte et brave, scruterai la pièce en quête d'un genou contre lequel me frotter et, avec un peu de chance, je repartirai avec un serveur.

Je souris bravement.

Kiki s'esclaffa.

— C'est l'enfer d'être célibataire, déclara-t-elle. Mais Dieu du ciel, c'est encore pire à un mariage…

Elle fit mine de frissonner.

— Merci pour tes encouragements, je me sens déjà mieux, ironisai-je.

Quatre heures plus tard, l'odeur du soufre hantait mes narines et je me débattais dans les flammes de l'enfer.

Mon estomac noué se soulevait et se décrochait au rythme des vagues d'espoir et de désespoir qui me traversaient. Sans me vanter, je pensais m'en être plutôt bien sortie jusque-là. Oui, mon fiancé m'avait quittée quinze mois plus tôt, mais je ne gisais pas au sol, recroquevillée en position fœtale et suçant mon pouce. J'avais repris le travail. J'enseignais de nouveau. J'adorais ça et, sans fausse modestie, je pense que j'excellais dans ma matière. J'avais une vie sociale. D'accord, cela se résumait à danser le lundi soir avec des personnes du troisième âge, à me glisser dans la peau d'un soldat de la guerre de Sécession et à rejouer des batailles stratégiques, au sein d'une communauté de passionnés de reconstitutions historiques, mais je ne vivais pas en ermite. Oui, bien sûr, je souhaitais rencontrer un homme — qui tiendrait à la fois d'Atticus Finch (Gregory Peck dans *Du silence et des ombres*), de Tim Gunn (*Projet haute couture*) et de George Clooney. Quoi d'autre ?

J'assistai donc au mariage — le quatrième dans la famille depuis Ma Rupture, le quatrième où je venais en célibataire — en feignant de rayonner de bonheur. Peut-être qu'enfin mes proches cesseraient de me prendre en pitié, et de vouloir me brancher avec quelque cousin éloigné à l'air un peu bizarre. En même temps, j'essayai de parfaire Le Regard — mi-amusé, mi-ironique, qui refléterait l'absolue confiance en soi. Le regard fatal qui dirait : « Salut ! Toujours célibataire, mais fière de l'être ; je ne suis absolument pas désespérée, mais je suis ouverte au destin et à toi, hétéro séduisant, équilibré, de moins de quarante-cinq ans ! » Une fois maîtrisé ce fameux regard, je ne désespérais pas de foudroyer quiconque d'un simple battement de cils — seconde phase qui allait demander néanmoins encore plus d'adresse.

Et pourquoi pas, après tout ? Peut-être qu'aujourd'hui mes yeux allaient s'arrêter sur quelqu'un, un homme célibataire — mais pas pathétique ! —, quelqu'un d'optimiste — tiens, un chirurgien pédiatrique, par exemple, et « paf bing » ! L'évidence.

Si mes cheveux ne le faisaient pas fuir ! Au mieux, je ressemblais à une bohémienne, belle et audacieuse, au pire, ce qui était plus que probable, à une possédée. C'était d'un exorciste que j'avais besoin pour faire sortir le Malin de mes boucles, véritable triangle des Bermudes pour peignes et brosses en tout genre.

Hmm… Il y avait bien un type mignon. L'air intello, mince,

avec des lunettes… Tout à fait mon genre. Nos regards se croisèrent et je le vis glisser la main derrière lui (comme pour chercher quelque chose), et attraper une main. Une main reliée à un bras, lequel bras était relié à une femme. Il gratifia sa cavalière d'un large sourire, lui planta un baiser sur les lèvres et jeta un regard nerveux dans ma direction. *O.K., O.K., pas la peine de paniquer. Message reçu.*

Désespérant ! Tous les hommes de moins de quarante ans semblaient être pris. Ne restaient que des octogénaires, et l'un d'eux m'adressait d'ailleurs des sourires appuyés. Hmm… Quatre-vingts ans… Etait-ce trop vieux ? Etait-il temps de repousser l'âge limite ? Peut-être que je gaspillais mon temps avec des hommes qui avaient encore une prostate en bon état et leurs hanches d'origine ? Avoir un protecteur… un papa gâteau… Ça se défendait. Ledit « papa gâteau » leva ses épais sourcils blancs, mais son offensive de charme fut brutalement contrée par sa femme, qui lui donna un bon coup de coude dans les côtes en me fusillant du regard.

— Ne t'inquiète pas, Grace. Ce sera bientôt ton tour, clama ma tante d'une voix de stentor.

— C'est bien possible, tante Mavis, répondis-je avec un sourire.

Je ne comptais plus le nombre de fois où j'avais entendu cette réflexion, ce soir. J'en venais à considérer l'idée de me la faire tatouer sur le front : *Pas inquiète. Bientôt mon tour.*

— Ce n'est pas trop dur de les voir ensemble ? insista-t-elle lourdement.

— Non. Pas du tout, mentis-je, le sourire accroché aux lèvres. Je suis très heureuse pour eux.

« Heureuse » était un peu excessif, soit, mais que pouvais-je dire d'autre ?

— Tu es bien courageuse, Grace Emerson, claironna Mavis.

Puis elle s'éloigna, la démarche lourde, déjà en quête d'une prochaine victime à tourmenter.

— Allez, va, crache le morceau, me lança ma sœur Margaret, en se laissant choir à ma table. Tu veux un instrument coupant pour te taillader les veines ? Ou un sac en plastique pour t'asphyxier ?

— Ecoute donc, sœurette… Ton inquiétude me va droit au cœur ! J'en ai les larmes aux yeux.

Elle sourit.

— Alors ? Vas-y, raconte tout à ta grande sœur.

Je pris une longue gorgée de gin tonic.

— Si les gens pouvaient arrêter de me dire combien je suis courageuse, et cesser de me regarder comme un soldat qui vient de sauter sur une bombe… Ça me fatigue ! Y a quand même pire dans la vie que d'être célibataire.

— Redevenir célibataire, dit Margs, d'un air sibyllin, en suivant du regard son mari qui se rapprochait.

— Salut, Stuart ! lançai-je affectueusement à son adresse. Je ne t'ai pas vu à l'école, aujourd'hui.

Stuart était le psychologue de Manning, et c'était par lui que j'avais appris, six mois plus tôt, qu'un département d'histoire allait s'y créer. Il était un archétype vivant : maillot d'Oxford sous un gilet avec le classique motif de losanges, mocassins à pompons et barbe. Margaret l'avait rencontré en troisième cycle universitaire. C'était un homme doux et gentil qui ne voyait que par ma sœur.

— Tu tiens le coup, Grace ? s'enquit-il, en me tendant un autre verre de gin tonic avec une tranche de citron vert.

— Je vais bien, répliquai-je.

— Houhou, Margaret ! Houhou, Stuart ! lança tante Reggie depuis la piste de danse.

Elle s'immobilisa net au moment où elle m'aperçut.

— Oh ! Grace, tu es là, toi aussi… Que tu es belle ! reprit-elle. Haut les cœurs, ma chérie ! Toi aussi, tu danseras à ton propre mariage, un jour prochain.

— J'y compte bien ! Merci, tante Reggie, lançai-je, en décochant à ma sœur un regard désabusé.

Sur un dernier sourire désolé, ma tante s'éloigna en virevoltant, et je ne doutais pas qu'elle était déjà partie en campagne de commérages.

— Je continue de penser que c'est insensé, reprit Margs.

Comment Andrew et Natalie ont-ils pu… Non, je ne m'y fais pas. Et d'ailleurs, où sont-ils ?

— Grace, comment vas-tu ? Ne te crois pas obligée de faire bonne figure avec nous, trésor…

Ma mère venait de surgir à notre table, mon père sur ses talons, poussant sa propre mère dans son fauteuil roulant.

— Elle va bien ! Nancy, arrête de la harceler ! s'emporta-t-il. Regarde-la, elle ne semble pas aller bien ? Laisse-la donc tranquille ! Arrête de lui parler de ça.

— Je ne t'ai pas demandé ton avis, Jim. Je connais mes enfants, je sais quand il y en a un qui ne va pas, et celle-là souffre. Un bon parent sent ces choses-là, répliqua-t-elle en lui jetant un regard indigné.

— Un bon parent ? Tu insinues que je ne suis pas un bon père ?

— Je vais bien, maman. Papa a raison. J'ai la pêche. Et Kitty n'est-elle pas magnifique ?

— Autant qu'on peut l'être pour un troisième mariage ! répondit Margaret.

— Est-ce que tu as vu Andrew ? demanda ma mère. C'est dur, hein, ma chérie ?

— Je vais bien, répétai-je. Vraiment.

Ma grand-mère de quatre-vingt-treize ans fit tinter les glaçons dans son grand verre.

— Pour attraper un homme, en amour comme à la guerre, tous les coups sont permis.

— Toujours directe, mémé ! ironisa Margaret.

Cette dernière ne releva pas et me dévisagea, une lueur impitoyable dans ses yeux chassieux.

— Je n'ai jamais eu de difficulté pour trouver un homme. J'avais même beaucoup de succès. J'étais une beauté, tu sais.

— Et tu l'es toujours. Regarde-toi ! Quel est ton secret, mémé ? On ne te donnerait jamais tes cent dix ans, rétorquai-je.

— S'il te plaît, Grace, marmonna mon père d'un ton las. Ne mets pas de l'huile sur le feu.

— Ris si tu veux, mais ce n'est pas moi qui me suis fait planter par mon fiancé.

Mon aimable aïeule descendit d'une traite son Manhattan et tendit son verre vide à mon père, qui s'en saisit docilement.

— Qui a dit qu'une femme avait besoin d'un homme ? s'indigna ma mère. Des fadaises, tout ça.

Elle leva un regard lourd de sens vers mon père.

— Et ça veut dire quoi ? s'emporta aussi sec ce dernier.

— Ça veut dire ce que ça veut dire, lui répondit ma mère, la voix sifflante.

Mon père leva les yeux au ciel.

— Stuart, allons faire un tour, fiston, lança-t-il à mon beau-frère, avant de se tourner vers ma sœur et moi. Au fait, Grace, je suis passé près de chez toi aujourd'hui. Tu as vraiment besoin de nouvelles fenêtres. Margaret, beau travail sur l'affaire Bleeker.

C'était la façon de mon père de couper court à une conversation et de battre froid à ma mère (et à la sienne par la même occasion).

— N'oublie pas Bull Run, le week-end prochain, ajouta-t-il à mon intention. Nous serons dans le camp des confédérés, cette fois.

Mon père et moi participions à des reconstitutions historiques au sein des « Brother Against Brother », la plus grande communauté de passionnés de la guerre de Sécession. Nous nous réunissions donc en costumes d'époque dans les champs et les parcs pour rejouer des combats, en nous tirant dessus, à blanc bien sûr, tombant au sol dans une agonie feinte. Il fallait avoir vu ça au moins une fois dans sa vie. Hélas, le Connecticut n'avait pas été le cadre de grandes batailles, et nous composions donc avec cette réalité, en organisant dès le début du printemps quelques batailles locales, puis en nous déplaçant vers d'autres sites à travers le Sud pour rejoindre des groupes qui s'adonnaient à la même passion. Et nous étions nombreux.

— Ton père et ses stupides combats…, pesta ma mère, tout en ajustant le col de ma grand-mère.

Cette dernière s'était apparemment endormie, au point qu'on aurait pu la croire passée de vie à trépas, si sa poitrine creuse ne s'était soulevée et abaissée dans un mouvement régulier.

— Ne compte pas sur moi, en tout cas. Je dois me concentrer sur mon art, lança-t-elle à l'adresse de mon père, avant de s'adresser à ma sœur et moi : Vous viendrez toutes les deux à l'exposition, dimanche, n'est-ce pas ?

Je croisai le regard de Margaret et, de concert, nous laissâmes échapper un grommellement évasif. L'art de ma mère était un sujet sensible qu'il valait mieux éviter.

Revenant brutalement à la vie, ma grand-mère m'interpella :

— Vas-y, bouge-toi… Kitty va lancer son bouquet ! Fonce ! Fonce !

Elle tourna son fauteuil roulant et, s'en servant comme d'un bélier, me rentra dans les tibias, sans la moindre pitié, comme Pharaon chargeant les Hébreux en fuite.

— Aïe, mémé ! Qu'est-ce qui te prend ?

Je retirai mes jambes du passage, mais cela ne l'arrêta pas pour autant.

— Fonce ! Ne fais pas la fine bouche. Toute aide extérieure sera la bienvenue !

Ma mère leva les yeux au ciel.

— Laissez-la tranquille, Eleanor. Vous ne voyez pas qu'elle souffre déjà assez ? Grace, ma chérie, rien ne t'oblige à le faire si ça te rend triste. Tout le monde comprendra.

— Tout va bien, répondis-je, la voix ferme, en passant une main dans mes cheveux indisciplinés qui s'étaient échappés des barrettes. J'y vais.

Parce que, bon sang, ce serait bien pire si je ne le faisais pas ! *Regardez cette pauvre Grace qui fait tapisserie. Vous croyez qu'elle va se lever de sa chaise ?* Et puis, le fauteuil de ma grand-mère toujours en action commençait à laisser des traces sur ma robe.

Je me dirigeai vers la piste de danse, aussi excitée qu'Anne Boleyn marchant vers l'échafaud. J'essayai de me fondre dans le groupe de célibataires super-motivées, et me tins le plus à l'écart possible pour être sûre de n'avoir aucune chance d'attraper le bouquet. Du heavy metal jaillit de la sono, « Cat Scratch Fever » — la grande classe ! —, et un rire nerveux m'échappa…

… qui s'étrangla dans ma gorge quand je croisai le regard d'Andrew. Sa cavalière n'était pas en vue. Il me regardait, la mine contrite. Mon cœur se décrocha.

Je savais qu'il serait là, évidemment. Et même si l'idée était de moi, il n'en restait pas moins difficile de le voir, en sachant qu'il était avec une autre, et que c'était leur première apparition en tant que couple. Je sentis mes mains devenir moites, mon estomac se serrer comme dans un étau. Andrew Carson était l'homme de ma vie, je l'avais intimement cru, et j'allais même l'épouser… s'il ne m'avait quittée trois semaines avant le jour J, parce qu'il était tombé amoureux d'une autre.

Pour le deuxième mariage de Kitty, deux ans plus tôt, j'étais venue avec Andrew. Nous nous fréquentions depuis quelque temps et, quand était venu le moment du lancer de bouquet, je m'étais levée, feignant d'être embarrassée, mais avec la satisfaction de vivre une relation sérieuse. Je ne l'avais pas attrapé. Après que j'eus rejoint Andrew, celui-ci avait glissé un bras autour de mes épaules et soufflé à mon oreille : « J'aurais pensé que tu y mettrais plus d'énergie. »

Je me rappelais le frisson d'excitation que ces mots avaient fait naître en moi.

Et maintenant, il était ici avec sa nouvelle petite amie. Natalie. Natalie aux longs cheveux blonds et lisses, aux jambes interminables. Natalie l'architecte.

Natalie… ma petite sœur adorée… qui s'était faite bien discrète, ce soir.

La mariée jeta son bouquet. Sa sœur, Anne, l'attrapa comme cela avait dû être planifié et répété, sans aucun doute. Le moment de torture était terminé. Du moins dans mes rêves ! Kitty, qui me guettait du coin de l'œil, releva ses jupons et fondit sur moi comme le prédateur sur sa proie.

— Ton tour viendra vite, affirma-t-elle à haute voix. Tu tiens bon ?

— Bien sûr, répliquai-je. Il y a comme un goût de déjà-vu. Un autre printemps, et pour toi un nouveau mariage.

— Oh ! ma pauvre Grace !

Elle pressa mon bras, débordant d'une compassion mâtinée de l'arrogance d'une femme dont c'étaient les troisièmes noces. Elle jeta un coup d'œil à ma frange (*Eh oui, Kitty, quinze ans ont passé, elle a repoussé, depuis ton attentat capillaire !*) et retourna vers le marié et les trois enfants qu'elle avait eus de ses deux précédents mariages.

Trente-trois minutes plus tard, et alors que la réception de Kitty battait son plein, je jugeai avoir fait preuve d'assez d'abnégation pour la soirée. Je me levai donc et tirai ma révérence, malgré la musique entraînante qui m'aurait presque donné envie d'aller sur la piste de danse pour montrer à tous comment se dansait une vraie rumba. S'il y avait un homme célibataire, séduisant, gagnant bien sa vie, émotionnellement équilibré, il avait remporté la partie de cache-cache ! Un petit détour par les toilettes et je serais partie…

J'ouvris la porte, jetai distraitement un coup d'œil au miroir. L'horreur ! Comment des cheveux pouvaient-ils friser autant ? Ça défiait la raison ! Sur le point de pousser un des battants des box, j'entendis un bruit. Léger. Des reniflements. Je guignai par-dessous. Jolies chaussures. Lanières de cuir bleu verni, talons hauts. Je les avais déjà vues.

— Hum… Est-ce que tout va bien ? demandai-je, en fronçant les sourcils.

— Grace, c'est toi ? fit une petite voix.

Je compris soudain pourquoi ces chaussures me disaient quelque chose. Ma petite sœur les avait achetées, l'hiver dernier. Nous étions ensemble.

— Nat ? Ma puce, est-ce que ça va ?

Il y eut un bruissement d'étoffe ; puis le battant s'entrouvrit. Ma sœur apparut. Elle tenta de sourire, mais ses grands yeux turquoise embués la trahirent. Elle avait pleuré. Mais aucune trace de mascara ne noircissait ses yeux. Instant tragique, mais beauté sublimée. L'image d'Ilsa disant au revoir à Rick, sur le tarmac de l'aéroport, dans *Casablanca*, s'imprima dans mon esprit.

— Qu'est-ce qui ne va pas, Nat ?

— Oh ! rien…

Sa bouche trembla.

Je restai un instant silencieuse.

— Ça a quelque chose à voir avec Andrew ?

Un bref instant, le visage de Nat se décomposa.

— Euh… eh bien… je ne pense pas que ça fonctionnera, entre nous, murmura-t-elle.

Sa voix se brisa légèrement. Elle se mordilla la lèvre et baissa les yeux.

— Pourquoi ? Tu veux m'expliquer ?

Le soulagement et l'inquiétude se heurtaient dans mon cœur. J'avoue : ça ne me tuerait pas, si les choses ne marchaient pas entre Nat et mon ex… Mais ma petite sœur n'était pas du genre à noircir les situations. C'était donc sûrement sérieux. En fait, la dernière fois que je l'avais vue pleurer, c'était quand j'étais partie de la maison pour l'université, douze ans plus tôt.

— C'était une mauvaise idée, murmura-t-elle.

— Raconte-moi…, insistai-je.

L'envie irrépressible d'étrangler Andrew me prit au ventre.

— Qu'a-t-il fait ?

— Rien, assura-t-elle précipitamment. C'est juste… euh…

— Quoi ?

Elle évita mon regard. *Ah, non !*

— Nat ? C'est à cause de moi ?

Elle ne répondit pas.

Je lâchai un soupir.

— Nattie. S'il te plaît, dis-moi.

Elle me décocha un regard, puis baissa de nouveau les yeux.

— Tu n'as pas tourné la page, n'est-ce pas ? murmura-t-elle. Même si tu affirmes le contraire… J'ai vu ton visage, tout à l'heure, au moment où Kitty a jeté son bouquet, et… oh… Grace, je suis si désolée. Je n'aurais jamais dû…

30

— Natalie, je t'assure que j'ai tourné la page. C'est vrai. Je te le jure.

Elle me lança un regard plein de culpabilité, de tristesse, et de véritable angoisse. Je répondis sans réellement avoir conscience des mots qui sortirent de ma bouche :

— La vérité, c'est que je fréquente quelqu'un.

Oups… Venais-je de dire ça à voix haute ? Je n'avais absolument rien prémédité, mais ces mots agirent comme un charme. Natalie me regarda en clignant des yeux, deux larmes roulèrent sur ses joues satinées, l'espoir glissa sur son visage, ses yeux s'agrandirent.

— C'est vrai ?

— Oui, mentis-je, en sortant un mouchoir pour tamponner son visage. Depuis quelques semaines.

Son expression tragique s'estompa quelque peu.

— Pourquoi ne l'as-tu pas amené, ce soir ?

— Oh, tu sais bien… Les mariages… Tout le monde se serait monté la tête.

— Tu ne m'en as pas parlé, ajouta-t-elle, une légère ride sur son front.

— En fait, je ne voulais pas en parler avant d'être sûre que c'était sérieux.

Je souris, de nouveau, de plus en plus séduite par l'idée, comme au bon vieux temps. Et cette fois, Nat sourit.

— Comment s'appelle-t-il ?

Je gardai le silence quelques instants.

— Wyatt, répondis-je, l'esprit traversé par l'image d'un pneu crevé. C'est un médecin.

2

Etrange comme mon « petit arrangement avec la réalité » allégea d'un coup la tension qui nous encombrait tous. Forçant mes résistances, Natalie parvint à me convaincre de rester encore un peu pour parler, et me traîna jusqu'à la table où j'avais laissé toute la famille.

— Grace fréquente quelqu'un ! annonça-t-elle doucement, les yeux brillants.

Margaret, qui écoutait d'une oreille distraite notre grand-mère parler des polypes qu'elle avait dans le nez, s'immobilisa au garde-à-vous. Mes parents cessèrent leur ping-pong de petites piques et se mirent à me bombarder de questions, mais je ne démordis pas de ma version « C'est encore un peu tôt pour en parler ». Margaret me regarda, en haussant un sourcil, mais se garda de toute question. Je cherchai du coin de l'œil à repérer Andrew — Natalie et lui s'étaient appliqués à rester loin l'un de l'autre, sans doute par égard pour moi. Je ne l'aperçus nulle part.

— Et que fait cette personne dans la vie ? demanda ma grand-mère. Ce n'est pas un de ces enseignants qui tirent le diable par la queue, j'espère ? Tes sœurs, elles, au moins, se sont débrouillées pour trouver des boulots avec des salaires décents. Pourquoi pas toi ? Je ne comprends pas.

— C'est un médecin, répondis-je, en avalant une gorgée de gin tonic que le serveur venait de m'apporter.

— Médecin en quoi, trésor ? me demanda mon père.

— Un chirurgien pédiatrique, répondis-je, en me délectant de chaque mot.

Sirote, sirote. C'était pour la bonne cause ; l'alcool expliquerait la rougeur qui colorait mes joues.

— Ooh…, soupira Nat, son visage se fendant d'un sourire angélique. Que je suis contente, Grace !

— Merveilleux, dit mon père. Accroche-toi, cette fois.

— Elle n'a pas besoin de s'accrocher, Jim, répliqua vivement ma mère. Enfin ! Tu es son père ! Est-ce que tu as vraiment besoin de lui parler comme ça ?

Mon père répondit, et le ping-pong parental reprit de plus belle. Mais le bon côté, c'était que cette « pauvre Grace » allait peut-être enfin sortir de leurs préoccupations !

Après avoir prétexté un téléphone portable égaré et un besoin urgent d'appeler mon merveilleux petit ami médecin, je parvins à m'éclipser. Dans le taxi qui me ramenait chez moi, je réalisai que j'avais finalement réussi à éviter Andrew. Je m'appliquai à les chasser, ma sœur et lui, de mes pensées, laissant la réplique de Scarlett O'Hara tourner dans ma tête — « Après tout, demain, le soleil brillera encore » —, et me laissai aller à rêver de Wyatt, mon nouveau petit ami « off ». Sans ce problème de pneu quelques semaines plus tôt, je ne serais pas aussi bien retombée sur mes pieds, ce soir.

Si seulement la fiction pouvait rejoindre la réalité, et le « off » devenir « in » ! Mon chirurgien pédiatrique réunissait tant de qualités : il était excellent danseur — en tout cas, il maîtrisait les pas de base —, golfeur à ses heures, comme Stuart, avec qui il se retrouverait sur le green, il savait y faire avec ma grand-mère, s'intéresser aux sculptures de ma mère et l'écouter en parler, il avait aussi quelques notions sur la guerre de Sécession. Et il pouvait s'interrompre en pleine phrase juste parce qu'il me regardait et qu'il en perdait le fil de ses pensées. Si ce Wyatt-là existait, il me prendrait maintenant dans ses bras et me porterait à l'étage, descendrait la fermeture à glissière de cette robe et me ferait grimper au septième ciel.

Le taxi s'engagea lentement dans ma rue, puis s'arrêta devant la maison étroite, à trois étages. Je payai et, après être sortie du véhicule, je restai une minute à contempler la façade de style victorien. C'était chez moi. Quelques jonquilles précoces pointaient leurs têtes le long de l'allée ; bientôt, dans une explosion de touches de jaune et de rose, les tulipes recouvriraient les plates-bandes. Et en mai, le lilas, devant la façade est, emplirait toute la maison de son odeur incomparable. L'été, je passais une grande partie des journées sur ma terrasse, à lire, à écrire des papiers pour différents journaux, à arroser mes fougères et mes bégonias. C'était ma maison. Quand je l'avais achetée — correction : quand Andrew et moi l'avions achetée —, elle était à l'abandon et plutôt délabrée. A présent, c'était un endroit de rêve, et c'est moi, toute seule, qui en avais fait cet endroit de rêve, puisque Andrew m'avait quittée avant les travaux d'isolation, la démolition de certaines cloisons et les peintures.

Mes talons claquaient sur les dalles de l'allée. La tête d'Angus, oreilles dressées, surgit derrière la fenêtre, comme un diablotin au bout de son ressort. Je souris… et titubai. J'étais apparemment un petit peu pompette et j'avais sous-estimé ce petit détail alors que je fouillais dans mon sac à la recherche de mes clés. Les voilà ! Clé dans la serrure. Fait. Petite rotation. Réussie.

— Salut, Angus McFangus ! Maman est arrivée !

Mon petit chien fonça droit sur moi, puis, submergé par le miracle de ma présence, se mit à traverser à toute berzingue le rez-de-chaussée — salon, salle à manger, cuisine jusqu'au couloir — comme s'il faisait un tour d'honneur, et, pris dans son élan, ne s'arrêta plus.

— Est-ce que maman t'a manqué ? demandai-je d'un ton idiot à chacun de ses passages. Est-ce que… maman… t'a manqué ?

Quand il eut fini d'évacuer son trop-plein d'énergie, il

34

vint déposer fièrement à mes pieds une boîte de mouchoirs en papier sur laquelle il s'était acharné, un dommage collatéral de sa soirée solitaire.

— Merci, Angus, dis-je, en le remerciant de son cadeau de bienvenue.

Il se laissa tomber devant moi, en position grenouille : couché, ventre plaqué au sol, pattes postérieures étendues derrière lui. La langue pendante, Superchien était prêt à s'envoler. Dans ses yeux, deux billes noires, se reflétait une adoration sans bornes. Je m'assis, ôtai mes chaussures et grattai sa petite tête vive.

— Tu sais quoi ? Nous avons un nouveau petit ami off.

Il lécha ma main frénétiquement, rota, puis s'élança vers la cuisine. Bonne idée ! J'avais bien envie de glace Ben & Jerry. Je me soulevai de ma chaise, jetai en passant un coup d'œil par la fenêtre et me pétrifiai.

Un homme se faufilait le long de la façade de la maison voisine.

Il faisait sombre à l'extérieur, bien sûr, mais je distinguai clairement la silhouette masculine à la faveur de l'éclairage de la rue. Je le vis jeter des coups d'œil furtifs à droite et à gauche. Il s'immobilisa un instant, puis se dirigea vers l'arrière de la maison, monta les marches, lentement, d'un pas hésitant, puis appuya sur la poignée de la porte. Qui était fermée, bien sûr. Il regarda sous le paillasson. Se redressa, les mains vides. Il exerça encore une pression sur la poignée de porte, plus énergiquement cette fois.

Que devais-je faire ? J'hésitai. C'était la première fois que j'étais le témoin d'une tentative d'effraction. Personne n'habitait au 36 Maple. Deux ans que je vivais à Peterston et je n'avais même jamais vu personne s'intéresser à cette maison de plain-pied, en mauvais état. Je m'étais souvent demandé pourquoi personne ne l'achetait. Il ne devait rien y avoir à voler à l'intérieur…

Je déglutis avec un petit bruit de gorge, prenant soudain conscience que ma pièce était éclairée, mon rideau ouvert, et que ma silhouette devait très clairement se découper dans la nuit. Si le cambrioleur regardait dans ma direction, il ne manquerait pas de m'apercevoir. Je tendis le bras vers la lampe et l'éteignis, sans le quitter des yeux.

Le suspect — c'était quand même ce dont il avait l'air — donnait maintenant un coup d'épaule contre la porte. Il recommença, plus fort cette fois, me sembla-t-il. Le battant ne céda pas. Il essaya une troisième fois sans plus de résultat, puis recula et s'avança vers une fenêtre. Il mit ses mains en visière devant ses yeux et scruta l'intérieur.

Vraiment très louche. L'homme tenta d'ouvrir la fenêtre. Cette fois encore, sans succès. Peut-être avais-je trop vu d'épisodes de *New York police judiciaire*, mais ce qui se jouait devant mes yeux laissait peu de place au doute. Un *délit* était en train de se commettre dans la maison inhabitée, voisine de la mienne. Cela ne me disait rien qui vaille. Et si le cambrioleur changeait soudain de plan et se hasardait jusqu'à la mienne ? Après deux années d'existence, Angus n'avait toujours pas fait montre de ses qualités de chien de garde. Chaussures et rouleaux de papier-toilette sur lesquels il s'était fait les dents étaient ses seuls exploits. Alors, me protéger d'un homme ? Le doute était permis. D'autant que le cambrioleur me semblait de bonne taille, plutôt musclé. Et très massif.

Un flot d'images horribles me traversa l'esprit. Mon imagination fertile me jouait des tours. Il était peu probable que l'homme, qui était en train, à cet instant, de tester une autre fenêtre, soit un assassin à la recherche d'un endroit où planquer un corps. Ni un dealer ayant dans le coffre de sa voiture pour un million de dollars d'héroïne. Et s'il était un dangereux psychopathe, comme celui du *Silence des agneaux*, capable d'enchaîner une femme dans un puits au fond d'une cave, de l'affamer avant de découper sa peau pour s'en faire une robe ? Non, bien sûr que non, je déraillais !

Le cambrioleur était revenu à la porte d'entrée.

D'accord, mec, pensai-je. *Là, c'en est trop ! Il est temps d'appeler la police.* Même sans envisager le pire, il cherchait visiblement une maison à dévaliser. Ce verbe existait ? « Dévaliser » ? Je trouvai ce mot amusant à l'oreille. L'effet gin tonic, sûrement ! J'en avais bu deux (ou était-ce trois ?). L'alcool ne me réussissait pas, mais quand même. Quel que soit le bout par lequel je prenais la situation, ce qui se tramait à la porte d'à côté ressemblait fort à une activité criminelle, ou je ne m'y connaissais pas. L'homme disparut une nouvelle fois à l'arrière de la maison, cherchant, supposai-je, une façon d'entrer. Quelle galère ! Bon, il était temps d'utiliser mes impôts et d'appeler la police.

— 911, j'écoute.

— Bonsoir, euh… comment allez-vous ?

— De quoi s'agit-il, m'dame ?

— Oui, euh… vous savez, je n'en suis pas sûre, mais…

Je plissai les yeux, cherchant à percer l'obscurité encore une fois. Je ne voyais plus mon cambrioleur ; il avait réellement disparu à l'arrière de la maison, comme avalé par les ténèbres.

— Je crois qu'on est en train de cambrioler la maison d'à côté. Je suis au 34 Maple Street, sur Peterston. Je m'appelle Grace Emerson.

— Un instant, s'il vous plaît.

J'entendis le bourdonnement d'une radio en arrière-fond.

— Nous avons une patrouille dans le secteur, m'dame, dit-elle après quelques secondes. Elle part à l'instant. Que voyez-vous exactement ?

— Hum, pour tout dire, à l'instant, rien. Mais il faisait… des repérages, vous voyez ce que je veux dire ?

Je grimaçai. Des repérages ? Je me croyais dans *Les Soprano* !

— Ce que je veux dire, c'est qu'il tourne autour, il est en train d'essayer de forcer les portes et les fenêtres. Personne n'habite là, vous comprenez.

— Très bien, m'dame. La police ne devrait pas tarder. Voulez-vous que nous restions en ligne ? demanda-t-elle.

— Non, ça va aller, dis-je, ne voulant pas passer pour une faible femme. Merci.

Je raccrochai, avec le sentiment diffus d'avoir fait preuve de bravoure. Ma participation citoyenne à la sécurité du voisinage.

Je ne pouvais plus voir l'homme de la fenêtre de ma cuisine et je me glissai donc dans la salle à manger (la tête me tournait un peu : il y avait bien eu trois gin tonics, après réflexion). Je scrutai les alentours par la fenêtre, et ne perçus rien d'anormal. Je n'entendis aucune sirène non plus. Que fabriquait la police ? Peut-être aurais-je dû rester en ligne. Que se passerait-il si le cambrioleur, comprenant qu'il n'y avait rien à voler dans la maison d'à côté, venait jeter un coup d'œil par ici ? J'avais quantité de jolies choses. A commencer par ce canapé qui m'avait coûté presque deux mille dollars. Il y avait aussi mon ordinateur dernier cri. Et cette fabuleuse télévision écran plasma que mes parents m'avaient offerte pour mon anniversaire.

Je restai le nez collé à la vitre, sondant le noir. C'était peut-être idiot, mais je me serais sentie plus tranquille, si j'avais été… eh bien, peut-être pas armée… Je n'avais pas de revolver… ce n'était pas mon genre, mais n'empêche… Je jetai un coup d'œil à mon bloc de couteaux. Cela me parut exagéré. J'avais bien deux carabines Springfield dans le grenier, sans parler de la baïonnette et de tout le matériel dont je me servais pour les reconstitutions, mais nous ne nous servions pas de vraies balles et je ne me voyais pas non plus embrocher quelqu'un avec ma baïonnette.

Faire face à un cambrioleur était une autre paire de manches que de participer à des reconstitutions historiques dans lesquelles je prenais du plaisir en feignant de tirailler lorsque nous rejouions certains combats. Je me faufilai dans le séjour, ouvris le placard et analysai

38

rapidement les options qui s'offraient à moi. Cintre : inefficace. Parapluie : trop léger. Oh ! mais une minute… là… je sentis mon cœur sauter dans ma poitrine en voyant ma crosse de hockey de l'époque du lycée, coincée entre tout un tas d'affaires. Je l'avais gardée toutes ces années. C'était sentimental, mais j'avais été bien inspirée de la laisser à portée de main. Pas vraiment une arme en soi, mais un bon moyen dissuasif. Exactement ce qu'il me fallait.

Angus était endormi dans son panier en osier, garni d'un coussin de velours rouge, dans la cuisine. Il était couché sur le dos, ses pattes blanches duveteuses en l'air, ses petites dents du bas recouvrant celles du haut. Le petit espoir que j'avais de le voir me défendre en cas d'agression s'évanouit.

— Allez, Angus, en selle cow-boy, murmurai-je. Si tu crois qu'être trognon suffit à…

Il éternua. Je me tassai sur moi-même instinctivement. Un bruit à réveiller les morts… ou à alerter un cambrioleur… Est-ce qu'il pouvait m'avoir entendue appeler la police ? Je me hasardai à jeter un coup d'œil par la fenêtre de la salle à manger. Toujours pas de flics. Rien ne bougeait du côté de la maison voisine. Etait-il parti ?

A moins qu'il ne soit vraiment plus proche que je ne le pensais. Sur le point de s'en prendre à moi. Enfin, de me voler, en tout cas. Ou de s'en prendre à moi, après tout… qui sait ?

Je serrai plus fort les doigts autour de ma crosse de hockey pour me donner du courage. Ne serait-il pas plus raisonnable de monter au grenier et de m'y enfermer ? J'y serais plus en sécurité au milieu de toutes ces carabines, même sans munitions. Les policiers sauraient bien comment gérer la situation. A eux de maîtriser le voleur. Et quand on parlait du loup… j'aperçus leur voiture noir et blanc qui avançait dans la rue, et se garait juste devant la maison des Darren. Ouf ! Sauvée. Je me glissai sur la pointe des pieds dans la salle à manger pour voir si j'apercevais le suspect.

Non. Rien. Seul le bruit des branches du lilas battant contre les fenêtres perçait le silence. En parlant des fenêtres, mon père n'avait pas tort. Il fallait les remplacer. Je sentais un courant d'air alors qu'il n'y avait pas de vent à l'extérieur. Ma note de chauffage allait être salée, cette année.

Un léger coup retentit à ma porte. Ah, les voilà ! Qui disait qu'ils n'étaient jamais là quand on avait besoin d'eux ? Angus se leva d'un bond, comme s'il avait reçu une décharge électrique dans l'arrière-train, et se précipita vers la porte, en sautant joyeusement, les quatre pattes quittant le sol en même temps, tout en poussant des aboiements stridents. *Ouaf ! Ouafouafouafouaf !*

— Chuut ! lui intimai-je. Assis. Pas bougé. Du calme, mon bébé.

La crosse de hockey toujours dans la main, j'ouvris la porte d'entrée.

Ce n'était pas la police. Le cambrioleur se tenait debout devant moi.

— Salut, dit-il.

J'entendis un son mat, avant même d'avoir réalisé que j'avais bougé, puis une suite de détails parvint à mon cerveau en mode fragmenté, décousu, comme s'il fonctionnait déconnecté de mon corps. Le craquement sinistre au moment où la crosse heurta l'homme. L'onde de choc qui fit vibrer tout mon bras. L'expression stupéfaite qui s'imprima sur le visage du cambrioleur, les mains levées pour se protéger le visage. Mes jambes flageolantes. Ledit cambrioleur se laissant tomber sur les genoux, comme au ralenti. Le jappement hystérique d'Angus.

— Aïe ! laissa-t-il échapper faiblement.

— Reculez, lâchai-je dans un couinement, tout en continuant à agiter dans les airs ma crosse de hockey.

Tout mon corps était secoué de spasmes violents.

— Bon sang, grommela-t-il, avec de la surprise plus qu'autre chose dans la voix.

Angus, gueule ouverte, se jeta sur la manche du cambrioleur. Un vrai lion ! Les crocs plantés dans le tissu, il agitait tout à la fois sa petite tête de droite à gauche et sa queue, frénétiquement, le corps tremblant de l'excitation de défendre sa maîtresse.

Devais-je lâcher ma crosse ? Si je le faisais, je donnais l'opportunité au cambrioleur de m'empoigner… C'était l'erreur que commettaient la plupart des femmes, en tout cas celles qui se retrouvaient au fond d'un puits ou dans une cave, affamées avant d'être écorchées vives…

— Police ! Mains en l'air !

Enfin ! Deux hommes en uniforme traversaient en courant ma pelouse.

— Les mains en l'air ! Tout de suite !

J'obéis, lâchai ma crosse… qui tomba pile sur la tête du cambrioleur.

— Pour l'amour de Dieu…, marmonna ce dernier, en grimaçant.

Angus lâcha la manche et bondit sur la crosse qui roulait sur le sol de la terrasse, aboyant avec conviction.

Le cambrioleur leva la tête vers moi, en plissant les yeux. La peau autour de son œil virait déjà au rouge vif. Et — oh, mon Dieu ! — c'était du sang.

— Les mains derrière la tête, intima l'un des policiers, en sortant prestement ses menottes.

— Je n'y crois pas, murmura l'homme, obtempérant avec la résignation lasse de celui qui avait déjà connu ça. Qu'est-ce que j'ai fait ?

Le premier flic ne répondit pas, et le menotta.

— S'il vous plaît, m'dame, rentrez, se contenta de dire son collègue.

Je finis par émerger de mon état de sidération, baissai les mains que je tenais encore en l'air et rentrai d'un pas chancelant.

Angus me suivit, traînant avec lui la crosse de hockey,

qu'il abandonna au milieu du salon pour s'agiter en joyeux cercles autour de mes chevilles. Je me laissai tomber sur le canapé et le pris dans mes bras. Il me lécha le menton vigoureusement, aboya deux fois, puis enfonça le museau dans mes cheveux.

— Etes-vous Mme Emerson ? demanda le policier, trébuchant légèrement sur la crosse de hockey.

Je hochai la tête, le corps toujours secoué de violents tremblements, mon cœur galopant dans ma poitrine comme Ourasi dans la dernière ligne droite.

— Alors, racontez-moi ce qui s'est passé ici…

— Cet homme cherchait à entrer par effraction dans la maison d'à côté, répondis-je, tout en démêlant mes boucles prises entre les dents d'Angus. Parce qu'il n'y a personne qui y vit, vous comprenez ? Je vous ai appelés, et puis il est arrivé juste sur ma terrasse. Alors, je l'ai frappé avec ma crosse de hockey. C'était mon sport, au lycée.

Essayant de reprendre mon souffle, je m'enfonçai davantage sur le canapé, la gorge nouée et le regard se perdant par-delà la fenêtre.

Le policier m'accorda un moment pour récupérer. Tout en caressant le poil rêche d'Angus, qui en ronronnait de plaisir, l'idée que ma réaction ait pu être disproportionnée se fraya un chemin dans mon esprit. Etait-ce une méprise ? Il avait dit : « Salut ! » Enfin, il me semblait. Les cambrioleurs avaient-ils pour habitude de saluer leurs victimes ? *Bonjour. Je viens pour cambrioler votre maison. Quelque chose à dire ?*

— Est-ce que ça va ? reprit le policier.

J'acquiesçai.

— Vous a-t-il blessée ? Menacée ?

Je secouai la tête négativement.

— Pourquoi avez-vous ouvert la porte, mademoiselle ? Ce n'était pas très prudent.

Il fronça les sourcils, la mine désapprobatrice.

— Euh… eh bien, je pensais que c'était vous qui

arriviez. J'ai vu votre voiture. Et non, il ne m'a pas fait mal. Il a juste…

Juste dit « salut ».

— Il se comportait… euh… de façon suspecte ! Vous savez, il rôdait autour de la maison. Il rôdait, à l'affût, cherchant à pénétrer à l'intérieur. Elle est vide… cette maison, je veux dire. Je n'ai jamais vu personne dedans, enfin, pas depuis que j'ai emménagé ici. Mais je ne voulais pas le frapper. Ce n'était pas prémédité.

Eh bien, bonjour les explications !

Le policier me regarda d'un air dubitatif et nota quelques mots sur son petit carnet noir.

— Avez-vous bu, m'dame ? demanda-t-il.

— Un petit peu, répondis-je, penaude. Je n'ai pas pris le volant, bien sûr. J'étais à un mariage. Celui de ma cousine. Elle n'est pas très sympa. En fait, j'ai bu un cocktail. Un gin tonic. Enfin, ce serait plus proche de deux et demi. Peut-être trois ?

Le policier referma son calepin et soupira.

— Butch ? fit le second officier en passant la tête par la porte. Nous avons un problème.

— Il s'est enfui ? m'écriai-je. Il s'est échappé ?

Le second policier me lança un regard désolé.

— Non, m'dame, nous l'avons menotté, vous n'avez rien à craindre. Butch, tu peux venir une seconde ?

Celui-ci s'exécuta, son arme accrochant brièvement la lumière. Serrant toujours Angus contre moi, je m'avançai sur la pointe des pieds vers la fenêtre du salon et écartai discrètement le rideau (vraiment très joli, de soie grège). Les deux policiers s'entretenaient à l'écart. Mon cambrioleur était assis sur les marches de devant, dos tourné.

Maintenant que je n'étais plus morte de peur et que je reprenais mes esprits, je le regardai plus attentivement. Des cheveux bruns en bataille, plutôt attendrissants. De larges épaules… Je l'avais sans doute échappé belle, car je n'aurais pas été de taille si j'avais dû me défendre. Des bras solides, à la façon dont le tissu semblait contenir à grand-peine ses muscles. Les mains menottées dans le dos renforçaient cette impression.

Comme s'il se sentait observé, le cambrioleur se tourna vers la fenêtre. Je m'écartai vivement, sans pouvoir retenir une grimace. Son œil était déjà gonflé, à moitié fermé. Bon sang ! Je n'avais pas voulu le blesser. Je ne voulais rien de tout ça, vraiment... J'avais agi sous le coup de l'émotion, sans réfléchir, dans l'instant.

Le policier Butch réapparut.

— A-t-il besoin de glace ? murmurai-je.

— Ça va aller, m'dame. Il dit qu'il habite à côté, mais nous allons l'emmener au poste de police pour vérifier son histoire. Pouvez-vous me donner votre numéro de téléphone ?

— Bien sûr, répondis-je, en énumérant les chiffres.

Les mots du policier pénétrèrent ma conscience. « Il habite à côté. »

Voulait-il dire que je venais de frapper mon nouveau voisin ?

3

A peine émergée du sommeil, je roulai hors du lit et m'empressai, l'esprit encore embrumé et la vision brouillée, de jeter un coup d'œil à la maison voisine. Je plissai les yeux, luttant contre une vague de nausée. Tout était silencieux. Aucun mouvement ou signe de vie. Repensant à l'expression stupéfaite qui s'était peinte sur le visage du cambrioleur — ou du non-cambrioleur —, une décharge de culpabilité me traversa, se mêlant aux élancements qui vrillaient mon crâne. Peut-être devais-je appeler le poste de police pour savoir ce qui s'était passé. Ou mon avocat de père. Quoique… spécialisé en droit fiscal, il ne me serait pas d'une grande aide. Après réflexion, Margaret, avocate pénaliste, ferait davantage l'affaire, si c'était nécessaire.

Mais qu'est-ce qui m'avait pris ? Pourquoi avais-je frappé cet inconnu ? Je n'avais jamais voulu ça ! Bon, c'était un accident et… les accidents, ça arrivait. Il rôdait autour d'une habitation au beau milieu de la nuit, quand même, non ? A quoi s'attendait-il ? Que je l'invite à entrer pour prendre un café ? Et puis qu'est-ce qui me prouvait que son « j'habite à côté » n'était pas un mensonge pour se sortir d'affaire ? Peut-être n'avais-je fait que rendre un fier service au voisinage. N'empêche… C'était la première fois que je frappais quelqu'un. J'espérais ne pas l'avoir fait trop fort, et qu'il n'était pas gravement blessé. Ou furieux.

Mon regard se porta sur ma robe, que je n'avais pas pris la peine de suspendre, dans l'agitation de la nuit dernière, et qui était étalée par terre. Elle fit remonter en moi des images de la veille. Le mariage de Kitty. Andrew et Natalie ensemble. Mon petit mensonge sur ma vie sentimentale.

A première vue, nos vies semblaient tourner autour de Natalie, qui pouvait peut-être donner l'impression d'être… je ne dirai pas « trop gâtée », mais tout du moins très protégée. Il lui était si facile de se faire aimer ! Il y a des personnes comme ça… Elle était adorée par nos parents, par Margs, qui ne donnait pas son amour facilement, et même par notre grand-mère. Pourtant, personne ne l'adorait plus que moi. En fait, mon premier vrai souvenir était associé à Natalie. Le jour de mon quatrième anniversaire, ma grand-mère, qui était censée nous surveiller, Margaret et moi, fumait une clope dans la cuisine pendant que mon gâteau cuisait dans le four, la chaude odeur de vanille se mêlant agréablement à celle, mentholée, des cigarettes de mon aïeule.

Pour mes yeux d'enfant, la cuisine était semblable à une caverne d'Ali Baba, recélant des trésors merveilleux et inattendus. L'endroit que j'affectionnais tout particulièrement était ce que j'appelais le « garde-manger », sorte de grand placard sombre dont les étagères me paraissaient aller du sol au plafond. Je me faufilais souvent à l'intérieur, fermais la porte sur moi, pour y manger en cachette des copeaux de chocolat à même la boîte, dans un silence presque religieux qui me ravissait. Marny, notre cocker anglais, était souvent de la partie. Il agitait son moignon de queue en attendant les croquettes que je lui donnais à la becquée, ne résistant pas moi-même au plaisir d'en gober une, au passage. Quelquefois, ma mère ouvrait la porte et poussait un cri de surprise en me découvrant là, recroquevillée entre le mixeur, les bouteilles d'eau gazeuse, les paquets de nourriture pour chien et Marny. Je m'y sentais en sécurité, à l'abri de tout.

Bref… Le jour de mon quatrième anniversaire, donc, ma grand-mère fumait, et moi, j'étais cachée dans le garde-manger avec Marny, partageant avec lui une boîte de Cheerios, quand j'entendis la porte de derrière s'ouvrir. C'étaient mes parents qui rentraient. Il y eut de l'effervescence… ma mère était de retour après quelques jours d'absence. Je l'entendis m'appeler.

— Gracie, où es-tu ? Joyeux anniversaire, ma puce ! Il y a quelqu'un qui aimerait te rencontrer !

— Où est la chanceuse petite fille qui fête son anniversaire, aujourd'hui ? avait renchéri mon père, en prenant une grosse voix. Elle ne veut pas ses cadeaux ?

Prenant soudain conscience que ma mère m'avait terriblement manqué, je bondis hors de ma cachette comme un diable de sa boîte, passai à toute allure contre les jambes maigres et veineuses de ma grand-mère, et fonçai vers ma mère, assise à la table de la cuisine. Elle n'avait pas quitté son manteau et tenait un bébé enveloppé dans une petite couverture rose pâle.

— Mon cadeau d'anniversaire ! m'étais-je exclamée, en poussant un cri de joie.

Bien sûr, les grands m'expliquèrent que le bébé n'était pas que pour moi, mais aussi pour Margaret et un peu pour tout le monde. En réalité, mon cadeau d'anniversaire était un chien en peluche (que, selon les dires de la famille, j'avais posé plus tard dans le berceau du bébé, dans un élan de pure générosité qui avait enchanté mes parents). Mais ce premier vrai sentiment ne m'a jamais vraiment quittée : Natalie Rose était à moi, certainement bien plus qu'elle n'était à Margaret. Avec le recul, je soupçonnais d'ailleurs mon aînée de trois ans — déjà très sophistiquée et pleine d'esprit — d'avoir savamment entretenu ce sentiment de possession pour échapper à ses responsabilités de grande sœur.

« Grace, ton bébé a besoin de toi », disait-elle, quand notre mère nous demandait de donner à Nat son yaourt ou de changer sa couche.

Cela ne me gênait pas. J'aspirais à ce rôle de grande sœur, importante et attitrée, après quatre longues années passées à être commandée ou battue froid par Margaret. A mes yeux, mon anniversaire représentait davantage l'arrivée de Natalie dans ma vie, et le début de notre histoire, que le jour de ma naissance. Non, mon anniversaire prit une autre valeur. Ce fut le jour où j'eus Natalie.

Ma petite sœur nous enchanta. De bébé stupéfiant, elle

evint une petite fille magnifique, avec ses grands yeux azur ourlés de longs cils recourbés, ses cheveux blonds et soyeux, ses joues douces comme un pétale. Son premier mot fut « Gissy », ce qui, nous le savions tous, était une tentative pour dire mon prénom.

En grandissant, elle me prit pour modèle, me vouant une franche admiration. Margaret, avec son petit côté Mlle Je-sais-tout et « qui dit tout en face », refroidissait les élans d'affection spontanés. Elle était plutôt celle qui vous prenait à part pour vous intimer l'ordre de ne pas toucher à ses affaires ou vous expliquer comment se sortir des ennuis. Mais pour les jeux, les câlins, les confidences, Nat se tournait vers moi, et j'avais tout fait pour qu'il en soit ainsi. A quatre ans, elle passait des heures à mettre des barrettes dans mes boucles extravagantes, s'extasiant sur leur couleur, « le marron doré des nuages », comme elle disait. En maternelle, c'était de moi qu'elle avait décidé de parler pour le jeu « montre et raconte », et encore moi qu'elle avait choisie pour la journée de la personne spéciale. Quand elle avait besoin d'aide pour son concours d'orthographe, je me substituais à nos parents, inventant des phrases idiotes pour rendre les choses amusantes. Lors de ses spectacles de danse, elle me cherchait du regard dans le public, d'où j'essayais d'attirer son attention, un large sourire scotché aux lèvres. Je l'appelais Nattie Bumppo, le nom du héros dans *Le Dernier des Mohicans* et *Le Tueur de daims*, et pointais du doigt le personnage, dans les livres, pour lui montrer combien elle était célèbre.

Notre enfance se passa ainsi sans événement marquant, chacune dans son rôle — Natalie la magnifique, moi sa première fan, et Margs la frondeuse indépendante —, jusqu'à ce coup de fil de ma mère. Natalie avait dix-sept ans et moi, j'étais dans mon premier cycle universitaire au William & Mary College, en Virginie, à neuf heures de route de la maison. Natalie, qui n'était pas du genre à se plaindre, se sentait patraque depuis un jour ou deux, et ma mère avait fini par s'inquiéter de ces douleurs au ventre. Tout s'était rapidement aggravé. Il avait fallu l'opérer d'urgence de l'appendicite, mais il y avait eu des complications. L'infection s'était propagée, provoquant une péritonite. Elle brûlait d'une fièvre qui ne redescendait pas.

Ma sœur avait été placée en soins intensifs, et le pronostic vital était engagé.

« Rentre à la maison aussi vite que tu peux, Grace », m'avait dit ma mère, la voix blanche.

De ce trajet de retour, je n'ai gardé qu'une impression de trou noir transpercé par intermittence d'images et de sensations vives et prégnantes. Un professeur m'avait conduite jusqu'à l'aéroport de Richmond, mais encore aujourd'hui je ne saurais dire de qui il s'agissait. En revanche, de nombreux détails restent gravés de façon indélébile dans ma mémoire. Comme le tableau de bord poussiéreux de la voiture qui me conduisait à l'aéroport, le contact chaud et collant des sièges en vinyle, la fissure qui fendait le pare-brise, me faisant penser au Mississippi coupant les Etats-Unis. Mon désarroi dans la salle d'attente et les larmes que je n'avais pu retenir devant la porte d'embarcation, les poings serrés tandis que l'avion se glissait avec une lenteur torturante vers le terminal. Le visage de mon ami Julian qui m'attendait à l'arrivée, et celui de ma mère, ravagé par l'angoisse et la sollicitude. Je la revois se balançant d'un pied sur l'autre devant le box où était installée Natalie, à côté de mon père silencieux, le visage blême. Margaret était recroquevillée sur elle-même, près du rideau de séparation.

Ma petite sœur... Qui n'était plus qu'une petite forme inerte disparaissant sous les tubes et les couvertures. Elle m'avait semblé si fragile que mon cœur s'était brisé. Je lui avais pris la main, l'avais embrassée, mes larmes coulant sur les draps.

— Je suis là, Nattie Bumppo. Je suis là.

Elle était trop faible pour répondre, trop malade même pour ouvrir les yeux.

Du couloir nous parvenait la voix préoccupée du docteur qui s'entretenait avec mes parents, un murmure étouffé d'où émergeaient quelques mots sinistres : « … accès… bactérie… fonction rénale… globules blancs… Pas bon. »

— Ce n'est pas possible, avait chuchoté Margaret. Oh ! Bon sang, Gracie…

Il ne nous était pas nécessaire d'en dire plus. L'horreur du drame que nous vivions se lisait dans nos yeux. Notre lumineuse Natalie, la plus douce, la plus gentille et jolie fille du monde, était en train de mourir.

Les heures s'égrenèrent. Les tasses de café s'enchaînèrent. Les perfusions de Natalie étaient changées, ses constantes étroitement surveillées. Une journée passa, les minutes nous paraissant des heures. Elle ne reprenait pas connaissance… Une nuit. Une autre journée. Son état empirait. Nous n'étions autorisés à la voir que quelques minutes et toujours l'un après l'autre, puis nous attendions dans une salle impersonnelle, au mobilier sommaire, aux vieux magazines, où la lumière blafarde du néon n'épargnait rien de la peur qui altérait nos visages.

Le quatrième jour, une infirmière était apparue dans la pièce.

— La famille de Natalie Emerson, venez vite !

Ma mère avait poussé un gémissement, le visage blanc comme de la craie.

Elle fut prise de vertige et mon père l'avait rattrapée par le bras, la soutenant tout le long du couloir. La peur au ventre, je m'étais élancée vers la chambre, Margaret sur mes talons. Ce couloir m'avait paru interminable. Le bruit de mes baskets sur le sol résonnait à mes oreilles, se confondant avec les battements de mon cœur. Chaque souffle, chaque pas ponctuait mes prières désespérées. *Pitié. Pitié. Pas Natalie. Pitié.*

Je fus la première à pénétrer dans sa chambre. Ma sœur — mon bébé, mon cadeau d'anniversaire — était réveillée et nous regardait pour la première fois depuis des jours, un pâle sourire sur les lèvres. Margaret avait chancelé derrière moi.

— Natalie ! avait-elle explosé, égale à elle-même. Bon sang, tu nous as fait peur ! On a cru que tu étais morte !

Et, sans autre mot, elle était sortie en trombe de la chambre pour s'en prendre à l'infirmière qui nous avait volé l'espace d'une minute dix ans de nos vies.

— Nattie…, avais-je murmuré.

Quand elle m'avait tendu la main, je m'étais fait la promesse de me montrer digne du merveilleux cadeau que Dieu venait de me faire en me la laissant.

— Tu as fait quoi ? s'exclama Julian, amusé.

Nous nous promenions, mon copain d'enfance et moi, dans le centre-ville de Peterston, un chausson aux abricots de la pâtisserie Chez Lala dans une main, un cappuccino dans l'autre. Je venais de lui faire le débriefing de ma soirée, et mes exploits l'avaient emporté haut la main sur son histoire de poulet tikka masala qu'il avait cuisiné et réussi avec trois fois rien.

— J'ai balancé à toute la famille que je voyais quelqu'un. Wyatt, un chirurgien pédiatrique.

J'avalai une nouvelle bouchée de ma pâtisserie encore chaude et laissai échapper un grognement de plaisir.

Julian s'immobilisa, une franche admiration dans les yeux.

— Waouh !

— Plutôt brillant, hein ?

— Je trouve ! Donc, tu as frappé ton voisin alors que tu te dressais contre le crime dans ton quartier, après t'être inventé un nouveau petit ami. Tu n'as pas chômé… Une nuit pleine de rebondissements !

— C'était si simple… Je me demande pourquoi je n'y ai pas pensé plus tôt, dis-je, la mine réjouie.

Avec un sourire, Julian se pencha pour donner à Angus un morceau de pâtisserie, et nous nous remîmes en marche. Passant devant son studio de danse, le Lindy Hop, voisin d'un pressing et de la pizzéria Chez Mario, il jeta un coup d'œil par les vitres, vérifiant que tout était en ordre à l'intérieur. Une jeune femme, derrière nous, lui jeta un coup d'œil, détourna le regard puis cilla et le regarda de nouveau plus attentivement. Je souris, posant un regard attendri sur mon plus vieil ami. L'adolescent grassouillet et solitaire que j'avais connu s'était métamorphosé au fil du temps. Il avait maintenant des faux airs de Johnny Depp — rasé de près —, et la réaction de la jeune femme ne me surprenait pas. S'il avait été hétéro, je l'aurais épousé depuis longtemps et lui aurais même déjà fait des enfants. Côté sentimental, Julian n'avait pas été épargné non plus. Même si je ne connaissais pas tous les détails de sa dernière rupture, je savais qu'il avait vraiment morflé.

— Tu es donc maintenant la petite copine de Wyatt, dit-il, en se remettant à marcher. C'est quoi, son nom de famille ?

— Je ne sais pas, répondis-je. Je n'y ai pas encore réfléchi.

— Qu'est-ce que tu attends ?

Julian garda le silence une minute, la mine concentrée.

— Pourquoi pas Dunn ? Wyatt Dunn.

— Wyatt Dunn, docteur en médecine… j'adore, acquiesçai-je.

Il se retourna vers la femme derrière nous et lui décocha un sourire. Je la vis s'empourprer et faire semblant d'avoir fait tomber quelque chose. Ça arrivait tout le temps.

— Et à quoi ressemble-t-il, ton docteur ?

— Bien… disons qu'il n'est pas très grand… Faut pas abuser, tu ne crois pas ?

Julian me sourit ; lui-même faisait un mètre soixante-dix-huit.

— Plutôt du genre longiligne. Pas le type trop séduisant, mais avec un visage agréable, et des fossettes… Tu vois ? poursuivis-je. Des yeux verts, des cheveux blonds. Des lunettes, aussi, ce serait bien, non ?

Le sourire de Julian s'estompa.

— Grace ! Tu es juste en train de me faire le portrait d'Andrew.

Je m'étranglai avec une gorgée de cappuccino.

— Ah oui ? Zut. D'accord, bon, alors on efface tout. Grand, brun et séduisant. Pas de lunettes. Les yeux sombres.

Angus aboya une fois, approuvant mon choix.

— Ça me fait penser à ce Croate, Dr Belle Gueule, dans *Urgences*, ajouta Julian.

— Oui, je vois de qui tu parles. Oui, parfait ! C'est Wyatt jusqu'au bout des ongles.

Nous nous esclaffâmes.

— Au fait, est-ce que Kiki nous rejoint, ce matin ? demanda-t-il.

— Non. Elle a rencontré quelqu'un la nuit dernière et elle pense vraiment que c'est l'homme de sa vie, le Bon, le Seul, l'Unique.

Julian prononça les derniers mots de concert avec moi. Cette propension à tomber follement amoureuse, c'était tout Kiki. Elle s'y entendait pour trouver « le Bon ». Ça lui arrivait très souvent, mais jamais pour très longtemps, et ça finissait mal... avec, par exemple, une ordonnance restrictive demandée à son encontre. Elle tombait toujours raide dingue amoureuse avant la fin de son premier rendez-vous, et faisait fuir son prétendant avec ses déclarations envolées d'amour éternel. Si l'histoire tendait à se répéter (comme la Grande Histoire), mon amie, qui ne tirait jamais les enseignements du passé, serait au trente-sixième dessous dans une semaine.

Donc, pas de Kiki, ce matin. Ce n'était pas ça qui allait nous arrêter. Julian et moi partagions l'amour des antiquités et des vêtements vintage. Mais il n'y avait là rien d'étrange, pour une enseignante d'histoire et un professeur de danse, gay de surcroît. Déambuler au gré des rues sinueuses et calmes de Peterston, s'arrêter dans les magasins branchés et découvrir au détour d'une rue un arbre bourgeonnant me rendait heureuse, après un hiver long et triste.

Peterston, petite ville reculée du Connecticut, au bord de la rivière Farmington, n'était accessible qu'aux touristes déterminés, ayant une bonne lecture des cartes routières. Autrefois réputée pour ses lames de charrue — il n'existait aucun endroit au monde qui en avait produit autant —, la ville avait connu un lent déclin, avant de retrouver un charme un peu désuet et un nouveau dynamisme ces quinze dernières années. Main Street menait tout droit à la rivière

Farmington, que l'on pouvait longer en suivant un petit sentier de randonnée. En fait, c'était ce que je faisais souvent pour rentrer chez moi. Ou pour me rendre chez mes parents qui vivaient à Avon, cinq miles en aval.

Oui, je me sentais heureuse, ce matin. J'aimais Julian. J'aimais Angus, qui trottinait joyeusement au bout de sa laisse tressée rouge et mauve. J'aimais l'idée que ma famille me croie en couple, et de n'avoir plus à leur répéter, pour les rassurer, que j'étais passée à autre chose depuis Andrew.

— Peut-être que je devrais m'acheter une ou deux nouvelles tenues, me dis-je à haute voix, devant la vitrine de Chic Boutique. Maintenant que je fréquente un médecin... Pas du vintage, quelque chose qui n'a jamais été porté.

— Tu as raison, il te faut quelque chose de joli et d'élégant pour tes fonctions de représentation à l'hôpital, approuva Julian avec un sourire complice.

J'entrai avec lui dans le magasin, Angus dans mes bras, et nous en ressortîmes une heure plus tard, chargés de sacs.

— J'adore sortir avec Wyatt Dunn, dis-je en souriant. En fait, je pourrais en profiter pour faire un changement total de look. Nouvelle coupe de cheveux, manucure, pédicure... Cela fait une éternité que je n'ai plus fait ça. Qu'est-ce que tu en penses ? Tu veux m'accompagner ?

— Grace..., dit-il en s'arrêtant.

Il prit une profonde inspiration, tout en faisant un mouvement de tête à l'intention d'un passant, puis poursuivit :

— Grace, peut-être que nous devrions...

— Déjeuner, plutôt ? suggérai-je, tout en caressant Angus, qui léchait le sac contenant mes nouvelles chaussures.

— Non, je me disais qu'il était sûrement temps d'essayer de rencontrer quelqu'un. Toi et moi. Peut-être que nous devrions arrêter de dépendre autant l'un de l'autre et nous lancer vraiment.

Je ne répondis pas.

— Je crois que j'y suis prêt, lâcha-t-il dans un soupir. Toi et tes petits amis « off », c'est drôle et on s'est bien marrés avec ça, mais… ça me fait juste penser qu'il est temps de vivre réellement notre vie.

Julian me connaissait depuis longtemps.

— Tu as raison, acquiesçai-je lentement.

Mon petit embellissement de la réalité m'avait permis d'oublier momentanément l'angoisse qui m'étreignait. Ce n'était pas que je me refusais à l'amour, au mariage, et à tous ces trucs à la guimauve… Je détestais juste l'idée de ce par quoi il fallait passer pour arriver à ce but.

— Je le ferai si tu le fais, insista-t-il. Et si tu réfléchis bien, peut-être qu'il y a un Wyatt Dunn, là, quelque part, qui te fera craquer. Et alors… Andrew…

Il prit un air contrit.

— Qui sait ? poursuivit-il. Tu ne penses pas, Grace ?

— Oui, bien sûr… Oui. Tu as sans doute raison.

Je fermai brièvement les yeux, me représentant Tim Gunn/Atticus Finch/Rhett Butler/George Clooney.

— C'est d'accord.

— Bon. Je rentre chez moi pour m'inscrire sur un site de rencontres, et tu fais la même chose de ton côté.

— Oui, général Jackson. On fait comme vous dites, rétorquai-je d'une voix ferme.

Je le saluai, main sur la tempe, et il me rendit le geste, avant de planter une bise sur ma joue et de tourner les talons.

Alors que je regardais mon vieil ami s'éloigner, je ressentis un pincement au cœur en l'imaginant en couple, heureux avec sa moitié. Il ne passerait plus chez moi une ou deux fois par semaine, et ne me demanderait plus de l'assister pour le cours « Danse avec les anciens », qu'il donnait à la maison de retraite Golden Meadows. Et c'est avec un homme séduisant qu'il irait faire le shopping du samedi matin.

Ça craignait vraiment. J'eus tout à coup le moral dans les chaussettes.

— Ne fais pas l'égoïste, marmonnai-je.

Pour toute réponse, Angus mâchouilla l'ourlet de mon jean. Nous prîmes la direction de la maison par l'étroit sentier de terre humide et odorante qui longeait la rivière.

Angus se prenait les pattes dans mes sacs, tirant sur sa laisse pour s'approcher davantage de la Farmington, dont le flot impétueux l'aurait emporté tel un vulgaire fétu de paille. Des oiseaux bruyants voletaient autour des arbustes au feuillage vert foncé brillant et des érables couverts de fleurs d'un pourpre vif, dans une agitation qui marquait le début de la saison des amours.

Andrew était le dernier homme en date dont j'avais été amoureuse, mais je m'étais tellement appliquée à chasser tous les souvenirs liés à lui, chaque fois qu'il m'en venait un, que je ne parvenais plus à me rappeler ce que j'avais ressenti quand nous étions tombés amoureux… J'avais néanmoins très envie de retomber amoureuse, mais de la bonne personne, cette fois. Vraiment faite pour moi.

Julian avait raison. Il était temps de remonter en selle. Bien sûr, j'avais essayé de me dénicher un rencard à l'occasion du mariage de Kitty, mais une relation, c'était autre chose. Je voulais rencontrer quelqu'un. J'avais *besoin* de rencontrer quelqu'un, un homme que j'aimerais vraiment, qui n'aurait d'yeux que pour moi, qui me verrait comme la plus belle créature sur terre, la seule capable de lui faire battre le cœur plus vite, d'adoucir son souffle avant même qu'il n'entre dans ses poumons… et toutes ces images sucrées dégoulinantes de romantisme. Cet homme devait exister. Je devais chasser définitivement Andrew de mes pensées.

Il était temps.

Le voyant de mon répondeur clignotait quand je rentrai.

« Vous avez cinq messages », annonça une voix mécanique.

Waouh ! C'était plutôt inhabituel. Les deux premiers étaient de mes sœurs — Nat disait qu'elle était impatiente de me voir et d'en savoir plus sur Wyatt ; le ton de Margaret me parut un brin plus ironique. Le troisième message était de ma mère, qui me rappelait son exposition et me suggérait d'y convier mon séduisant médecin. Dans le quatrième, mon père me communiquait mon rôle dans la bataille qui devait avoir lieu la semaine suivante, me suggérant lui aussi d'y emmener mon petit ami. Je le soupçonnai de vouloir faire d'une pierre deux coups : la communauté des « Brother Against Brother » manquait de recrues dans le camp des yankees.

Je pouvais me féliciter : ma famille avait, semblait-il, gobé mon improvisation de la veille… Et déjà accepté Wyatt.

Le dernier message venait du policier Butch Martinelli, du poste de police de Peterston, qui me demandait de le rappeler. Oh ! misère… J'en avais presque oublié toute cette histoire. La crosse de hockey me revint à la mémoire comme un boomerang en pleine face. La gorge nouée, je composai sur-le-champ le numéro et demandai à parler au policier en question.

— Oui, mademoiselle Emerson. J'ai un peu plus d'informations sur l'homme que vous avez agressé la nuit dernière.

Agressé ? Parce que j'avais *agressé* quelqu'un, maintenant. Mon cambrioleur était donc devenu la victime.

— En fait, je ne l'ai pas vraiment agressé…

Je m'interrompis, horrifiée par mon passage non contrôlé en voix de tête, avant de reprendre :

— Pas dans le sens où on pourrait l'entendre. Disons que c'était plutôt… une réaction d'autodéfense.

Le policier ne releva pas et poursuivit :

— On ne peut rien retenir contre lui. Il vient d'acheter la maison, toutes les démarches se sont faites à distance. Il pensait qu'on lui avait laissé une clé et il la cherchait — c'est pour cela qu'il tournait autour de la maison.

Le policier s'interrompit.

— Ne pouvant vérifier son histoire avant ce matin, nous avons dû le garder toute la nuit. Il a été relâché il y a une heure.

— Euh… est-ce qu'il va bien ? demandai-je en fermant les yeux.

— A priori, rien de cassé, juste un œil au beurre noir.

Je grimaçai. Je ne m'étais sûrement pas fait un ami !

— Butch ? repris-je, traversée par une idée.

— Oui ?

— S'il n'y avait rien à lui reprocher, pourquoi l'avez-vous emmené au poste ? Et gardé toute la nuit ? Cela va bien au-delà du simple contrôle d'identité, non ?

Gênée par le silence au bout du fil, je me mis à bafouiller, m'embourbant piteusement.

— Euh, je suppose que vous pouvez faire tout un tas de choses sans vrai motif… avec le Patriot Act… l'abus de pouvoir, l'atteinte aux libertés civiles. Enfin, je veux dire…

— Nous prenons toujours les appels du 911 au sérieux, mademoiselle. Vous aviez un problème avec un homme. Vous l'aviez frappé. Nous avons jugé prudent de vérifier ses dires…

Il aurait fallu être sourd pour ne pas sentir la pointe de désapprobation percer dans sa voix.

— … mademoiselle, répéta-t-il, en appuyant lourdement.

— Bon. Bien sûr. Désolée. Merci encore d'avoir appelé.

Je jetai un coup d'œil par la fenêtre de la salle à manger vers la maison voisine. Aucun signe de vie. Cela n'était pas pour me déplaire : même si je devais clairement m'excuser, l'idée de voir mon nouveau voisin me rendait nerveuse. Je l'avais blessé. Il avait passé la nuit en prison à cause de moi. Ce n'était pas ce que l'on appelait « partir du bon pied ».

Il n'y avait pas à tortiller, j'allais devoir m'excuser. Et si je lui préparais mes super brownies ? Quoi de mieux pour faire la paix ? Et je ne connaissais pas de meilleur remède contre les bleus à l'âme — et à l'œil. Parce que ce n'étaient pas n'importe quels brownies… mes brownies étaient au chocolat. C'en était même indécent, tellement ils étaient riches en chocolat.

Je décidai de ne rappeler aucun des membres de ma famille. Ma sortie avec Julian tournait à mon avantage. Ils devaient me penser avec Wyatt, et autant qu'ils continuent à le penser. Et d'ailleurs, mon imagination se mettait déjà à galoper… Wyatt et moi ne nous étions pas séparés devant la boutique, mais étions allés au cinéma. Oui. Nous avions vu un film, puis nous étions rentrés à la maison. En fait, nous étions en pleine partie de jambes en l'air. Et ce soir, peut-être sortirions-nous dîner. Ce qui était, il fallait en convenir, une très douce façon de passer un samedi après-midi.

— Viens là, Angus, mon garçon, dis-je.

Il me suivit jusque dans la cuisine et s'affala sur le sol. Il roula sur le dos et resta à me regarder, la tête à l'envers, tandis que je m'activais derrière mes fourneaux. Je fis fondre le chocolat — du Ghirardelli, le meilleur pour l'homme que j'avais envoyé en garde à vue —, incorporai 450 grammes de beurre, six œufs, mélangeai, puis enclenchai le minuteur, le temps de la cuisson. Je passai les trente minutes qui suivirent à vérifier mes e-mails et à répondre à trois parents d'élèves qui voulaient me parler des notes de leurs enfants, insistant pour savoir ce que leur petit prodige devrait faire pour obtenir un A à mon cours.

— Travailler plus dur ? ironisai-je devant mon ordinateur. Ou réfléchir davantage ?

Je rédigeai une réponse plus politiquement correcte et l'envoyai.

Je sortis les brownies du four, tout en jetant un nouveau coup d'œil vers la maison voisine. Oui, sans doute pouvais-je encore attendre un peu. Après tout, j'avais des copies à corriger. La salle de bains avait besoin d'un bon nettoyage. Les gâteaux seraient bien meilleurs après avoir refroidi. Pourquoi se précipiter ? Il serait toujours assez tôt pour me retrouver face à lui.

Il était près de 20 heures quand je me réveillai en sursaut devant la copie de Suresh Onabi sur la déclaration d'Indépendance, Angus endormi sur ma poitrine, avec la moitié d'une page mâchouillée dans la gueule.

— Allez, descends, garnement, dis-je en le posant sur le sol.

J'essayai de récupérer la feuille mouillée de salive. Bon sang… Le devoir n'étant plus lisible en totalité, j'allais devoir faire comme si l'élève m'avait rendu une très bonne copie. Le bénéfice du doute relatif devait profiter à l'élève, en somme !

Je me levai, et regardai par la fenêtre de la salle à manger. Aucune lumière ne filtrait chez mon voisin. Mon cœur me semblait battre un peu trop vite, et j'avais la paume des mains moite. Ce qui s'était passé la nuit d'avant était simplement un malheureux concours de circonstances, un quiproquo… Nous pouvions sûrement effacer ce mauvais départ et repartir sur de bonnes bases. Je disposai les brownies sur un joli plat et pris une bouteille de vin dans le casier. Sans oublier d'enfermer Angus dans le sous-sol, pour éviter toute catastrophe. Des brownies et du vin ! Quel homme pouvait résister à ce drapeau blanc ?

Je m'avançai vers le 36 Maple Street, intimidée, la boule au ventre… Mon cerveau enregistra l'allée bosselée, le jardin en friche… Les herbes… assez hautes pour dissimuler un serpent ou n'importe quelles autres bestioles affreuses. Le profond silence qui planait sur la maison délabrée, enveloppée d'ombre, me faisait penser à un animal malveillant, prêt à bondir. *Détends-toi, Grace. Tu n'as rien à craindre. Tu veux juste être une bonne voisine et t'excuser pour les événements de la veille.*

La terrasse s'affaissait, comme ployant sous le poids des ans. Je montai le plus légèrement possible l'escalier de guingois aux marches pourries et instables. Elles supportèrent mon poids. Les mains prises, je donnai un petit coup d'épaule contre la porte d'entrée, pour signaler ma présence, et attendis. Mon cœur cognait contre ma poitrine. Je me souvins de cette petite… décharge ressentie en regardant le faux cambrioleur assis, menotté devant chez moi… son épi attendrissant, ses larges épaules. Et dans cette seconde où je levai ma crosse de hockey sur lui… j'avais trouvé son visage séduisant. « Salut », avait-il dit. *Salut.*

Il n'y eut aucune réponse à mon faible coup. Mon imagination jamais au repos m'entraîna dans une nouvelle fantaisie. Mon voisin allait ouvrir la porte, et de la musique douce — disons un morceau de guitare sud-américain, pourquoi pas ? — m'envelopperait tandis qu'une odeur d'oignons et de poulet rôti flotterait dans l'air. Son visage avec un léger hématome sous l'œil, à peine visible, s'animerait en me reconnaissant. « Oh ! Mais qui voilà ? » s'exclamerait-il

60

avec un sourire. Je m'excuserais sans attendre, et il dédramatiserait la situation en plaisantant. « Voulez-vous entrer une seconde ? » J'accepterais, en renouvelant mes regrets pour mon erreur malheureuse, qu'il écarterait d'un simple revers de la main en affirmant : « Cela aurait pu arriver à n'importe qui ! » Nous discuterions, à l'aise comme si nous nous connaissions depuis toujours. Il mentionnerait son amour des chiens, et son petit faible pour les terriers hyperactifs avec des problèmes de comportement. Il me verserait un verre de vin…

La scène était bien campée… Dans mon esprit, cet homme et moi étions sur la voie royale conduisant à une grande amitié… et peut-être plus… Mais puisqu'il n'était pas chez lui, il ne saurait jamais à côté de quoi il venait de passer.

Sans conviction, je donnai un dernier coup, plutôt soulagée, il me fallait bien l'avouer, de trouver porte close. Je déposai mes cadeaux de paix devant la porte et redescendis délicatement les marches instables.

Me sentant soudain légère, je pris le temps de regarder plus attentivement autour de moi. La lumière de la rue donnait une lueur particulière au jardin, qui semblait briller d'un éclat surnaturel. Je ne m'étais jamais autant approchée, auparavant, même si, bien sûr, je m'étais promenée aux alentours. La maison était inhabitée depuis longtemps… Des tuiles manquaient sur le toit, d'autres avaient bougé, un plastique remplaçait une fenêtre à l'étage. Le treillage qui entourait la terrasse était percé, béant comme une bouche édentée.

C'était une nuit douce, magnifique. Une odeur de pluie flottait au fond de l'air, se mêlant à l'odeur âcre provenant de la rivière. Au loin, quelques cris d'oiseaux emplissaient le ciel. Une fois restaurée, cette maison serait vraiment charmante. C'était peut-être l'intention de mon voisin d'en faire un petit bijou.

L'allée en ciment contournait la façade. Pas de signe du propriétaire. J'aperçus un râteau qui traînait par terre. C'était plutôt imprudent. Quelqu'un pouvait trébucher dessus. Trébucher, se cogner la tête sur le rebord du bassin à oiseaux, à quelques mètres, et tomber inconscient et ensanglanté dans l'herbe... A croire qu'il cherchait vraiment les coups...

Je me dirigeai dessus et le ramassai. Voilà comment se conduisait une super-voisine...

— Est-ce que c'est à vous, tout ça ?

Je tressaillis et fis vivement volte-face, le râteau dans les mains, vers la voix qui venait de m'interpeller. A mon grand désarroi, je vis le manche de bois heurter l'homme en plein visage. Médusé, il recula d'un pas chancelant et lâcha la bouteille de vin que je venais de laisser devant sa porte. Elle explosa en mille morceaux sur l'allée. L'odeur du merlot répandu flotta autour de nous, couvrant toutes les autres senteurs du printemps.

— Oups..., soufflai-je, avec une voix étranglée.

— Bon sang ! jura mon nouveau voisin, en se frottant la joue. C'est quoi, votre problème ?

Je le regardai droit dans les yeux et ne pus retenir une grimace. Son œil était encore gonflé et, même dans la faible lumière, je percevais l'hématome. Sacrément impressionnant, l'hématome !

— Salut, dis-je.

— Salut, lâcha-t-il, mordant.

— Euh, bien... Bienvenue dans le quartier, repris-je, d'une voix tenant davantage du couinement... Euh... est-ce que... ça va ?

— Non. Non, pas du tout.

— Avez-vous besoin de glace ? demandai-je, avançant d'un pas vers lui.

— Non.

Instinctivement, il recula d'un pas, sur la défensive.

— Ecoutez, je suis tellement, tellement désolée... Je venais juste pour... eh bien, pour vous dire que j'étais désolée.

Je l'avais blessé une nouvelle fois, alors que j'étais venue en paix, prête à faire acte de contrition. L'ironie de la situation me heurta de plein fouet et je laissai échapper un rire nerveux, qui ressemblait à s'y méprendre au bruit que faisait Angus quand il régurgitait de l'herbe.

L'homme me dévisagea sans dire un mot et je me surpris à trouver ce regard particulièrement sexy, malgré le coquard. Il portait un jean et un T-shirt de couleur claire, révélant des bras parfaits. Musclés, puissants, mais naturels, pas gonflés par des heures à soulever de la fonte devant le miroir d'une salle de sport. Non. C'étaient les bras d'un manuel. Les bras d'un homme qui savait réparer une voiture. Il me vint à l'esprit l'image de Russell Crowe dans la scène finale de *L.A. Confidential*, quand il était assis à l'arrière du véhicule, la mâchoire immobilisée après avoir reçu une balle. Tout passait par le regard. J'avais trouvé ça *tellement* sexy et excitant.

Je déglutis une nouvelle fois.

— Salut. Je m'appelle Grace, dis-je, désirant repartir de zéro. Je voulais m'excuser à propos de… la nuit dernière. Je suis vraiment désolée. Et, bien sûr, pour ça aussi. Navrée.

Je baissai les yeux. Il était pieds nus.

— Je crois que vous saignez. Vous avez dû marcher sur un morceau de verre.

Il baissa à son tour les yeux, puis me dévisagea, de nouveau, l'air impassible. Une lueur glissa dans ses yeux… J'étais peut-être parano, mais j'aurais juré que c'était de l'écœurement !

Eh bien voilà ! Il était contusionné, en sang, il puait le vin — et il me snobait ! Malgré tout, cet homme m'attirait indéniablement. Une chaleur familière envahit mes joues, et je fus reconnaissante de la faible clarté.

— Ecoutez… Je suis terriblement désolée, murmurai-je lentement. Mais hier, j'ai cru que vous cherchiez à… c'est tout.

— Attendez d'être sobre, la prochaine fois, avant d'appeler la police, rétorqua-t-il.

Ma mâchoire se coinça.

— Mais je l'étais ! J'étais sobre.

Je m'interrompis.

— Enfin, quasiment.

— Ce n'est pas l'impression que vous donniez ! Vos

cheveux étaient en bataille, vous sentiez le gin et, sans raison, vous m'avez frappé au visage avec une canne.

Je sentis des gouttes de transpiration couler le long de mon dos.

— Rectification : c'était une crosse de hockey, et mes cheveux ne sont pas toujours comme ça. Comme vous pouvez le constater.

Il leva les yeux au ciel. Enfin, l'œil qui n'était pas tuméfié. Apparemment, ce simple mouvement était douloureux, car il fit une grimace.

— C'est juste... vous sembliez suspect, c'est tout. Je n'étais pas ivre. Un peu pompette, peut-être, oui.

Je déglutis.

— Mais il était minuit passé, vous cherchiez à entrer dans la maison et vous n'aviez pas de clés, vous êtes d'accord avec ça ? Alors... Comprenez-moi. Cela semblait suspect. C'est tout. Je suis désolée que vous ayez dû passer la nuit en prison. Vraiment désolée.

— O.K., grogna-t-il.

Allons bon... mes excuses ne se passaient pas aussi bien que je l'avais imaginé. Pas de verre de vin, ni d'accords de guitare, mais le contact était établi !

— Donc..., dis-je, déterminée à ce que nous nous séparions en bons termes. Je suis désolée, monsieur... Je n'ai pas retenu votre nom...

— Je ne vous l'ai pas donné, dit-il, en croisant les bras, le regard fixé sur moi.

Sympa...

— Compris, ravie d'avoir fait votre connaissance, quel que soit votre nom. Passez une bonne nuit.

Il ne répondit rien. Avec des gestes mesurés, je posai le râteau, un sourire imperturbable sur les lèvres, et passai devant *lui,* en évitant les débris de verre, douloureusement conscient de chacun de mes mouvements. Le retour jusque chez moi, même s'il n'était question que de quelques mètres, me parut très long. J'aurais pu couper par le jardin, mais il y avait l'hypothèse du serpent qui pouvait se cacher dans les hautes herbes.

Il ne prononça pas un mot, et, du coin de l'œil, je vis qu'il n'avait pas bougé non plus. Pas très amical, le voisin ! J'éviterais de l'inviter au pique-nique du quartier en juin. Il avait gagné ça !

Un bref instant, je me vis tout raconter à Andrew. Avec son sens de l'humour et son ironie, il aurait su rendre amusante cette rencontre qui avait mal tourné. Je me repris. Andrew ne faisait plus partie de ma vie. Je refoulai son image et me raccrochai à celle de Wyatt Dunn. Le gentil et brun Wyatt, qui était amusant et généreux, très généreux. Normal, c'était un pédiatre.

Comme cela avait été le cas tout au long de mon adolescence longue et difficile, mon petit ami « off » chassa la sensation de malaise qu'avait provoquée mon voisin rébarbatif, que je venais de frapper à la tête pour la seconde fois.

Je savais trop bien qu'il n'était que pure invention, mais un jour, avec un peu de chance, je rencontrerais quelqu'un de merveilleux. Quelqu'un d'encore mieux qu'Andrew, peut-être même plus séduisant que mon ronchon de voisin, et aussi merveilleux que Wyatt… Cette pensée me rasséréna.

4

Andrew et moi, nous nous étions rencontrés à Gettysburg. Du moins le Gettysburg que nous avions reconstitué en plein Connecticut pour les besoins du grand rassemblement commémoratif. Il tenait le rôle d'un confédéré anonyme, à qui l'on avait donné l'ordre de crier : « Que Dieu sauve le Sud de l'agression du Nord ! » juste avant de tomber mort au premier tir de canon. J'étais le colonel Buford, à la tête d'une division de cavalerie, un héros méconnu qui s'était pourtant illustré au premier jour de Gettysburg. Mon père, lui, était le général Meade. C'était la plus grande reconstitution historique jamais organisée, qui allait se tenir sur trois Etats, et nous étions des centaines de passionnés réunis. Cette même année, j'occupais en plus les fonctions de secrétaire du groupe « Brother Against Brother », et, avant la bataille, je courais en tous sens avec un bloc-notes, m'assurant que tout le monde était en place et savait ce qu'il avait à faire. De l'avis de tous, j'étais adorable… du moins, c'était ce qu'un certain Andrew Chase Carson m'avoua beaucoup plus tard.

Huit heures après le début des combats, mon père, jugeant suffisant le nombre de figurants qui jonchaient le sol (Gettysburg restait une des batailles les plus lourdes en termes de pertes humaines), autorisa les morts à se lever. Un soldat confédéré ressuscité s'était alors approché de moi. Quand je lui avais fait remarquer qu'il était un anachronisme, avec ses Nike aux pieds, l'homme s'était mis à rire, puis, après s'être présenté, m'avait proposé d'aller prendre un café. Trois semaines plus tard, j'étais amoureuse.

C'était la relation sentimentale dont j'avais toujours rêvé, à tous points de vue. J'aimais l'humour pince-sans-rire d'Andrew, son rire communicatif, sa vision optimiste de la vie, sa discrétion. Il était mince, presque maigre. En fait, il avait un charme fou, plus qu'une beauté classique. Son cou, vulnérable, me faisait craquer, et j'aimais me presser contre lui, sentir ses côtes saillantes. Cela éveillait en moi des élans protecteurs. Et pour ne rien gâcher, c'était aussi un mordu d'histoire — il était avocat dans un grand cabinet de New Haven, mais il avait suivi une spécialisation en histoire, à l'université de New York. Nous avions les mêmes goûts culinaires, aimions les mêmes films, lisions les mêmes livres.

Au lit ? C'était bien aussi. Nous nous accordions sexuellement. Nous faisions l'amour très souvent et plutôt passionnément. Nous nous plaisions physiquement, avions des centres d'intérêt communs et des conversations stimulantes. Nous savions rire. Et écouter les histoires de l'autre sur le travail et la famille. Nous étions vraiment, vraiment heureux. Enfin, je le croyais.

Si Andrew hésita, s'il eut des doutes, rien dans ses gestes ou ses paroles ne le trahit. Je ne me rendis compte de rien. Pas avant qu'il ne soit trop tard. Et je ne le compris que rétrospectivement.

Natalie était à Stanford, à cette époque ; elle était sortie de Georgetown l'année d'avant. Depuis qu'elle avait frôlé la mort, elle m'était devenue encore plus précieuse, et ma petite sœur continuait à faire la fierté de notre famille, avec son parcours universitaire. Ma propre intelligence restait plus générale et touche-à-tout, sauf quand il s'agissait de l'histoire américaine. Je brillais au Trivial Pursuit et savais capter et captiver mon auditoire lors de soirées. Margaret, elle, avait une intelligence tranchante comme un rasoir, parfois même flippante. Elle était sortie deuxième de la faculté de droit d'Harvard et dirigeait le département de droit pénal dans le cabinet d'avocats où mon père était associé principal, ce qui le rendait plus fier qu'il n'aurait su le dire.

Nat était l'équilibre parfait. Brillante, douée, sans être

agressive. Elle avait choisi l'architecture, le mélange parfait entre art, beauté et science. Je lui parlais au moins deux fois par semaine, lui envoyais un e-mail quotidien, et je lui rendis visite quand elle choisit de rester en Californie pendant l'été.

Elle aimait m'entendre parler d'Andrew, se réjouissant pour moi d'avoir trouvé ma moitié !

— Qu'est-ce que ça fait ? me demanda-t-elle, une nuit que nous discutions au téléphone.

— Qu'est-ce que ça fait quoi ?

— D'avoir trouvé l'amour de ta vie, bien sûr !

Je savais qu'elle souriait au bout du fil et je souris aussi.

— Oh ! c'est super. C'est si... parfait. Et facile, aussi, tu vois ? On ne se dispute jamais, ce n'est pas comme maman et papa.

En disant ça, j'avais tout dit. Avoir un mode de communication différent de celui de nos parents était le signe évident qu'Andrew et moi étions sur la bonne voie.

Nat rit.

— Facile, mmm... ? Mais passionné, aussi, hein ? Est-ce que tu sens ton cœur battre plus vite quand il entre dans la pièce ? Est-ce que tu rougis rien qu'en entendant sa voix au téléphone ? Est-ce que ta peau frissonne et s'embrase quand il te touche ?

Je marquai une hésitation.

— Bien sûr.

Est-ce que je ressentais tout ça ? C'était le cas. Evidemment que je les avais éprouvés, ces sentiments vertigineux des débuts, avant qu'ils ne mûrissent en quelque chose de plus... eh bien, confortable.

Après sept mois de relation, j'emménageai dans l'appartement d'Andrew à West Hartford. Trois semaines plus tard, alors que nous regardions *Oz* sur HBO — d'accord, ce n'était pas la série la plus romantique qui soit — blottis l'un contre l'autre sur le canapé, il se tourna vers moi et me murmura :

— Je crois que nous devrions nous marier. Qu'en dis-tu ?

Il m'offrit une jolie bague et nous annonçâmes la nouvelle à nos familles respectives. Nous avions choisi de nous marier le jour de la Saint-Valentin, ce qui nous laissait six mois pour les préparatifs. Mes parents étaient ravis — Andrew semblait être le gendre idéal, solide et fiable, un homme sur lequel on pouvait se reposer. Il gagnait bien sa vie, ce qui rassurait mon père, qui craignait que je ne finisse sous les ponts avec mon salaire d'enseignante. Ses parents à lui se montrèrent moins enthousiastes que les miens — c'était leur fils unique et ils l'adoraient —, mais ils n'en restèrent pas moins amicaux. Margaret et lui parlaient code pénal, Stuart semblait apprécier sa compagnie. Même ma grand-mère l'aimait bien, autant qu'il lui était possible d'apprécier quelqu'un.

Toujours expatriée à Stanford, Natalie ne l'avait pas encore rencontré. Elle lui parla néanmoins au téléphone quand je l'appelai pour lui annoncer notre mariage.

Elle rentra à la maison pour le repas familial de Thanksgiving. Quand j'arrivai avec Andrew chez mes parents, ma mère nous accueillit dès la porte d'entrée avec son agitation habituelle et son lot de plaintes ; elle avait dû se lever aux aurores pour farcir « ce foutu volatile » et le mettre au four, et elle en avait le cœur soulevé. Sans compter mon père qui ne faisait jamais rien… Ce dernier regardait un match de football à la télévision, ignorant ostensiblement les piques de sa femme, Stuart jouait du piano dans le salon, Margaret lisait.

Et puis Natalie était apparue en haut des marches. Elle les avait dévalées, me tombant dans les bras.

— Gissy ! cria-t-elle.

— Salut, Nattie Bumppo ! m'exclamai-je, en la serrant fort contre moi.

— Ne m'embrasse pas, j'ai attrapé froid, dit-elle en reculant.

La pointe de son nez était rouge, sa peau légèrement sèche. Elle avait négligemment attaché ses longs cheveux blonds en queue-de-cheval haute, ses yeux turquoise ne portaient pas trace de maquillage. Même vêtue d'un pantalon de survêtement et d'une vieille veste en laine qui appartenait à notre père, elle réussissait, par je ne sais quel tour de force, à paraître plus belle que Cendrillon au bal.

Andrew la vit et en laissa littéralement tomber le gâteau qu'il tenait dans les mains.

Bien sûr, le plat était glissant. Le Pyrex, et tous ces trucs-là, ça n'accrochait pas... c'était antiadhésif, non ? Et si le visage de Nat s'était empourpré, c'était... eh bien, à cause de son rhume, pardi ! Bouffées de chaleur, pâleur, rougeur, c'était caractéristique... Plus tard, évidemment, j'ai reconnu qu'il n'y avait aucune excuse qui tenait. Tous les signes du coup de foudre étaient là. Une manifestation du « paf bing ! » qu'il aurait fallu être aveugle pour ne pas voir.

A la table de Thanksgiving, ils s'étaient assis aux deux extrémités. Quand Stuart sortit le Scrabble après dîner et leur proposa une partie, Andrew accepta et Natalie se désista aussitôt. Le jour suivant, à la salle de bowling, ils restèrent silencieux. Plus tard, au cinéma, ils s'installèrent le plus loin possible l'un de l'autre. Ils ne se trouvaient jamais ensemble tous les deux dans la même pièce.

— Alors, qu'est-ce que tu penses de lui ? demandai-je à Natalie, feignant de croire que tout était normal.

— Il est bien, très beau, dit-elle, le visage aussi rouge qu'une pivoine.

Cela me suffit. Je n'avais pas besoin d'en entendre plus. Pourquoi parler de lui, après tout ? Je la questionnai sur son école, la félicitai pour le stage qu'elle avait réussi à décrocher auprès du célèbre architecte Cesar Pelli, et, une fois encore, m'émerveillai de sa perfection, de son intelligence, de sa douceur. J'étais toujours sa plus grande fan.

Andrew et Natalie se revirent encore à l'occasion de Noël. Je fis comme si je ne remarquais pas les bonds qu'ils faisaient chaque fois qu'ils se retrouvaient sous la branche de gui, comme s'il s'était agi d'une barrette d'uranium en fusion. Pourquoi voir le mal partout ? C'était mon fiancé et elle était ma petite sœur. Quand notre père poussa Natalie à descendre la pente arrière de la maison sur notre vieille luge avec Andrew, je les regardai tenter maladroitement d'y échapper et je ris beaucoup quand la luge se renversa et qu'ils roulèrent, l'un sur l'autre, entremêlés. Non, non, cela ne voulait rien dire.

Rien ? Mon œil !

Je ne voulais pas voir ce qui crevait pourtant les yeux. Je n'y étais pas prête. Chaque fois que cette petite voix irritante se manifestait, généralement à 3 heures du matin, je la faisais taire sans ménagement. Elle se trompait. Andrew était là, tout près de moi. Je tendais le bras et touchais son épaule anguleuse, son cou si tendre. Il m'aimait, et ce que nous vivions était réel. Si Natalie avait un faible pour lui… Soit. Qui pouvait l'en blâmer ?

Puis le compte à rebours qui nous séparait de la date fatidique de notre mariage s'enclencha. Dix semaines, huit, puis cinq. Les faire-part partirent. Le menu fut définitivement arrêté, et on apporta les dernières retouches aux tenues.

Et un soir, vingt jours avant le mariage, Andrew rentra du travail, avec des plats indiens. Je m'étais installée sur la table de cuisine pour corriger une pile de copies d'examen. C'était une attention tellement délicate… Il fit même le service, versant de la sauce odorante sur le riz, juste comme je l'aimais. Puis vinrent les mots terribles.

— Grace… Il faut que nous parlions, dit-il, le regard fixé sur le kulcha aux oignons.

Sa voix était mal assurée.

— Tu sais que je tiens beaucoup à toi.

Je me figeai, les yeux baissés sur mes copies. Les mots résonnaient, inquiétants comme la marche de Sherman sur la Géorgie. Ce que je m'étais refusée à regarder en face, avec succès jusque-là, me rattrapait. Je sus que je ne pourrais jamais plus regarder Andrew de la même façon. J'avais le souffle court, et mon cœur battait de façon désordonnée.

Il *tenait* à moi… Toutes mes alarmes intérieures se mirent à clignoter. Quand un homme disait cette phrase foireuse, « Je tiens beaucoup à toi », cela ne laissait rien présager de bon.

— Grace, murmura-t-il.

Je réussis à lever les yeux et même à soutenir son regard. Et devant les naans aux oignons qui refroidissaient, il bredouilla qu'il ne savait pas vraiment comment me dire cela, mais qu'il ne voulait plus se marier.

— Je vois, lâchai-je froidement. Je vois.

— Je suis si désolé…, Grace, murmura-t-il.

Sans doute disait-il vrai. A son crédit, je vis ses yeux s'embuer.

— C'est Natalie…

J'avais parlé d'une voix étrangement calme que je ne reconnaissais pas.

Il baissa les yeux, le visage cramoisi, et passa une main tremblante dans ses cheveux souples.

— Bien sûr que non, mentit-il.

Et ce fut tout.

Nous venions juste d'acheter la maison sur Maple Street, mais n'y avions pas encore emménagé. Et bien que nous ne fussions pas mariés, il fallut régler cette question comme dans un divorce, et vous appellerez ça comme vous voudrez — le prix des larmes, de la culpabilité ou du dédommagement —, il renonça à sa part de l'acompte versé. Mon père remania mon budget, puisa dans quelques fonds communs de placement que mon grand-père m'avait laissés, recalcula le montant et le temps de mon emprunt. Puis j'y emménageai. Seule.

Natalie accusa le coup quand elle apprit la nouvelle. Bien sûr, je n'évoquai pas avec elle la raison de notre séparation, restant évasive, énumérant toute une suite de raisons qu'elle écouta sans broncher… « Juste pas le bon moment… » « Pas vraiment prêts… » « Pensions que nous devions être sûrs^. »

Quand je finis par me taire, elle ne me posa qu'une question d'une voix à peine audible :

— A-t-il dit autre chose ?

Elle n'était pas dupe. Elle savait que je n'avais pas voulu cette rupture, et je n'espérais même pas la tromper. Elle me connaissait trop bien.

— Non. C'est tout. Cela ne devait pas… se faire, dis-je. C'est comme ça.

Natalie n'avait rien à voir avec ça. Ce n'était simplement pas le bon, si parfait que m'ait semblé Andrew, et même si je pensais encore qu'il réunissait toutes les qualités que je cherchais chez un homme. Non, Andrew n'était pas « le Bon », me répétais-je, assise dans mon salon fraîchement repeint, et engloutissant brownie sur brownie devant le documentaire de Ken Burns sur la guerre de Sécession que je regardais en boucle jusqu'à le connaître par cœur. Dont acte. Je finirais bien par trouver l'amour véritable, indiscutable, qui éclaterait à la face du monde, bon sang !

Natalie termina ses études et revint habiter dans l'Est. Elle prit un joli petit appartement à New Haven et commença à travailler. Nous nous voyions très souvent et j'en étais heureuse. C'était ma petite sœur. La personne que j'aimais le plus au monde. Mon cadeau d'anniversaire.

5

Le dimanche, je fis donc acte de présence au vernissage de ma mère, au Chimera, une galerie d'art contemporain, et douloureusement abstrait, sur West Hartford.

— Alors, qu'est-ce que tu en penses, Grace ? Cela fait une demi-heure que l'exposition a commencé… Où est-ce que tu étais ? Est-ce que ton ami est venu ?

Je me tournai vers ma mère, qui venait de surgir à côté de moi, agitée et en pleine effervescence.

Mon père, un verre de vin à la main, avait battu en retraite dans un recoin de la galerie, visiblement affligé.

— Très… très… euh… explicite. Superbe, maman, conclus-je, le regard survolant les œuvres sans se fixer.

— Merci, ma chérie ! s'exclama-t-elle. Oh ! regarde… *Essence Number Two* a retenu l'attention. Quelqu'un regarde le prix inscrit sur l'étiquette… Je reviens dans une minute.

Après le départ de Natalie pour la fac, et tous ses oisillons ayant quitté le nid, ma mère décréta qu'elle avait enfin gagné le droit de laisser sa fibre artistique s'exprimer. Et allez savoir pourquoi, elle avait choisi la technique du verre soufflé comme moyen d'expression et d'épanouissement, et l'anatomie féminine comme source d'inspiration. La maison familiale était maintenant le premier lieu d'exposition des œuvres maternelles. Les deux gravures naturalistes d'oiseaux d'Audubon, les quelques peintures à l'huile de bord de mer et la collection de chats en porcelaine de mon enfance avaient laissé la place à des représentations de vulves, d'utérus, d'ovaires, seins et autres, qui trônaient en bonne place sur le rebord des cheminées, les étagères de bibliothèque, ou en bout de table. On en retrouvait même dans les toilettes. Colorées, lourdes et anatomiquement très réalistes, ses sculptures étaient au centre des conversations au Garden Club, et la cause des ulcères à répétition dont souffrait mon père.

Personne, pourtant, ne pouvait nier le vif succès que ces créations rencontraient. A notre grande surprise à tous, celles-ci rapportaient une petite fortune. Quand Andrew avait rompu, ma mère m'avait emmenée en croisière. Grâce à *The Unfolding* et *Milk # 4,* nous avions passé toutes les deux quatre jours de rêve sur un palace flottant dédié à la thalassothérapie. Avec la série *The Seeds of Fertility,* une serre était apparue au printemps dernier chez mes parents, puis, en octobre, une nouvelle voiture, une berline.

— Hé, fit Margaret, en nous rejoignant. Comment ça va ?

— Très bien. Et toi ? répondis-je, balayant distraitement la galerie du regard. Je n'aperçois pas Stuart.

Margaret ferma un œil, serra les dents, à la manière d'Anne Bonny, la femme pirate.

— Stuart… n'est pas venu.

— C'est ce que je vois. Tout va bien pour vous, les enfants ? J'ai remarqué que vous vous étiez à peine parlé au mariage de Kitty.

— Qu'est-ce que j'en sais ? répondit Margaret. Je veux dire, réellement. Qui diable peut bien savoir ? Tu crois connaître quelqu'un… enfin, peu importe.

Je clignai des yeux.

— Qu'est-ce qui se passe, Margs ?

Ma sœur laissa son regard glisser sur les visiteurs qui se pressaient autour des œuvres de ma mère et émit un soupir.

— Je ne sais pas. Le mariage n'est pas un long chemin pavé d'or et de pétales de rose, Grace. Tiens, je viens de faire un super aphorisme digne d'un biscuit chinois ! Est-ce qu'il y a du vin, par ici ? Les expositions de maman sont toujours meilleures avec un peu de buzz, si tu vois ce que je veux dire.

— Là-bas, dis-je, faisant un mouvement de tête vers le buffet installé au fond de la galerie.

— O.K. Je reviens:

Ahahaha! Ahahaha! Ooooh! Ahahaha! Un rire, un peu trop forcé pour être naturel, résonna dans la galerie. Ce rire en salve… le rire de ma mère en représentation, qu'elle ne lâchait qu'à l'occasion de ses expositions ou lorsqu'elle essayait d'impressionner quelqu'un. Elle croisa mon regard et me fit un clin d'œil, tout en serrant la main d'un homme d'âge mûr, qui tenait avec précaution un objet de verre… enfin… une sculpture, disons-le comme ça. Une autre vente. Encore bien joué !

— Toujours partante pour la bataille de Bull Run ? me murmura mon père.

Il passa un bras autour de mes épaules.

— Oh ! je ne manquerais ça pour rien au monde, papa. C'est ma préférée ! Tu connais ton personnage ? demandai-je.

— Oui. Je suis Stonewall Jackson.

Mon père rayonnait.

— Papa ! C'est super ! Félicitations ! On sait où ça va se tenir ?

— Dans le comté de Litchfield, répondit-il. Et toi, qui es-tu ?

— Un illustre inconnu, répondis-je, en prenant un ton plaintif. Un pauvre diable de confédéré, mais responsable du canon.

— Bravo, ma fille…, déclara fièrement mon père. Est-ce que tu vas emmener ton ami ? Comment s'appelle-t-il, déjà ? En tout cas, ta mère et moi, nous sommes très heureux de te voir remonter en selle.

Je marquai une pause.

— Euh… merci. Je ne sais pas si Wyatt pourra se libérer, mais je… je lui poserai la question.

— Salut, papa, lança Margaret, en revenant avec un verre de vin.

Elle claqua une grosse bise sonore sur la joue de notre père.

— Comment se passe la vente ? demanda-t-elle.

— Ne me lance pas sur les œuvres de ta mère. De la pornographie, voilà ce que c'est.

Il leva les yeux en direction de sa femme. *Ahahaha. Ahahaha. Ooooh... Ahahaha.*

— Bon sang, elle vient d'en vendre une autre. Elle va encore me demander de l'emballer.

Il fit une grimace à notre intention et retourna d'un pas lourd vers le fond de la galerie.

— Alors, Gracie, souffla Margaret, c'est quoi, cette histoire ?

Elle regarda autour d'elle pour s'assurer qu'aucune oreille indiscrète n'écoutait.

— Est-ce que tu vois vraiment quelqu'un ou c'est une invention ?

Un sourire me vint aux lèvres. Ma grande sœur n'était pas avocate spécialisée en droit criminel par hasard.

— Grillée, murmurai-je.

— Tu n'es pas un peu vieille pour jouer à ça ? demanda-t-elle, en avalant une gorgée de vin.

Je grimaçai un sourire d'excuse.

— Si. Mais j'ai trouvé Nat dans les toilettes, au mariage de Kitty, rongée par la culpabilité.

Margs leva les yeux au ciel.

— J'ai pensé que je devais lui faciliter les choses, poursuivis-je.

— Bien sûr... Bien sûr... Les princesses doivent à tout prix avoir une vie facile, marmonna Margaret.

— Mais il n'y a pas que ça, murmurai-je. J'en ai ma claque des petites phrases condescendantes, de la pitié dans les yeux des gens. La vie continue pour Nat et Andrew... pour moi... Il faut arrêter de me regarder comme un pauvre petit chat, mal en point, qui aurait, je ne sais pas, moi... l'arrière-train bloqué...

Margaret rit.

— Pigé...

— En vérité, je pense être prête pour rencontrer quelqu'un. Je vais prétendre que c'est le cas, histoire de faire baisser la pression, et puis, tu vois, une chose en amenant une autre... le vrai pourrait se présenter.

— Ouais, dit Margaret sans grand enthousiasme.

— Et qu'est-ce qui se passe entre Stuart et toi ? repris-je.

Une femme d'un âge avancé se faufila vers *LifeSource,* une sculpture d'ovaire, qui ressemblait à un ballon gris bosselé, pour un œil non médical, et je m'écartai pour lui laisser le passage.

Ma sœur soupira et finit d'une traite son verre de vin.

— Je ne sais pas, Grace, et je n'ai pas envie d'en parler, d'accord ?

— Bien sûr, murmurai-je, en fronçant les sourcils. Je te rappelle juste que je travaille au même endroit que ton mari.

— Eh bien, tu peux lui dire de ma part d'aller se faire voir.

— Je… Sûrement pas… Seigneur, c'est quoi le problème, Margs ?

Elle et Stuart étaient la preuve vivante que les contraires s'attiraient et que cela fonctionnait : ils m'avaient toujours paru plutôt heureux. Ils avaient choisi de ne pas avoir d'enfants et menaient une vie très agréable. Grâce aux nombreux succès de ma sœur au tribunal, ils habitaient une merveilleuse maison à Avon et passaient des vacances chicos à Tahiti, au Liechtenstein et autres endroits du même genre. Ils étaient mariés depuis sept ans. Et même si Margaret n'était pas d'un tempérament à roucouler et à soupirer, elle m'avait toujours semblé satisfaite de sa vie.

— Tiens, quand on parle de couples catastrophe, en voilà un qui se dirige droit sur nous ! Oh, non… Ça mérite bien un autre verre de pinot gris bon marché.

Et sans un mot de plus, elle fila en direction du bar.

Je repérai les têtes blondes de Natalie et Andrew… Ils s'avançaient dans ma direction, l'air tellement plus à l'aise qu'au mariage, où ils s'étaient efforcés de rester à bonne distance l'un de l'autre. Qu'avaient-ils craint ? Que j'éclate en sanglots et me roule par terre, inconsolable ? Aujourd'hui, ils rayonnaient de bonheur. Leurs mains s'effleuraient, leurs doigts se cherchaient, se caressaient sans jamais s'entremêler franchement. L'alchimie entre eux était palpable. Mais il y avait plus que ça : de l'adoration. Ma sœur, une légère rougeur sur le haut des pommettes, avait les yeux brillants, tandis qu'un sourire flottait sur les lèvres d'Andrew.

— Salut, les enfants ! dis-je sur le mode enjoué.

— Salut, Grace ! répondit Natalie, rougissant plus fort, en me serrant dans ses bras.

— Est-ce qu'il est ici ? Tu l'as amené ?

— Amené qui ? répétai-je, sans comprendre.

— Wyatt, quelle question ! gloussa-t-elle.

— Wyatt, bien sûr ! Euh… non, non. J'ai pensé qu'il valait mieux attendre encore un peu avant de l'amener à l'une des expositions de maman ! Et puis il est de garde, à l'hôpital.

Je m'efforçai de lâcher un petit rire.

— Salut, Andrew.

— Comment ça va, Grace ? demanda-t-il en souriant.

— Ça va bien.

Je baissai les yeux sur mon verre de vin, que je n'avais pas touché.

— Tes cheveux, ils sont magnifiques ! s'exclama Nat, en tendant la main pour toucher une de mes boucles bien rondes.

Pour une fois que je n'avais pas l'air de m'être électrocutée…

— Je suis allée chez le coiffeur, ce matin, murmurai-je, et j'ai investi dans un nouveau soin hydratant.

Je n'en attendais pas moins d'un produit qui m'avait coûté les yeux de la tête, mais c'était pour la bonne cause ! Après les vêtements, je me devais de reprendre en main mes cheveux. Il n'y avait pas de mal à se montrer sous son meilleur jour, quand on cherchait l'homme de sa vie…

— Où est Margaret ? demanda Natalie, en tournant son cou gracieux en tous sens. Margs ! Ici !

Mon aînée fit mine de nous apercevoir et vint vers nous, me décochant au passage un regard noir. Natalie et elle s'étaient toujours un peu chamaillées… enfin, il serait plus juste de dire que Margaret se chamaillait, Natalie étant trop douce pour se battre réellement avec quiconque. Je m'entendais bien avec chacune d'elles plus qu'elles ne s'entendaient entre elles — sans doute la récompense de l'enfant du milieu ; il en fallait bien une à celui qui était oublié, négligé, écrasé entre l'aînée et la benjamine.

— Je viens de vendre un utérus pour trois mille dollars ! s'exclama ma mère, en rejoignant notre petit groupe.

— Il n'y a pas de limites au mauvais goût du peuple américain, ajouta mon père, qui la suivait en traînant les pieds, la mine maussade.

— Oh ! Tais-toi, Jim. Encore mieux, trouve-toi ton propre plaisir et ne me gâche pas le mien.

Mon père leva les yeux vers le ciel.

— Félicitations, maman, c'est merveilleux ! dit Natalie.

— Merci, ma chérie. C'est bon de sentir le soutien de sa famille.

— Ben voyons…, grommela mon père.

— Alors, Gracie, quand vas-tu nous présenter Wyatt ? reprit Natalie. Quel est son nom de famille déjà ?

— Dunn, répondis-je, avec naturel. Bientôt, bientôt…

Margaret sourit et secoua la tête.

— A quoi ressemble-t-il ? demanda encore ma petite sœur, en cherchant ma main dans un mouvement instinctif de complicité.

— Eh bien, je lui trouve beaucoup de charme, dis-je, d'une voix flûtée.

J'eus une pensée reconnaissante pour Julian. Il avait été bien inspiré de me pousser à réfléchir à un portrait-robot.

— Grand, cheveux foncés…

Je forçai sur ma mémoire, cherchant à me souvenir du Dr Belle Gueule dans *Urgences*… J'avais arrêté de regarder la série à l'épisode où des chiens sauvages en liberté dans l'hôpital attaquaient patients et personnel.

— Mmm… des fossettes, aussi. Chouette sourire.

Je sentis la chaleur envahir mon visage.

— Elle rougit, fit remarquer Andrew d'une voix attendrie.

La sensation d'une lame chauffée à blanc me traversant le cœur me prit à contre-pied. Une bouffée de colère me submergea. Comment osait-il exprimer de la joie en m'entendant parler d'un autre homme ?

— Il semble merveilleux, déclara ma mère. Même si tu n'as pas besoin d'un homme pour être heureuse, je le répète. Regarde ton père et moi. Quelquefois, ton conjoint essaie d'étouffer tes rêves, Grace. C'est ce que ton père a essayé de faire avec moi. Tu dois tout faire pour que cela n'arrive pas.

— Et qui a payé pour toutes tes lubies de verre soufflé, hein ? coupa celui-ci. Est-ce que je n'ai pas transformé le garage en atelier pour que tu puisses t'adonner à ton passe-temps ? Etouffer tes rêves… J'aurai tout entendu ! Si je m'écoutais, c'est autre chose que j'étoufferais…

— Dieu, qu'ils sont adorables ! ironisa Margaret. Qui ne se sentirait pas prêt à se lancer dans la grande aventure du mariage, après ça ?

L'exposition à thématique gynécologique de ma mère une fois terminée, je ne m'éternisai pas et rentrai chez moi. Alors que je m'engageais dans mon allée, j'aperçus mon voisin en train d'arracher les bardeaux du toit de sa terrasse. Il ne leva pas les yeux en entendant le bruit de moteur, et pas davantage lorsque je m'immobilisai quelques instants après être sortie de ma voiture. Quel ours mal léché ! Vraiment pas agréable. Je ne pouvais pas en dire autant de son physique ! pensai-je, en m'attardant sur ses bras musclés. Il faisait assez chaud et M. Gracieux travaillait torse nu, le dos luisant de sueur. Je n'allais pas me plaindre de la clémence des températures, même si je ne l'aurais reconnu pour rien au monde.

Un bref instant, des images chargées d'érotisme me traversèrent l'esprit. Je l'imaginai me serrant dans ses bras puissants, me plaquant contre le mur de sa maison, et tandis qu'il me soulevait, ses larges mains viriles glissaient sur mon corps, ses muscles durs et chauds pressés contre moi.

Waouh, il faut vraiment que tu t'envoies en l'air, Grace ! Ça devient urgent. La pomme de douche multijet ne suffisait manifestement plus. Je m'arrachai à regret à ma rêverie lascive et coulai un nouveau coup d'œil de biais vers M. Gracieux.

Il n'avait manifestement rien remarqué. En fait, il ne m'avait pas remarquée du tout.

Je me pressai d'entrer chez moi, et ouvris la porte arrière pour laisser Angus s'ébrouer dans le jardin clôturé, soulager sa vessie et… creuser des trous. Le bruit perçant d'une scie électrique satura l'air. En soupirant, j'allumai mon ordinateur, déterminée à mettre en pratique le conseil de Julian. O.K. pour Match.com, O.K. pour eCommitment, O.K. pour eHarmony. Le moment était venu de trouver un homme. Un homme bien. Qui serait gentil, travailleur, droit, agréable à regarder et fou de moi, bien sûr ! *Attention, j'arrive ! Vous allez voir ce que vous allez voir !*

Après avoir créé mon profil en ligne, j'en étudiai quelques-uns. Type n° 1 — non : trop beau. Type n° 2 — non : ses passe-temps ne se résumaient qu'aux courses de stock-cars, au championnat de Nascar et aux combats de free-fight. Type n° 3 — non : trop bizarre, limite effrayant, même… Non, vraiment rien de transcendant. Sans doute n'étais-je pas d'humeur à ça. Je me repliai donc sur la pile des devoirs sur la Seconde Guerre mondiale que je devais corriger. Jusqu'à la tombée de la nuit, je barrai, entourai les erreurs grammaticales, annotai en marge, questionnant et demandant des réponses détaillées, ne m'arrêtant que pour manger les restes des plats chinois que Julian avait apportés le jeudi. Ma réputation de noter sévèrement n'était pas usurpée. C'était d'ailleurs une des plaintes récurrentes, à Manning. Mais obtenir un A à mon cours, ça se méritait.

Une fois la correction terminée, je me reculai sur mon siège et m'étirai, satisfaite. Sur le mur, Fritz le Chat balançait sa queue dans un mouvement de va-et-vient aussi régulier qu'un tic-tac de métronome. Il n'était que 20 heures, mais le noir derrière la fenêtre était total. Et si j'appelais Julian ? Je réprimai cet élan qui tenait presque de l'automatisme. Non. Il nous trouvait trop dépendants l'un de l'autre. Il n'avait sans doute pas tort, mais il avait réussi à me piquer au vif. Pourtant, quel mal y avait-il à être proches et à se soutenir ? C'est vrai, quoi ! D'ailleurs, lui n'avait pas attendu longtemps avant de m'envoyer un e-mail pour me décrire, avec une foule de détails, les quatre hommes qui s'étaient intéressés à son profil, et les crampes d'estomac que cela lui avait occasionnées. *Petite nature, va!* Je rédigeai une réponse, l'assurant que moi aussi, j'étais tout aussi prête à me lancer dans le bain des rencontres en ligne, et lui dis que je le verrais au Golden Meadows, pour notre soirée « Danse avec les anciens ».

Je lâchai un soupir et me levai. C'était reparti pour une semaine de cours. Je pouvais étrenner une de mes nouvelles tenues… Avec Angus sur les talons, je montai d'un pas lent dans ma chambre et passai en revue ma garde-robe, quand l'envie soudaine me prit de faire du nettoyage par le vide, de me débarrasser de tout ce que je ne mettais plus et qui encombrait mon dressing. Il fallait savoir regarder les choses en face et décider quand un vêtement vintage n'était plus qu'une vieille fripe. J'attrapai un sac-poubelle et me mis à trier énergiquement. Adieu pulls troués aux manches, jupes en mousseline avec marques de fer, jeans trop serrés. De son côté, mon chien mâchouillait mollement une vieille botte en vinyle (du vinyle… mais à quoi pensais-je ?).

La semaine précédente, j'avais vu un documentaire sur cette femme qui était née sans jambes. Elle était mécano… En fait, ne pas avoir de jambes l'arrangeait dans son travail, disait-elle avec humour, parce qu'il lui suffisait de glisser sous les voitures sur le petit skate-board qui lui servait à se déplacer. Elle s'était mariée une fois et, maintenant, elle fréquentait deux types en même temps, ne cherchant qu'à vivre et à profiter du moment présent. Son ex-mari avait été ensuite interviewé, un charmant garçon avec ses deux jambes, et tout ce qu'il faut, là où il faut. « Je ferais n'importe quoi pour la voir revenir, mais je ne lui suffis pas. Je lui souhaite de trouver ce qu'elle cherche », se morfondait-il.

Je m'étais surprise à ressentir… eh bien, pas de la jalousie, pas exactement, mais il me semblait évident que cette femme avec son handicap avait un plus, vu qu'elle intéressait des hommes. On *la* regardait et on se disait : « Waouh, quelle force intérieure. N'est-elle pas merveilleuse ? » Entre nous, qu'y avait-il à dire d'une fille normale comme moi, qui avait ses deux jambes ? Comment rivaliser ?

— O.K., Grace, me sermonnai-je à voix haute, tu vas trop loin. Il est urgent que tu te trouves un homme et que tu en finisses avec tout ça… Angus, bouge, mon bébé. Maman doit aller dans le grenier. Si je ne mets pas ces vieilles fripes à l'abri, je vais te retrouver en train de les tailler en pièces en moins de temps qu'il n'en faut pour le dire… Je n'ai pas raison ? Tu es un vilain garnement, tu sais ça ? Ne nie pas, petit chenapan. C'est ma brosse à dents que tu as dans la gueule. J'ai vu !

Je traînai le sac-poubelle le long du couloir jusqu'à l'escalier qui menait au grenier et étouffai un juron en constatant que l'ampoule était grillée. Tant pis… Je n'avais pas le courage de redescendre en chercher une. Je ne comptais pas m'éterniser, de toute façon : juste le temps de déposer ces affaires, en attendant de les donner à une association.

Je montai les marches étroites, et une odeur âcre de cèdre envahit mes narines. Comme beaucoup de maisons de style victorien, la mienne avait un grenier de grande taille, avec une hauteur sous plafond de deux mètres et des fenêtres tout autour. J'aimais l'idée qu'un jour je prendrais le temps de l'aménager — isolation, cloisons de Placoplâtre — pour faire un espace de jeux pour mes adorables enfants, installer une bibliothèque sur chaque pan de mur. Je voyais bien un coin prévu pour le dessin, juste devant la fenêtre orientée au sud, là où le soleil entrait à flots, et un autre pour les déguisements. Un train électrique serait installé sur une table basse. Je laissai mon regard se promener d'un coin à l'autre du grenier. Pour le moment, il ne servait qu'à y entreposer de vieux meubles, les cartons contenant les décorations de Noël, les costumes et les armes de la guerre de Sécession dont je me servais pour les reconstitutions historiques. Oh ! Et puis ma robe de mariée. Dans sa housse, à l'abri de la lumière.

Que faisait-on d'une robe de mariée coupée sur mesure et qui n'avait jamais été portée ? Je ne pouvais quand même pas la jeter ? Pas au prix où je l'avais payée. Si je trouvais la version en chair et en os de Wyatt Dunn et me mariais, voudrais-je porter la robe que j'avais achetée en pensant à Andrew ? Non, bien sûr que non. Mais de là à m'en défaire… Et d'ailleurs, m'allait-elle encore ? J'avais pris quelques kilos depuis la Rupture. Peut-être devrais-je l'enfiler pour vérifier.

De mieux en mieux ! Voilà que je me prenais pour miss Havisham, maintenant, la vieille dame des *Grandes Espérances*. D'accord, j'avais été pour ainsi dire abandonnée au pied de l'autel, mais qu'allais-je faire, à présent ? Me mettre à manger des aliments avariés et arrêter toutes les horloges à 8 h 40 ?

Je baissai les yeux vers mes pieds. Angus me mordillait les chevilles. Je ne l'avais pas entendu monter les marches.

— Ah, tu es là, toi ! dis-je en le prenant dans mes bras.

J'enlevai sur le dessus de sa petite tête une nouille chinoise au sésame. Ce chien était un mystère. Aucun aliment ne semblait être hors de portée ! Il geignit affectueusement en remuant la queue.

— Qu'est-ce qu'il y a ? Tu aimes mes cheveux ? Oh ! merci, Angus McFangus. Que dis-tu ? Que c'est le moment d'un grand pot de glace Ben & Jerry ? Petit génie ! Tu as tout à fait raison. Alors, tu en dis quoi ? Parfum crème brûlée ou Coffee Heath Bar Crunch ?

Sa petite queue remua tandis qu'il entreprenait de me lécher le cou, puis il s'énerva et je sentis ses petites dents s'agacer sur le lobe de mon oreille.

— Coffee Heath Bar, bon choix ! Bien sûr que tu pourras en avoir.

Je tentai de libérer son museau pris dans mes boucles, jetai un dernier coup d'œil par la fenêtre, prête à sortir du grenier, quand quelque chose à l'extérieur attira mon œil.

Ou plutôt une silhouette. Un homme.

Deux étages au-dessous de moi, mon voisin était allongé

sur son toit, au niveau du replat. Je voyais son pull blanc dans l'obscurité. En jean, les pieds nus, il était allongé là, les mains croisées derrière la tête, une jambe repliée, regardant le ciel et le mince croissant de lune.

Je sentis le bas de mon ventre se contracter, une chaleur m'envahir, une sensation de brûlure se propager à la surface de ma peau. Le sang pulsait dans des parties de mon corps négligées depuis un peu trop longtemps.

Lentement, pour ne pas attirer l'attention, j'entrouvris d'un chouïa la fenêtre. Porté par un léger souffle, un concert de coassements me parvint nettement, ainsi qu'une odeur de terre mouillée mêlée à des senteurs printanières. Cette bouffée d'air fut comme un baume sur mes joues en feu.

Mon voisin, que j'avais blessé avec ma crosse de hockey et qui avait été trop en colère pour me dire son nom, était simplement allongé sur son toit, fixant le ciel nocturne.

Quel homme étrange... Si difficile à cerner.

Indifférent à tout ça, Angus éternua, un petit bruit sec, dédaigneux, et je m'écartai vivement de la fenêtre. Il ne manquerait plus que M. Gracieux me surprenne en train de l'observer...

Soudain, ce fut une évidence. J'avais envie d'un homme. Et là, juste à côté, il y en avait un. *Viril.* Je sentis de nouveau cette sensation familière de chaleur m'envahir.

Pourtant, ce n'était pas d'une aventure que j'avais envie. Je voulais un mari, et pas n'importe lequel. Avec le sens de l'humour, gentil et droit. Un bosseur, un intellectuel. Sachant cuisinier, aimant les enfants et les animaux, surtout les chiens.

Je ne connaissais rien de cet homme en bas. Pas même son nom. Tout ce dont j'étais sûre, c'était que je ressentais quelque chose pour lui — du désir, si je me montrais honnête avec moi-même. C'était un début. Je n'avais plus rien ressenti pour un homme depuis longtemps. Très longtemps.

Le lendemain, je découvrirais qui il était, et je l'inviterais à dîner, songeai-je, en fermant la fenêtre.

6

— Donc, dis-je en forme de conclusion, même si Sewell's Point, non loin de Fort Monroe, n'a pas eu de conséquences sur la suite des événements, ce combat a néanmoins grandement affecté la vision de la guerre navale. Chesapeake Bay était une zone stratégique pour les deux camps. Je veux dix pages sur le blocus et ses effets pour lundi prochain...

Un brouhaha de protestations et d'exclamations indignées s'éleva dans la classe.

— Mademoiselle Em! s'écria Hunter Graystone, prenant la tête de la contestation. C'est dix fois plus que ce qu'on demande dans les autres classes.

— Oh... Pauvres chatons! Vous voulez peut-être que je vous masse la nuque pendant que vous tapez? ironisai-je.

J'appuyai ma plaisanterie d'un clin d'œil.

— Dix pages. Et n'insistez pas, sinon ce sera douze.

Je coulai un regard vers Kerry Blake, qui venait de laisser échapper un gloussement. Elle était en train de pianoter sur son téléphone portable, le dernier modèle, incrusté de strass.

— Donne, Kerry, dis-je, en tendant la main pour le lui prendre.

Elle me regarda, le sourcil — parfaitement dessiné — en accent circonflexe.

— Mademoiselle Emerson, je ne suis pas sûre que vous connaissiez sa valeur... Si mon père savait que vous me le confisquez, ça pourrait, disons... le mettre de mauvaise humeur.

— On n'envoie pas de textos en classe, très chère, dis-je,

ne faisant que répéter une énième fois cette consigne, ce mois-ci. Tu le récupéreras en fin de journée.

— Ce n'est pas juste, marmonna-t-elle.

Elle passa négligemment une main dans ses cheveux pour les repousser en arrière et s'étira nonchalamment, en surprenant le regard de Hunter posé sur elle. Celui-ci esquissa un sourire appréciateur. Spectateur de la scène, Tommy Michener se rembrunit aussitôt, et, par un effet domino, Emma Kirk marqua un léger affaissement physique. Les adolescents n'étaient pas épargnés par les peines de cœur.

Un éclat de rire nous parvint nettement de la salle de classe de l'autre côté du couloir. Un rire chargé d'une sensualité ravageuse… identifiable entre tous, celui d'Ava Machiatelli, professeur d'histoire ancienne. Je ne connaissais pas un élève de Manning qui n'*aimait pas* Mlle Machiatelli. Et pour cause : notes élevées, fausse empathie pour leurs horaires chargés, qui se traduisait par peu de devoirs à la maison, et des analyses des plus superficielles en histoire depuis… Eh bien, depuis le film *Troie* avec Brad Pitt… Et comme celui-ci, Ava savait jouer de son physique plus qu'agréable. Si l'on ajoutait à cela les chandails échancrés et les jupes moulantes, c'était comme d'avoir Marilyn Monroe enseignant l'histoire. Elle éveillait le désir chez les garçons, les filles s'en inspiraient, les parents l'appréciaient puisque leurs enfants avaient tous des A. En comparaison, je ne comptais pas… autant de fans.

La sonnerie résonna, marquant la fin du cours. Enfin, « sonnerie » était un bien grand mot. Manning Academy faisait entendre un carillon — il ne fallait surtout pas incommoder les jeunes oreilles de la fine fleur américaine avec un son trop strident ou trop agressif ! Même zen, ce signal eut néanmoins le même effet qu'une sirène de pompiers ou qu'une séance d'électrochocs : mes élèves de terminale bondirent hors de leur siège, se précipitant vers la porte. Le cours sur la guerre de Sécession était le dernier de la matinée, avant le déjeuner.

— Une minute, tout le monde, m'exclamai-je, en forçant sur ma voix.

Ils s'immobilisèrent comme un seul homme. On pouvait les trouver pour la plupart trop gâtés, trop protégés, et par la force des choses trop superficiels, mais ils n'en étaient pas moins disciplinés, je devais le leur concéder.

— Ce week-end, les membres des « Brother Against Brother » rejouent la bataille de Bull Run, aussi appelée « la première bataille de Manassas », comme vous le savez tous, bien sûr, puisque cela faisait partie de ce que vous aviez à lire mardi dernier. Votre présence serait plus qu'appréciée… Ce serait même une bonne façon d'être dans les petits papiers de votre enseignante ! Pour ceux que ça intéresse, faites-le-moi savoir par e-mail, et je me ferai un plaisir de passer vous prendre ici.

— Je ne suis pas à ce point désespérée, répliqua Kerry.

— Merci, mademoiselle Em ! s'écria Hunter. Ça a l'air cool.

Je ne me faisais guère d'illusions. Hunter n'avait nulle intention de venir, même s'il était trop poli (l'un de ceux qui l'étaient le plus) pour le dire cash. Il passait ses week-ends à regarder des matchs de base-ball des Yankees, en mangeant la pire nourriture qui soit avec Derek Jeter, ou dans des avions pour rejoindre l'une des nombreuses maisons que possédait sa famille. Je jetai un coup d'œil à Tommy Michener. Il aimait l'histoire — ses devoirs étaient toujours pointus et argumentés —, mais sous la pression du groupe, il était plus que probable qu'il resterait chez lui, à se morfondre sur Kerry et ses sentiments non partagés, insensible au charme d'Emma Kirk.

— Hé ! Tommy.

Il se tourna vers moi.

— Oui, mademoiselle Em ?

J'attendis un bref instant, m'assurant que tout le monde était parti et qu'aucune oreille indiscrète ne traînait.

— Est-ce que tout va bien, ces jours-ci ?

Il eut un petit sourire désabusé.

— Oui. Toujours pareil…

— Tu sais qu'il n'y a pas que Kerry, dis-je doucement.

— C'est ce que me dit mon père, grommela-t-il, un peu gêné.

— Tu vois ? Deux de tes adultes préférés pensent la même chose.

— Ouais. Eh bien… on ne choisit pas de qui on tombe amoureux, n'est-ce pas ? dit-il d'un air fataliste.

Je marquai un arrêt.

— Non. Bien sûr qu'on ne décide pas.

Je le regardai sortir de la salle puis rassemblai mes affaires. L'histoire était une matière difficile à enseigner. C'est à peine si la plupart des adolescents se souvenaient de ce qui était arrivé le mois d'avant. Dans ces conditions, les faire réfléchir à des événements qui dataient d'un siècle et demi relevait de la gageure. N'empêche… si je pouvais seulement, juste une fois, leur faire toucher du doigt les enjeux de l'histoire avec ses effets sur le monde actuel… C'était particulièrement vrai avec la guerre de Sécession. Je voulais leur faire comprendre les risques courus, leur faire prendre conscience du poids qui pesait sur le président Lincoln, des tourments et des doutes qui avaient dû être les siens, du sentiment de perte et de trahison éprouvé par les sudistes qui avaient fait sécession…

— Salut, Grace.

Ava se tenait dans l'encadrement de ma porte, son petit sourire nonchalant sur les lèvres, qu'elle faisait toujours suivre de trois battements de cils, lents, aguicheurs. Un… deux… et de trois.

— Ava ! Comment vas-tu ? demandai-je, avec un sourire poli.

— Très bien, merci.

Elle inclina la tête, ramenant ses cheveux soyeux sur le côté.

— Tu es au courant ?

Je marquai une hésitation. Ava était un fin stratège, toujours au fait quand il s'agissait de la politique intérieure de Manning, et rompue aux réseaux d'influence. Ce n'était pas mon cas. Je ne soignais pas le relationnel, pas plus avec les administrateurs qu'avec les anciens élèves influents, préférant me consacrer à la préparation de mes cours et au tutorat pour les élèves en difficulté. Pour ne rien arranger, je ne vivais pas sur le campus, contrairement à elle, qui avait une petite maison en bordure (que lui avait value sa relation plus qu'intime avec le directeur de la résidence, disait la rumeur). Rien de ce qui se passait dans ce petit monde aux règles et aux codes bien établis n'échappait à sa vigilance.

— Non, Ava. De quoi s'agit-il? demandai-je sur un ton léger.

Son chemisier était si échancré que je distinguais le symbole chinois tatoué sur son sein droit. Donc, si je le voyais, cela voulait dire que tous ceux qui avaient eu cours avec elle, ce matin, l'avaient vu aussi.

— Le Pr Eckhart se retire de sa chaire du département d'histoire.

Elle me décocha un rictus qui me fit penser à un chat s'amusant avec une souris.

— Je le tiens de Theo. Nous sortons beaucoup ensemble.

De mieux en mieux. Theo Eisenbraun était le président du conseil d'administration de Manning Academy.

— Eh bien… C'est une nouvelle, murmurai-je.

— Il va l'annoncer dans la semaine. C'est imminent. Theo m'a déjà conseillé de poser ma candidature.

Sourire. Battement de cils. Battement de cils — et roulement de tambours —, troisième et dernier battement de cils.

— Formidable. Bon, je dois rentrer chez moi pour déjeuner. On se voit plus tard.

— Si seulement tu habitais sur le campus, Grace… Tu pourrais t'impliquer davantage dans le fonctionnement de Manning.

— Merci de ta sollicitude, dis-je, tout en enfonçant mes papiers dans ma sacoche en cuir vieilli.

J'étais néanmoins bien loin de ressentir le calme et le détachement que j'affichais. Ava avait fait mouche avec sa nouvelle. Disait-elle vrai? D'accord, le professeur Eckhart était vieux, mais il l'avait toujours été! Pourquoi prendrait-il sa retraite maintenant ? Et puis, j'aurais cru qu'il serait venu m'annoncer lui-même sa décision. C'était lui qui m'avait engagée six ans plus tôt, et qui me soutenait quand un parent faisait pression sur moi pour lever la note du jeune Peyton ou de la petite Katharine, et aussi dans mes efforts pour sensibiliser mes élèves au devoir de mémoire. Que penser ? Rien n'échappait à Ava, et ses informations s'avéraient habituellement fondées. On ne pouvait lui enlever ça.

Alors que je sortais du bâtiment Lehring, je trouvai Kiki qui m'attendait à l'extérieur.

— Salut, Grace, tu prends le temps de déjeuner ?

— J'aurais bien aimé, mais il faut que je passe par chez moi avant mon cours sur la période coloniale.

— Ce ne serait pas plutôt à cause de ton chien ? C'est ça ? lança-t-elle, la mine un tantinet ironique.

Kiki était la fière propriétaire d'un siamois diabétique qui ne voyait plus que d'un œil, qui avait perdu plusieurs dents et souffrait d'une colopathie fonctionnelle à cause des boules de poils… et qu'elle s'obstinait à appeler M. Lucky, pour une raison qui lui était propre.

— Eh bien, oui, si tu veux tout savoir, Angus était un petit peu barbouillé et je n'ai pas envie d'attendre ce soir pour découvrir les dégâts.

— C'est si primaire, un chien…

— Je ne m'abaisserai pas à répondre à cette provocation… Je te dirai juste qu'il y a des coupons promotionnels sur la litière Fresh Step à l'épicerie Stop & Shop.

— Oh, merci ! Tu me sauves la vie, j'allais justement être à court. Grace, est-ce que je t'ai dit que j'avais rencontré quelqu'un ?

Elle ne se fit pas prier pour me raccompagner jusqu'à ma voiture, mettant à profit ce temps pour me chanter les louanges d'un prénommé Bruce, un type adorable, généreux, sensible, amusant, sexy, intelligent, travailleur et… complètement sincère.

— Quand l'as-tu rencontré, cet homme parfait ?

demandai-je, en faisant passer mon sac dans l'autre main pour ouvrir ma portière.

— On a pris un café ensemble samedi. Oh ! Grace, je crois vraiment que c'est le bon, cette fois. Je sais que je l'ai souvent dit avant, mais là, j'en suis sûre, il est vraiment parfait.

Je me mordis la langue.

— Je te souhaite bonne chance, alors, dis-je, tout en me promettant de lui en reparler dans une dizaine de jours, quand ce Bruce aurait changé son numéro de téléphone et que mon amie serait en larmes sur mon canapé.

— Au fait, Kiki, est-ce que tu as entendu quelque chose au sujet du professeur Eckhart ?

Elle secoua négativement la tête.

— Pourquoi ? Il est mort ?

— Ava m'a annoncé qu'il prenait sa retraite.

— Et elle le sait parce qu'elle a couché avec lui ?

Le fonctionnement de Manning n'avait aucun mystère pour Kiki, qui habitait aussi sur le campus et traînait parfois avec elle.

— Trop drôle !

— Eh bien, s'il s'en va, c'est une merveilleuse opportunité pour toi, Grace ! Est-ce que tu vas poser ta candidature ? Il n'y a que Paul avec son ancienneté qui peut être un réel concurrent, non ?

— C'est un peu tôt pour en parler, répondis-je, éludant la question. Je me demandais juste si tu l'avais entendu dire. On se voit plus tard.

Je montai en voiture et sortis doucement du parking — les étudiants de Manning roulaient, pour la plupart en tout cas, dans des voitures dont la valeur dépassait de loin mon salaire annuel, et je ne tenais pas à en rayer une seule. Tandis que je traversais Farmington puis les rues tortueuses de Peterston, je pensais toujours au professeur Eckhart. S'il prenait effectivement sa retraite, alors oui, je proposerais ma candidature à sa succession. Pour être sincère, je trouvais le programme d'histoire de Manning trop indigeste. Bien sûr, les élèves devaient comprendre l'importance du passé, et il était nécessaire quelquefois d'insister, mais il fallait le faire avec mesure et bienveillance.

Je m'engageai dans mon allée et aperçus mon voisin devant sa maison — vraie raison de mon retour, plus que les intestins fragiles d'Angus. Il travaillait, torse nu, une scie électrique, ou un outil de ce genre, à la main, livrant aux regards ses épaules, ses biceps bombés... tendus... hâlés... *Du calme, Grace! Arrête ça!*

— Salut, voisin!

Je tressaillis, surprise par ma propre audace. Venais-je vraiment de l'interpeller, de dire ces mots à haute voix? Il arrêta sa scie et releva ses lunettes de protection.

Je fis la grimace. Son œil n'était toujours pas très beau à voir. Il s'entrouvrait d'à peine un centimètre... Pouvait-on parler d'un léger mieux, même si, hier, il était gonflé et complètement fermé? Un hématome violacé partait du front jusqu'à la pommette. D'accord, c'est moi qui lui avais fait ce coquard — et pas que celui-là d'ailleurs, à en juger par la marque rouge qui lui barrait la mâchoire, pile là où je l'avais cogné avec le râteau. Même amoché, il dégageait le sex-appeal âpre de Marlon Brando dans *Sur les quais*. Celui de Clive Owen dans *Sin City*. Ou de Russell Crowe dans... chacun de ses films.

— Salut, répondit-il, les poings sur les hanches, accentuant ainsi la courbe de ses bras.

— Comment va votre œil? demandai-je, en essayant de ne pas baisser les yeux vers sa poitrine large et virile.

— D'après vous? grommela-t-il.

J'étais fixée. Il était loin d'avoir digéré l'incident de l'autre soir.

— Ecoutez, nous sommes partis du mauvais pied, repris-je avec un sourire que je voulus le plus contrit possible.

De la maison, Angus, qui m'avait entendue arriver, jappait avec énergie. Ses aboiements remplissaient l'air tout autour de nous.

— Et si on reprenait depuis le début? Je me présente: je suis Grace Emerson et j'habite juste à côté.

La gorge nouée, je lui tendis la main.

Il me fixa un moment, puis s'approcha de moi et me la serra finalement. J'eus l'impression qu'une décharge électrique me traversait le bras, comme si je venais de ramasser à pleines mains un fil électrique tombé au sol. Sa poigne était sans conteste celle d'un manuel. Calleuse, ferme, chaude…

— Callahan O'Shea, dit-il.

Waouh… Quel prénom ! Une vague chaude déferla sur moi, irradiant jusque dans les régions de mon anatomie les plus profondes et intimes, que j'avais sans doute trop longtemps négligées.

Ouafouafouafouafouaf! Je réalisai d'un coup que je ne l'avais pas quitté des yeux et que je lui tenais toujours la main. Il souriait, un léger sourire qui adoucissait agréablement son côté « bad boy ».

— Et d'où venez-vous, si je ne suis pas trop indiscrète ? murmurai-je, en lâchant à regret sa main.

— De Virginie.

Il me fixait. Comment rester lucide sous un regard si pénétrant ?

— De Virginie, répétai-je. Hum… Et de quelle ville, précisément ?

Ouafouafouafouafouaf! Angus frôlait l'hystérie, maintenant. *Du calme, bébé. Maman est en train de se consumer de désir.*

— Petersburg, lâcha-t-il.

Il n'était pas du genre loquace, mais ça m'allait. Des muscles comme les siens… et des yeux… enfin, celui qui n'était pas contusionné et injecté de sang… S'il était comme l'autre, j'étais partante pour un tour de grande roue.

— Petersburg, répétai-je faiblement, sans le quitter des yeux. J'y suis allée. Il y a eu quelques batailles là-bas. Le siège de Petersburg… beaucoup de victimes civiles, de tous les âges.

Il ne répondit pas. *Ouaf! Ouaf! Ouaf!* Angus était en train de s'épuiser.

— Et vous y faisiez quoi ?

Il croisa les bras.

— J'ai fait un an et demi.

Ouafouafouafouafouaf!

— Pardon ?

— J'ai purgé une peine à la prison fédérale, lâcha-t-il.

Il me fallut quelques battements de cœur pour que ses paroles se frayent un chemin dans ma conscience.

— De la prison ? répétai-je, ma voix se coinçant dans ma gorge. Et… Waouh ! De la prison ! Eh bien, dites donc !

Il n'ajouta rien.

— Et… quand… quand êtes-vous sorti ?

— Vendredi.

Vendredi. *Vendredi !* Il venait juste de sortir de tôle, alors ! Qu'avait-il fait ? Est-ce que c'était un criminel ? Au même instant, l'image d'un puits creusé au fond d'une cave passa devant mes yeux… Et moi qui lui avais asséné un coup de crosse ! Sainte mère de Dieu ! J'avais assommé un repris de justice avec une crosse de hockey avant d'appeler la police ! Je l'avais… Oh ! mon Dieu… je l'avais envoyé en garde à vue, la nuit de sa libération. Je ne m'étais sûrement pas fait un ami de Callahan O'Shea, ancien prisonnier. Et s'il cherchait à se venger, maintenant ?

J'avais le souffle coupé. En fait, non… j'étais même carrément en train d'hyperventiler.

Ouafouafouafouafouaf ! La pulsion de lutte le disputa à l'instinct de fuite. Finalement, la biche qui était en moi prit le dessus et l'emporta.

— On n'entend que mon chien ! Je ferais mieux d'y aller. Au revoir ! Passez une bonne journée ! Il faut que… Je dois appeler mon petit ami. Il attend mon appel. Nous nous appelons toujours à midi, c'est un code entre nous pour vérifier que tout va bien. Il faut que j'y aille. A bientôt.

Je parvins à me diriger vers la maison sans courir. Je pris soin de fermer à clé derrière moi. Je vérifiai aussi la porte de derrière… ainsi que les fenêtres. Angus courait à travers la maison en exécutant sa danse traditionnelle, mais j'étais trop abasourdie pour lui prêter l'attention à laquelle il était habitué.

Il avait fait de la prison ! Combien avait-il dit avoir fait ? De la prison ! Je vivais à côté d'un repris de justice ! Et moi qui étais sur le point de l'inviter à dîner !

J'attrapai le téléphone et composai le numéro de portable de Margaret. En tant qu'avocate, elle saurait me dire quoi faire.

— Margs, je vis à côté d'un repris de justice ! Qu'est-ce que je fais ?

— Je suis en route pour le tribunal, Grace. Un repris de justice ? Quel chef d'accusation ?

— Qu'est-ce que j'en sais ! C'est pour ça que je t'appelle.

— Qu'est-ce que tu sais de lui et qu'est-ce que tu veux savoir ?

— Il a purgé sa peine à Petersburg. En Virginie. Trois ans ? Cinq ans ? Trois à cinq ans ? A quoi est-ce que ça peut correspondre ? Rien de grave ni d'effrayant ?

— Ça pourrait être n'importe quoi.

Au bout du fil, la voix de Margaret me parut anormalement insouciante.

— Les gens font moins pour viol et agression, ajouta-t-elle.

— Oh ! mon Dieu !

— Du calme, ne t'emballe pas... Petersburg, tu dis ? Ce n'est pas un établissement pénitentiaire de haute sécurité. Ecoute, Grace, là, tout de suite, je ne peux pas t'aider. Rappelle-moi plus tard. Tu n'as qu'à faire une petite recherche sur Google. Je dois raccrocher.

— Oui, je vais faire ça. Google. Bonne idée, dis-je, dans le vide.

Elle avait déjà raccroché.

En sueur, je me plantai devant mon ordinateur. Un coup d'œil par la fenêtre de la salle à manger... Callahan O'Shea s'était remis au travail. Les marches pourries de la terrasse avaient été enlevées, une partie des bardeaux avait disparu. L'image d'un prisonnier en combinaison orange en train de ramasser des détritus avec une pique au bord d'une route se superposa à celle de mon voisin qui retapait sa maison, torse nu.

— Allez, allez, marmonnai-je, en rongeant mon frein pendant que mon ordinateur s'allumait.

Quand la page Google finit par apparaître à l'écran, je tapai le nom de mon voisin.

Callahan O'Shea, violoniste au sein du groupe folk irlandais We Miss You, Bobby Sands, a été légèrement blessé par un jet de projectiles samedi, au Sullivan Pub, à Limerick.

Ça ne pouvait pas être lui. Je fis défiler la liste des résultats. Qui, pour la plupart, reprenaient ce fait divers. Ce groupe avait été sous le feu de l'actualité… En jouant *Rule Britannia*, ils avaient déchaîné la colère du public, qui avait réagi en conséquence.

Ce fut le moment que choisit ma connexion Internet pour planter. Trahie par la technologie. Pas de veine !

Après un autre coup d'œil soupçonneux vers la maison d'à côté, j'ouvris la porte de derrière à Angus, puis revins dans la cuisine pour me préparer rapidement quelque chose à manger. Le premier choc encaissé, je reprenais peu à peu mes esprits. Faisant appel à ma vaste connaissance juridique, que je tenais des nombreuses heures passées devant *New York police judiciaire*, sans parler de mon lien de sang avec deux avocats et d'un ex-fiancé exerçant la même profession, j'étais portée à croire que cette peine ne concernait pas des hommes violents. Et s'il avait fait quelque chose de terrifiant… Eh bien, il ne me resterait plus qu'à déménager.

Je mangeai sur le pouce, puis rappelai Angus, prenant quelques minutes pour le flatter, lui disant combien il était le plus beau de l'univers, le conjurant de ne pas regarder du côté du vilain prisonnier — et même de l'oublier. Mes dernières recommandations faites, j'attrapai mes clés de voiture.

Callahan O'Shea était sur la terrasse quand je sortis. Un bruit de marteau emplissait l'air. Il n'avait pas un *physique* effrayant, me dis-je, tout en m'avançant vers ma voiture. Il était tout bonnement magnifique. Mais cela n'en faisait pas pour autant quelqu'un d'inoffensif. N'empêche… Même si cela rassurait un peu, de savoir qu'il avait été détenu dans une prison de moyenne sécurité. Et puis, c'était ma maison, mon quartier. Je n'avais aucune intention de me laisser intimider. Je m'immobilisai, relevant le menton.

— Et pour quelle raison étiez-vous là-bas, monsieur O'Shea ? l'interpellai-je.

Il se redressa et, après un rapide coup d'œil dans ma direction, sauta de la terrasse. Je tressaillis, surprise par la rapidité du mouvement. Souple, agile et très… prédateur. Je n'en menais soudain pas large. Il traversa son jardin, rejoignant la barrière qui séparait nos deux propriétés.

— D'après vous, j'y étais pour quoi ? demanda-t-il, en croisant les bras.

— Meurtre ?

Autant commencer par le pire et en avoir le cœur net.

— Pitié… Vous ne regardez pas *Police criminelle* ?

— Voie de fait, poursuivis-je.

— Non, vous n'y êtes pas du tout.

— Usurpation d'identité ?

— Vous commencez à chauffer.

— Il faut que je retourne au travail, m'exclamai-je, sentant venir les limites de ma patience.

Il leva un sourcil, mais resta silencieux.

— Vous avez creusé un puits dans votre sous-sol et y avez enchaîné une femme, c'est ça ? lançai-je, sur le ton du défi.

— Bingo. Vous m'avez démasqué. J'en ai pris pour dix-neuf mois pour « enchaînement » de femme.

— Trêve de plaisanterie… Callahan O'Shea. Ma sœur est avocate. Soit je lui demande — ce qui est déjà fait, je ne vous le cache pas — de fouiller dans votre passé trouble, soit vous me dites tout, que je puisse décider si je dois m'acheter un rottweiler.

— Il m'a semblé que votre petit rat se débrouillait plutôt

bien dans ce rôle, dit-il, passant une main dans ses cheveux mouillés de transpiration.

— Ne traitez pas Angus de rat ! m'indignai-je. C'est un West Highland terrier, pure race. Gentil, aimant.

— Oui. Ce sont les qualificatifs qui me sont tout de suite venus à l'esprit quand il a enfoncé ses crocs dans mon bras, l'autre nuit.

— Oh ! s'il vous plaît… Il n'a eu que votre manche.

Il tendit le bras, révélant deux petits trous de la taille d'une piqûre sur son poignet.

— Bon, marmonnai-je, d'accord, très bien… Vous voulez porter plainte. Est-ce qu'un repris de justice en a le droit ? Je vais appeler ma sœur. Et dès que j'arrive dans mon établissement scolaire, je fais une petite recherche sur Google.

— Les femmes disent toutes ça, rétorqua-t-il.

Il tourna les talons et se dirigea vers sa scie, sans plus me prêter attention. Je me surpris à mater ses fesses. Qu'il était séduisant ! Je m'arrachai à mes pensées en me traitant de tous les noms et entrai dans ma voiture.

Mon voisin était peut-être récalcitrant pour parler de son passé criminel, mais je n'allais pas m'en tenir là ! Je devais découvrir quel genre d'homme vivait à côté de chez moi. C'était mon devoir. A peine mon cours sur le XXᵉ siècle avec mes élèves de seconde année terminé, je me précipitai dans mon minuscule bureau et surfai sur le Net. Et cette fois, je fus récompensée.

Je découvris dans le *Times Picayune,* le journal local de La Nouvelle-Orléans, une information datant de deux ans.

Callahan O'Shea a plaidé coupable dans une affaire de détournement de fonds, et une peine de trois à cinq ans a été requise contre lui, dans une prison de moyenne sécurité. Tyrone Blackwell a plaidé coupable pour vol…

Les seuls autres articles reprenaient l'incident de l'infortuné groupe irlandais.

Détournement de fonds. Ce n'était pas si terrible que ça… Pas que ce soit glorieux, non plus, bien sûr… mais il n'avait rien fait de violent ni de flippant. Et en définitive, combien d'années M. O'Shea avait-il fait ? Etait-il célibataire ?

Je me repris. Je n'avais vraiment pas besoin de laisser se développer cette sorte de fascination pour un repris de justice, et, qui plus est, un rustre. Je voulais quelqu'un qui tienne la route. Un père pour mes enfants. Un homme avec de la morale, de l'intégrité, et extrêmement séduisant pour m'accompagner aux réceptions de Manning. Un genre de général Maximus moderne. Je n'avais pas de temps à perdre avec Callahan O'Shea. Dommage… parce que le prénom était magnifique et le physique à couper le souffle.

7

— C'est très bien, madame Slovananski, un, *deux*, trois, pause, cinq, *six*, sept, pause. Vous l'avez, jeune fille ! O.K., maintenant, à Grace et moi… Nous allons vous montrer l'enchaînement. Regardez bien.

Julian exécuta le pas de base de la salsa deux fois de plus, et je m'accordai à son déhanché, le sourire scotché aux lèvres, en chaloupant de façon exagérée pour faire virevolter ma jupe. A l'aise, il me fit tourner sur la gauche, me refit faire un tour pour me ramener contre lui et s'inclina dans une attitude théâtrale.

— Tadam !

Notre public s'enthousiasma, applaudissant, autant que les mains percluses d'arthrite de chacun le permettaient. C'était la soirée « Danse avec les anciens », que Julian organisait chaque semaine au sein même de la maison de retraite Golden Meadows, et qui remportait toujours le même succès auprès des personnes âgées. Je coulai un regard de biais vers ma grand-mère, qui vivait ici comme pensionnaire. Elle était égale à elle-même, aussi débordante d'affection et chaleureuse que cette espèce de requins qui mange sa progéniture. Il ne me serait même pas venu à l'idée d'ignorer un parent, si désagréable fût-il, ni *a fortiori* de me désintéresser de ma grand-mère. Heureux ceux qui le pouvaient ! En ce qui me concernait, j'avais comme inscrit dans mes gènes le devoir familial, et dans le sens le plus puritain du terme. Je l'avais même exacerbé. Nous étions quand même, ma famille et moi, les fiers et dignes descendants des pèlerins du *Mayflower*. Il est vrai aussi que j'adorais danser et que je ne boudais aucune opportunité, quand elle se présentait, surtout quand il s'agissait de faire « quelques pas » avec Julian, un merveilleux danseur qui avait un niveau de compétition. C'était un vrai plaisir de lui servir de partenaire pour animer le cours.

— Tout le monde a le pas de base ? demanda Julian, en vérifiant les couples constitués. Un, *deux,* trois, pause… dans l'autre sens, M. B. — cinq, *six,* sept, n'oubliez pas la pause, jeunes gens. O.K., voyons maintenant ce que ça donne avec la musique ! Grace, invite M. Creed et montre-lui comment guider.

M. et Mme Bruno avaient investi la piste, sans attendre.

Entre ostéoporose et articulations raides, il leur était difficile de bouger avec la sensualité que demandait la salsa, mais ils compensaient par la joie, le plaisir et l'amour qui se lisaient sur leur visage. Touchée par l'instant, fragile et délicieux à la fois, je me trompai dans la rythmique et butai contre M. Creed.

— Désolée, dis-je en l'attrapant fermement. C'est ma faute.

Depuis son fauteuil infernal, ma grand-mère à qui rien n'échappait exprima aussitôt sa désapprobation avec un petit bruit, et Mme Slovananski en profita pour s'interposer entre M. Creed et moi. Elle avait jeté son dévolu sur celui-ci depuis un moment — en tout cas, c'était le bruit qui courait dans la résidence —, et je lui laissai bien volontiers ma place, rejoignant le clan des spectateurs tandis que Julian guidait avec délicatesse Helen Pzorkan, qui souffrait de la vessie.

— Monsieur Donnelly, ça vous dit de faire un tour sur la piste de danse avec moi ? lui demandai-je.

Trop timide ou trop raide, ce dernier, comme la majorité des résidents, se contentait de regarder et d'apprécier l'ambiance sans oser se lancer.

— J'aimerais bien, Grace, mais mes genoux ne sont plus ce qu'ils étaient, répliqua-t-il avec humour. Et puis, je ne suis pas un très bon danseur. J'y arrivais quand ma femme était avec moi parce qu'elle me guidait.

— Ne faites pas le modeste. Je suis sûre que vous vous en sortez très bien, assurai-je en tapotant son bras.

— Alors, essayons…, dit-il, le regard baissé sur ses chaussures.

— Vous ne m'avez jamais dit comment vous vous étiez rencontrés, avec votre femme ?

Un sourire flotta sur ses lèvres tandis que son regard se perdait dans le vague.

— C'était la fille qui habitait à côté de chez moi. Je ne me souviens pas d'un jour où je ne l'ai pas aimée. J'avais douze ans quand sa famille a emménagé dans le quartier, et déjà à cet âge, je savais. J'avais bien fait comprendre aux autres garçons que c'était moi qui l'accompagnerais pour aller à l'école !

Sa voix se teinta de mélancolie et je sentis ma gorge se serrer.

— Quelle chance vous avez eue de vous rencontrer jeunes…, murmurai-je.

— Oui. C'est vrai, nous avons eu beaucoup de chance, reprit-il en souriant sous le flot des souvenirs.

— Je vous envie vraiment…

Je n'avais pas à me forcer pour donner de mon temps et m'investir dans ce cours de danse, et ce n'était pas non plus uniquement par altruisme ou par charité. Non, c'était réellement ma meilleure soirée de la semaine. Cela me changeait de celles que je passais chez moi, à corriger des copies ou à préparer des tests. Le lundi, j'enfilais une jupe fluide, froufroutante et colorée (avec des sequins, c'était encore mieux !) et partais pour Golden Meadows comme si j'allais à un vrai bal. Souvent, j'y arrivais même en avance, pour faire la lecture à quelques patients qui avaient perdu toute autonomie. Cela me donnait toujours l'impression d'être utile et de faire quelque chose de bien.

— Gracie, m'interpella Julian, en me faisant signe de m'approcher.

Je regardai ma montre. Il était déjà 21 heures, l'heure d'aller se coucher pour beaucoup de résidents et, pour nous, de clore la séance sur une petite démonstration, des plus enlevée comme toujours.

— Qu'est-ce qu'on fait, ce soir ? lui demandai-je.

— Que penses-tu d'un petit fox-trot ?

Il changea le CD, s'avança au centre de la piste et tendit les bras dans un geste théâtral. J'avançai à mon tour vers lui dans un mouvement souple, en ondulant les hanches et en tendant une main, dont il se saisit aussitôt. Nos deux têtes se tournèrent en même temps vers le public, et nous attendîmes les premières notes de musique. Ah… The Drifters, « There Goes My Baby ». Et pendant qu'on évoluait sur la piste, exécutant de longs pas glissés, au rythme de lent-lent-vite-vite, Julian me murmura, les yeux dans les yeux :

— Je nous ai inscrits à un cours.

J'inclinai la tête tandis que nous orientions nos pas de façon à éviter la canne de M. Carlson.

— De quel genre de cours est-ce que tu parles ?

— « Comment rencontrer M. Parfait ? » ou quelque chose comme ça. Satisfaction garantie. Tu me dois d'ailleurs soixante dollars. C'est une session de deux heures, en soirée… N'en fais pas tout un plat… Prends ça comme un entraînement.

— C'est une blague ?

— Pas de panique. On doit élargir notre cercle de rencontres. Je te rappelle que c'est toi qui as eu besoin de t'inventer un petit ami. Alors, quitte à dire que tu fréquentes quelqu'un, autant que ce soit un « off-iciel », qui t'invite au restaurant !

— Très bien, parfait. Ça semble juste un peu… farfelu…

— Parce que le coup du petit ami off, c'est malin, peut-être ?

Je ne répondis pas.

— Nous sommes deux idiots, Grace, du moins quand il s'agit des hommes, sinon nous ne nous retrouverions pas ensemble, trois fois par semaine, pour regarder *Danse avec les stars* et *Projet haute couture*… Tu reconnaîtras que question vie sociale, on peut mieux faire.

— Regarde-nous ! Quelle paire de rabat-joie on forme !

— Qu'est-ce que tu veux… On ne se refait pas…

Il me fit tourner promptement puis me tira à lui.

— Fais gaffe, bébé, tu m'as presque marché sur le pied.

— Pour tout te dire, j'ai rendez-vous avec quelqu'un dans une demi-heure. Surpris, hein ? Il semblerait que j'aie pris une longueur d'avance sur toi dans le petit jeu des rencontres en ligne.

— Ravi de l'entendre ! Ta jupe est d'enfer. Attention, on y est : deux, trois, quatre, un tour, glissement, tadam !

Nous saluâmes sous les applaudissements d'un public sous le charme.

— Grace, tu as été à la hauteur de ta réputation ! roucoula Dolores Barinski, l'une de mes résidentes préférées.

— Oh ! ce n'est pas grand-chose, lâchai-je d'un ton faussement modeste, néanmoins sensible au compliment.

Je faisais un tabac auprès des personnes âgées, hommes et femmes confondus. Tous me trouvaient adorable, admiraient la fraîcheur de mon teint, s'extasiaient sur ma souplesse. Cette soirée était sans conteste le point d'orgue de ma vie sociale ! Je ne me lassais pas d'entendre mes pensionnaires me raconter comment ils avaient trouvé l'amour. Il se dégageait de toutes ces histoires un parfum de romantisme. Oui, je trouvais tout ça éperdument romantique. C'était autre chose que de se connecter à un site et de répondre à des questionnaires sur la religion, ses petites manies et ses goûts pour les tatouages ou les piercings. Nul doute que personne, ici, n'avait eu à suivre un cours pour apprendre à plaire à un homme.

Néanmoins, j'avais bien un rendez-vous avec un homme avec qui j'avais discuté via le site eCommitment. C'était un ingénieur qui travaillait à Hartford, un certain Dave, qui voulait me rencontrer. Je l'avais trouvé plutôt mignon sur la photo, mis à part une coupe de cheveux plutôt classique, voire vieillotte. Je lui avais répondu que j'étais d'accord. C'était lui qui avait organisé la rencontre. Cela avait été d'une simplicité déconcertante. J'en venais presque à regretter de ne pas avoir tenté plus tôt l'aventure de la rencontre en ligne.

Alors que je plaquais des bises sonores sur les joues ridées et que des mains bienveillantes me tapotaient avec gentillesse, je ne pus refouler un fol espoir. Dave et Grace. Gracie et Dave. Ça sonnait bien. Étais-je sur le point de rencontrer l'Homme de ma vie ? Ce soir, j'allais entrer au Rex Java et nos yeux se croiseraient. Un seul regard et nous saurions. Il se lèverait pour me saluer, si nerveux ou si ébloui par ma présence — n'ayons pas peur des mots — qu'il en renverserait son café. Six mois après ce premier rendez-vous, les longues balades et les petits déjeuners romantiques le samedi matin, une date de mariage serait fixée. Et un jour, je lui annoncerais ma grossesse. Il me regarderait plus amoureux que jamais, trop ému pour parler. Moi, griller les étapes ? Non, absolument pas.

Ma grand-mère s'était éclipsée avant la fin du cours, ce qui m'épargnait pour ce soir les critiques habituelles sur ma technique, mes cheveux, ma tenue vestimentaire et que sais-je encore ! Dans l'art de la remontrance, de la réprobation et des objections, elle excellait, ne manquant ni de ressources ni de mauvaise foi. Elle était même inépuisable.

— Je t'appelle pour te dire l'heure et la date du cours, me dit Julian en me plantant une bise sur la joue.

— O.K. Il n'est pas dit que nous laisserons une seule piste inexploitée…

— Ça, c'est ma copine ! J'aime t'entendre parler comme ça !

Il souleva son sac et, tout en le mettant en bandoulière sur son épaule, me fit un clin d'œil. Sur un dernier signe de la main, il disparut.

Je fis un crochet par les toilettes pour vérifier ma coiffure et en profitai pour vaporiser quelques petites bouffées de mon nouveau produit miracle, le « disciplineur » de frisottis/le rehausseur de boucles/l'eau bénite (appelez-le comme vous voulez), avant mon rendez-vous. Mieux valait prévenir que guérir !

— Salut, Dave, je suis Grace, lançai-je à mon reflet. Oh ! Tu aimes les cheveux bouclés ? Non, non, c'est naturel. Eh bien, c'est très gentil, Dave !

Au moment où je sortais des toilettes, j'entraperçus au bout du couloir une silhouette familière.

C'était Callahan O'Shea. Je le vis tourner à gauche, vers

l'aile médicale. Que faisait-il là ? Je me sentis rougir comme une écolière qui viendrait d'être prise en train de fumer dans les toilettes… Pourquoi diable restais-je plantée là, à fixer le bout du couloir où il avait disparu, alors que j'avais un rendez-vous ? Un vrai, un « off-iciel » cette fois… Sur cette pensée, je me dirigeai vers ma voiture.

Le Rex Java était à moitié plein quand j'y entrai. Il s'agissait pour la plupart de lycéens, mais je n'en reconnus aucun de Manning ; ils préféraient rester dans les limites de Farmington. Je jetai un regard à la dérobée autour de moi. Mon rendez-vous ne semblait pas être encore arrivé. Je repérai un couple d'une quarantaine d'années assis à une table un peu à l'écart. Ils se tenaient la main et riaient. L'homme prit une bouchée du gâteau de la femme, et elle repoussa sa main en riant. Ils rayonnaient, lançant leur bonheur à la face du monde ! Petits veinards, pensai-je avec un peu d'envie. De l'autre côté, près du mur, un homme aux cheveux blancs lisait un journal. Non, pas de Dave à l'horizon.

Je commandai un cappuccino décaféiné au comptoir, puis allai m'asseoir. Aurais-je dû me changer avant de venir ? Je sirotai distraitement la mousse, tout en cherchant à garder la tête froide. Pas d'emballement. Dave pouvait être charmant ou le pire des pauvres types. N'empêche… Sa photo était sympa. Prometteuse.

— Pardonnez-moi… vous êtes Grace ?

Je levai les yeux vers celui qui venait de m'interpeller. C'était l'homme aux cheveux blancs. Sa tête me disait quelque chose… Etait-il déjà venu à « Danse avec les anciens » ? C'était ouvert à tous, et pas seulement aux personnes de la maison de retraite. Avait-il un rapport avec Manning ?

— Oui, c'est moi, dis-je, avec hésitation.

— Je suis Dave ! Ravi de faire votre connaissance !

— Salut… euh…

J'en restai littéralement bouche bée.

— Vous êtes Dave ? Dave de… eCommitment ?

— Oui ! Je suis très heureux de faire votre connaissance !
Puis-je m'asseoir ?

— Euh… je… sûr, balbutiai-je, soudain à court de mots.

Je battis rapidement des paupières, tout en le regardant
s'asseoir, en allongeant avec précaution sa jambe droite sur
le côté. L'homme que j'avais en face de moi devait avoir
soixante-cinq ans, au moins. Peut-être même soixante-dix.
Des cheveux blancs clairsemés. Un visage ridé. Des mains
veineuses. Etait-ce mon imagination, ou son œil gauche
était de verre ?

— N'est-ce pas un endroit charmant ? dit-il, en rapprochant
sa chaise de la table, et en jetant un coup d'œil sur la salle.

L'œil gauche ne bougeait effectivement pas.

— Oui… Euh… écoutez, Dave, balbutiai-je, essayant
d'avoir un sourire amical, quoique flottant. Excusez-moi
de le dire comme ça, mais sur votre photo… eh bien, vous
sembliez plus… jeune.

— Ah, oui ! dit-il en se mettant à rire. Ainsi, vous êtes une
amoureuse des chiens ? Moi aussi. J'ai un golden retriever,
une femelle qui s'appelle Maddy.

Il se pencha vers moi, et une bouffée de camphre et de
menthe, l'odeur caractéristique de la crème Bengay, flotta
dans mes narines.

— Vous aussi, vous avez un chien, c'est ce que vous disiez ?

— Euh, oui… Oui, c'est vrai. Angus. Un westie. Mais…
quand a-t-elle été prise ? La photo, je veux dire…

Dave parut réfléchir une minute.

— Hum, voyons voir… Je pense que c'est juste avant mon
départ pour le Viêtnam. Vous aimez sortir au restaurant ?
Moi, j'aime beaucoup. Italien, japonais… je suis ouvert à tout.

Il sourit. Il avait au moins toutes ses dents, c'était déjà ça,
même si elles étaient jaunies par la nicotine. Je tentai de ne
pas faire la grimace.

— Oui, mais concernant la photo, Dave, écoutez…
peut-être devriez-vous la mettre à jour, vous ne pensez pas ?

— Je suppose, concéda-t-il. Mais auriez-vous accepté de
sortir avec moi si vous aviez connu mon âge ?

Je marquai une hésitation.

— C'est… c'est exactement là que je veux en venir, Dave. Je recherche quelqu'un de mon âge. Vous aviez dit que vous étiez dans la quarantaine.

— Je l'ai été !

Il gloussa.

— Etre… avoir été… Mais vous savez, ma petite Grace, il y a des avantages à la maturité. Je me suis dit que vous, les filles en général, auriez moins d'a priori si vous me rencontriez en personne et me laissiez une chance de vous en convaincre.

Il me décocha un large sourire.

— Oh ! Je suis sûre qu'il y en a, Dave, mais le fait est que…

— Oh ! pardonnez-moi, m'interrompit-il. Il faut vraiment que j'aille vider ma poche. Les séquelles d'un obus de mortier à Khe Sanh. Vous m'excusez ?

En tant que professeur d'histoire, je ne pouvais ignorer Khe Sanh, bataille particulièrement meurtrière de la guerre du Viêtnam. Je sentis mes épaules s'affaisser. J'étais piégée !

— Non, bien sûr, je comprends. Je vous en prie…

Il me fit un clin d'œil — du vrai — et se leva.

Je le regardai se diriger vers les toilettes, la démarche boitillante. Super. Maintenant, j'étais obligée de rester. Pouvais-je planter là un ancien combattant décoré de la Purple Heart ? Non, ça ne se faisait pas. Ce ne serait pas très patriotique. Impossible de lui dire : « Désolée, Dave, je ne sors pas avec de vieux vétérans qui ne peuvent plus pisser normalement. » Ce serait vraiment nul.

Je restai donc encore une heure, accomplissant une sorte de devoir civique, écoutant Dave parler de sa recherche de la femme parfaite — qui s'apparentait davantage à une sorte de quête du trophée —, de ses cinq enfants, qu'il avait eus de trois mères différentes, de la formidable décote qu'il avait obtenue pour son fauteuil, le La-Z-Boy, ou des performances de son cathéter.

— Bon, il faut que j'y aille, finis-je par dire dès que je sentis que cela était possible. Euh… Dave, vous êtes un homme bien, avec de très belles qualités, mais je cherche quelqu'un de mon âge.

— Vous êtes sûre ? Nous pourrions sortir de nouveau… Vous n'aimeriez pas ?

Son bon œil glissa sur mes seins, le faux continuant à me fixer dans les yeux.

— Je vous trouve très séduisante. Et vous m'avez dit que vous aimiez les danses de salon… Vous devez être très… souple.

Je réprimai un frisson.

— Je vous souhaite une bonne fin de soirée… Au revoir, Dave.

Le cours auquel Julian nous avait inscrits n'était peut-être pas une si mauvaise idée, après tout.

— Eh non, il n'y aura pas de papa, cette fois encore, soufflai-je à Angus en arrivant chez moi. Tu t'en fiches, hein, il n'y a que moi qui compte…

Il lâcha un jappement, comme pour approuver, et se précipita sur la porte donnant sur le jardin, manifestant bruyamment son envie de sortir.

— Oui, mon bébé. Assis… assis ! Arrête de me sauter dessus. Allez, vilain chenapan, tu vas finir par abîmer ma jupe. Assis.

Il n'obéit pas. Bien évidemment.

— Tu as gagné, je t'ouvre.

Il s'élança vers la barrière, la porte à peine ouverte, et j'en profitai pour consulter mon répondeur.

« Grace, c'est Jim Emerson », fit la voix de mon père.

— Egalement connu sous le nom de « papa », murmurai-je, amusée.

« Je suis passé ce soir, mais tu n'étais pas là, poursuivit-il. Il faut vraiment remplacer tes fenêtres. Je m'en occupe. C'était ton anniversaire, le mois dernier, alors prends-le comme ton cadeau. Considère que c'est réglé. On se voit à Bull Run, ma fille. »

Le bip de fin de message résonna dans la pièce.

C'était tout mon père. Sa générosité m'arracha un sourire. Je ne me plaignais pas, avec mon salaire de professeur, mais je gagnais bien moins que les autres membres de ma famille, je ne me voilais pas la face. Natalie gagnait probablement trois fois plus que moi, après un an seulement dans le monde du travail. Je ne parlais pas de Margaret, qui était hors compétition. Mon père venait d'une famille qui « était née dans l'argent », comme aimait à nous le rappeler ma grand-mère, et lui-même touchait un salaire très confortable. Cela le rendait très protecteur, et lui permettait de prendre en charge financièrement les travaux d'entretien inévitables dans une maison. Dans l'idéal, il aurait aimé le faire lui-même, mais il n'était pas manuel pour deux sous ; il l'avait durement appris au contact d'une scie radiale qui lui avait valu dix-neuf points de suture, même si — il n'en démordait toujours pas — elle devait avoir « un vice de fabrication ».

Je passai dans le salon et m'assis sur le canapé, laissant mon regard se promener autour de moi. Et si je repeignais une pièce ? C'était une activité dans laquelle j'aimais me plonger, le meilleur antidépresseur naturel que je connaissais quand j'avais du vague à l'âme. Mais, après presque un an et demi de rénovation, je ne voyais rien à changer. Le salon, peint dans un ton lavande pâle, avec une bordure blanche brillante, s'harmonisait parfaitement avec le vert amande de la salle à manger… et la lumière douce de la lampe Tiffany donnait une ambiance des plus agréable. La table en noyer s'accordait dans l'esprit avec le canapé de style victorien acheté dans une vente aux enchères, que j'avais fait tapisser dans des tissus de même ton que les peintures. Non, la maison n'avait besoin de rien, à l'exception de nouvelles fenêtres. Moi, en revanche, j'avais besoin d'un nouveau projet dans ma vie. J'en serais presque venue à envier Callahan O'Shea, qui entamait juste les travaux.

Ouarf ! Ouarf ! Ouarfouarfouarf !

— Angus, qu'est-ce que tu veux encore ? Tu as intérêt à

avoir une bonne raison pour me faire lever, marmonnai-je, me tirant à regret du canapé.

Je fis coulisser la fenêtre de la cuisine. Il n'y avait aucune trace de ma petite boule de poils, facile à repérer, d'habitude. *Ouarf! Ouarf!* Je regardai par les fenêtres du salon pour avoir un autre angle de vue.

Il était passé dans le jardin d'à côté… En bon terrier, Angus aimait creuser ; c'était plus fort que lui, et il avait réussi à faire un tunnel sous la barrière. Il aboyait contre quelqu'un. Pas difficile de deviner qui… Assis sur sa terrasse sans marches, Callahan fixait mon chien, qui montrait les dents, avec un grognement hargneux, et bondissait pour essayer de lui mordre les jambes. Avec un soupir, je me dirigeai vers la porte d'entrée.

— Angus ! Angus ! Viens ici, ma puce !

Pourquoi aurait-il obéi, cette fois plus que les autres ? Etouffant un juron, je traversai mon jardin, me dirigeant vers le 36 Maple. Je me serais bien évité une autre confrontation avec le repris de justice d'à côté, mais Angus n'arrêterait pas tout seul. Il ne me laissait pas le choix.

— Désolée, criai-je. Il a peur des hommes.

Callahan sauta de sa terrasse en travaux, me fusillant du regard.

— Ouais, il a vraiment l'air terrifié…

Comme si un signal avait été donné, mon fauve se rua sur une des bottes de travail de Cal, plantant ses dents dans le cuir. Il poussait un petit grognement — que je trouvais pour ma part trop mignon. *Hrrrrr. Hrrrrr.* Mon voisin secoua le pied et fit lâcher Angus… un court instant. Pas le moins du monde désarçonné, mon chien se jeta de nouveau dessus avec une vigueur redoublée.

— Angus, non ! Là, tu deviens très vilain. Désolée, monsieur O'Shea.

Celui-ci ne répondit rien. Je me penchai, attrapant par le collier mon terrier déchaîné, et tirai, sans parvenir à lui faire lâcher prise. *S'il te plaît, ne me fais pas ça !*

— Allez, Angus, grondai-je. Il est temps de rentrer. L'heure de dormir. L'heure du cookie.

Je tirai encore, mais sans forcer… Je ne voulais pas que ses dents du bas, toutes de travers, mais si adorables, restent dans la botte. Penchée sur mon chien, ma tête au niveau de l'aine de Callahan, je commençais à avoir un peu chaud.

— Angus, lâche. Lâche, garnement. Angus !

Mon chien agita la queue, secoua la tête, les lacets coincés entre ses petites dents crochues. *Hrrrrr. Hrrrrr.*

— Je suis désolée, dis-je. D'habitude, il n'est pas si…

Je me redressai d'un coup, et *bang* ! Le sommet de mon crâne heurta quelque chose de dur. J'entendis un claquement de mâchoires, et la tête de mon voisin partit en arrière.

— Bon sang ! s'exclama-t-il, en se frottant le menton.

— Oh ! mon Dieu ! Excusez-moi ! m'empressai-je de dire avec une grimace, en sentant la douleur cogner dans mon crâne.

Furieux, il attrapa Angus par la peau du cou, le souleva et me le tendit.

— Etiez-vous obligé de forcer comme ça ? m'indignai-je, en caressant le pauvre cou de mon chien, qui en profitait au passage pour me mordiller le menton.

— Il était en train de me mordre, si vous ne l'avez pas remarqué, riposta Callahan, sans sourire.

— Bien sûr, vous avez raison…

Je baissai les yeux sur mon animal, lui embrassant le museau.

— Pardon pour… euh… le coup de tête.

— De tous ceux que vous m'avez portés, c'était le moins douloureux.

— Oh ! Vous me rassurez…

Je sentis la chaleur envahir mon visage.

— Est-ce que vous allez habiter ici ou bien est-ce un investissement ?

Il marqua une hésitation, se demandant manifestement s'il devait prendre la peine de me répondre.

— Je la rénove.

— Oh ! je vois…

Je ne voyais rien du tout ! Sa réponse évasive ne m'éclairait pas, et je n'étais pas plus avancée qu'un instant plus tôt.

Angus se mit à gigoter pour retrouver la terre ferme, toute son attention soudain tournée vers une feuille qui virevoltait dans mon jardin. Après une seconde d'hésitation, je finis par le lâcher, pas mécontente de le voir occupé à courir après.

— Bien. Bonne chance avec la maison. C'est prometteur.

— Merci.

— Bonne nuit.

— Bonne nuit.

Après quelques pas en direction de la maison, je m'immobilisai.

— Au fait, ajoutai-je en me retournant vers lui, je suis allée sur Google et j'ai vu que vous étiez un escroc.

Callahan me fixait sans mot dire.

— Je dois avouer que je suis un peu déçue, poursuivis-je. C'est un peu terne, à côté d'Hannibal Lecter.

Un sourire éclaira son visage. Inattendu… la promesse de plaisirs, et terriblement sexy. Redoutable, même. A ma surprise, je sentis une vague de chaleur se propager dans mon ventre. J'étais irrésistiblement attirée et sous le charme de ces petites ridules en étoile autour des yeux.

Un bruit continu, comparable à un faible crépitement, finit par faire irruption dans ma conscience. Callahan l'entendit aussi. Nous baissâmes en même temps les yeux. Angus était revenu… La patte levée, il pissait sur la botte à laquelle il s'était attaqué un moment plus tôt.

Toute trace de sourire avait disparu sur le visage de mon voisin.

— Je ne sais pas lequel de vous deux est le pire, lâcha-t-il, en tournant les talons.

8

Il me fallut treize mois, deux semaines et quatre jours après la rupture et l'annulation du mariage pour pouvoir enfin dire, en toute honnêteté, que je ne m'en sortais pas trop mal. Sans mon travail et sans mes élèves, j'avais passé un été particulièrement éprouvant, et ç'aurait été mentir que d'affirmer le contraire. Je m'étais investie à corps perdu dans la rénovation de la maison et l'embellissement du jardin. Et quand l'angoisse était trop forte, que j'avais besoin de bouger, j'allais me promener dans la forêt toute proche. Je marchais sur des kilomètres en amont et en aval de la rivière Farmington, indifférente aux piqûres de moustique, aux branchages et broussailles qui m'égratignaient, Angus bondissant à mes côtés, tirant sur sa laisse, sa fourrure blanche éclaboussée de boue.

Mes proches étaient là, me surveillant comme le lait sur le feu. J'avais passé le dernier week-end de juillet à Gettysburg — le vrai, en Pennsylvanie — avec quelques milliers d'autres passionnés de reconstitution historique et, dans l'excitation du jeu, j'avais oublié durant quelques heures la douleur qui me vrillait la poitrine. A mon retour, Julian m'avait demandé de l'assister au Lindy Hop dans ses cours de danse. Mes parents n'étaient pas en reste, multipliant les invitations à manger, se montrant l'un envers l'autre, en ma présence, d'un calme exagéré, ne voulant pas rajouter à ma tristesse. Cela allait tellement à l'encontre de leur nature qu'il flottait alors une tension propre à me faire regretter leurs disputes. Avec Margaret, nous avions pris la route, à la Thelma et Louise, et roulé en direction du Maine, longeant la côte rocheuse jusque dans le Nord, là où le soleil ne se couchait pas avant 22 heures. Nous y avions passé quelques jours, parlant peu, évitant surtout d'évoquer Andrew, et marchant le long du rivage où nous regardions, dans un silence pensif, les bateaux de pêche tanguer sur leurs amarres.

Grâce à Dieu, j'avais de quoi faire avec la maison : sols à poncer, murs et moulures à peindre, rideaux à confectionner, luminaires à poser. Je chinais, courais les magasins à la recherche de jolies décorations, comme ces statues de saint Nicolas que j'avais alignées sur le manteau de la cheminée, au moment de Noël, ou ces poignées de porte en laiton avec l'inscription *Public School, City of New York* gravée dessus. Je m'étais créé mon nid, veillant à ce que rien ne me rappelle Andrew, une vraie « bonbonnière », à défaut de pièce montée de mariage ! Dans la foulée, j'avais même accepté un ou deux rendez-vous. Enfin, disons que j'en avais accepté un, surtout pour avoir la confirmation que je n'étais pas encore prête à m'impliquer sentimentalement dans une autre relation.

Lorsque était venue la rentrée, jamais je n'avais été plus heureuse de retrouver mes élèves, même avec leurs petites manies, leurs abus et tics de langage. Oui, malgré leurs « trop » (« trop bon », « trop génial »), leurs « mortel » et les « quoi » ou les « grave » qui ponctuaient immanquablement toutes leurs fins de phrase, je les trouvais fascinants, pleins de potentiel… Ils étaient l'avenir. Le travail devint mon second refuge, et je n'eus de cesse de susciter l'étincelle chez mes élèves en difficulté, de voir la lueur dans les yeux de ceux qui se reconnectaient au passé et ressentaient le poids de l'histoire sur l'évolution du présent, comme je l'avais moi-même ressenti enfant.

Il y eut Noël, puis le nouvel an. Pour la Saint-Valentin, Julian arriva chez moi, les bras chargés de films d'action, de plats thaïs, sans oublier la glace que nous avalâmes entre deux fous rires, moi feignant de ne pas penser que cette journée aurait dû être mon premier anniversaire de mariage, et lui qu'il n'avait pas eu une vraie relation en huit ans.

Mon cœur cicatrisait. Vraiment. Le temps faisait son œuvre, et Andrew ne fut plus qu'une douleur sourde certains soirs, quand je ne trouvais pas le sommeil, allongée dans le lit, les yeux grands ouverts sur le noir. Avais-je tourné la page ? Je me disais que oui.

Quelques semaines avant le mariage de Kitty, ma cousine « la terreur des franges », je rejoignis Natalie à New Haven pour un dîner entre filles.

Elle avait dû travailler tard, et je la retrouvai directement à L'Omni Hotel. C'est elle qui avait choisi ce restaurant panoramique avec bar lounge, offrant une grande carte de cocktails.

Lorsque je la vis arriver, je pris soudain conscience de sa transformation. De chrysalide, ma petite sœur était devenue papillon. Elle avait troqué sa tenue d'étudiante, jean et pull, contre une tenue plus sophistiquée. Un léger maquillage, une coupe de cheveux stylée venaient compléter le tableau et… Waouh ! La fille fraîche et simple que je voyais à la maison ou sur son campus s'était muée en une Grace Kelly moderne.

— Salut, Bumppo ! dis-je en l'étreignant fièrement. Tu es superbe !

— Tout comme toi, répondit-elle spontanément. Chaque fois que je te vois, je me dis que je vendrais mon âme pour avoir ces cheveux.

— « Ces » cheveux portent la marque du diable, ironisai-je. Ne dis pas de bêtises…

Natalie avait toujours les mots qui faisaient plaisir, et elle les pensait. Le cher ange, elle ne savait pas mentir.

Je commandai un gin tonic (pour changer), et Nat un cocktail kangourou.

— Une préférence pour la vodka ? lui demanda le serveur.

— De la Belvédère, si vous avez, répondit-elle avec un sourire.

— Bon choix, lâcha-t-il, manifestement conquis.

Je souris. Depuis quand ma petite sœur avait-elle un avis sur la vodka premium ?

Les sujets de conversation ne manquaient pas. Je l'écoutais parler de son travail au sein du prestigieux cabinet d'architecture Cesar Pelli, de ses collègues et du projet en cours qui mobilisait toute son énergie : une maison surplombant Chesapeake Bay. J'aimais mon métier d'enseignante, ma matière, et j'avais la sensation que Manning, avec ses bâtiments de briques défraîchies et ses arbres majestueux, faisait partie de moi, mais elle parlait avec tant de passion et de fougue que je ne pouvais m'empêcher de trouver mes propres anecdotes un peu fades en comparaison. Elle manifestait pourtant un intérêt non feint, riant quand je lui décrivis le professeur Eckhart endormi en plein milieu d'une réunion du département, au moment même où je faisais des suggestions sur une réorganisation du programme, ou approuvant quand je m'agaçais du système de notation prodigieusement généreux d'Ava.

Soudain, un éclat de rire nous parvint distinctement et nous fit nous retourner dans un même mouvement. Un groupe d'hommes venaient de sortir de l'ascenseur et d'entrer dans le bar. Andrew était au milieu.

Je ne l'avais plus revu depuis le jour où il avait rompu. Une douleur vive me transperça le ventre, comme si je venais de recevoir un coup de poignard. Le sang se retira brutalement de mon visage, de toutes mes extrémités, puis revint tout aussi brutalement en flots, me laissant exsangue. Un bruit discordant, qui n'était en fait qu'une longue plainte, résonna dans mes oreilles, me perçant les tympans. J'avais chaud, et frissonnais en même temps. Andrew. Pas très grand, pas si beau, frôlant toujours la maigreur, les lunettes glissant sur l'arête de son nez pointu, et ce cou qui… m'émouvait. Mon corps n'était plus qu'une longue plainte silencieuse, et mon esprit, lui, était complètement vide. Souriant, Andrew glissa quelque chose à l'oreille d'un de ses amis qui éclata de rire.

— Grace ? murmura Natalie.

Je l'entendis, mais aucun son ne franchit ma bouche.

Se sentant sans doute observé, Andrew se retourna. Quand il nous aperçut, il écarquilla les yeux et son visage se décomposa, passant du blanc à l'écarlate. Il se ressaisit presque dans l'instant et vint vers nous, un sourire plaqué sur les lèvres.

— Tu veux qu'on y aille ? demanda Nat.

Je me tournai vers elle. Absolument magnifique, nota mon cerveau de façon détachée. La légère rougeur qui teintait ses pommettes ne la rendait que plus ravissante. Rien à voir avec le feu qui me brûlait les joues, et à la chaleur duquel on aurait sans doute pu griller un steak. La sollicitude se lisait sur son visage. Un sourcil délicatement arqué, elle tendit ses mains fines aux ongles soignés et laissés au naturel vers moi.

— Non ! Non, bien sûr que non. Je vais bien. Salut, étranger ! m'exclamai-je, en me levant.

— Bonjour, Grace, répliqua-t-il, comme si nous nous étions quittés la veille.

— C'est une vraie surprise, insistai-je. Tu te souviens de Nat, bien sûr.

— Evidemment, dit-il. Salut, Natalie.

— Salut, répondit-elle dans un souffle, le regard fuyant.

Je l'invitai à s'asseoir quelques minutes. Pour quelle raison ? Je n'aurais su le dire. Il accepta. En même temps, il lui aurait été difficile de refuser. Qu'aurait-il pu dire pour y échapper ? Nous fîmes tous preuve d'une courtoisie et d'un savoir-vivre exemplaires. On aurait presque pu se croire au château de Windsor à l'heure du thé. Si Andrew fut surpris d'apprendre que Nat vivait dans la ville où il travaillait, il ne le montra pas. « Ninth Square, belles rénovations, dans ce coin. Oh ! vraiment ? Tu travailles chez Pelli, comme c'est amusant… Etonnant. Le monde est petit. » « Et toi, Grace ? Comment ça va, à Manning ? Des élèves sympas, cette année ? Merveilleux. Euh… est-ce que ça va, tes parents ? Bien, bien. » « Margaret et Stu ? Super. »

Et nous étions assis là, Nat, Andrew et moi… ainsi que l'éléphant de quatre tonnes en train de faire des claquettes sur la table. Il parlait beaucoup, même un peu trop, sans doute pour masquer sa nervosité. Je n'entendais pas tout. Seules quelques bribes de phrases émergeaient parfois au-dessus de la tonalité « occupé » qui emplissait mes oreilles. En revanche, la scène se détachait avec une précision surprenante. Chaque détail m'apparaissait en relief, comme si j'étais sous l'emprise d'une drogue qui aurait augmenté mes perceptions visuelles. Je remarquai les tremblements qui agitaient les mains de Natalie et qu'elle tentait de contrôler en les croisant fermement sur la table, la dilatation de ses pupilles quand elle levait les yeux vers Andrew, qu'elle s'obstinait pourtant à éviter, les petites rougeurs qui marbraient son décolleté. Même ses lèvres paraissaient d'un rouge plus profond. C'était comme regarder un documentaire de la chaîne Discovery décrivant de manière scientifique les phénomènes chimiques et biologiques du désir et de l'attraction entre deux personnes.

Si Natalie n'était pas… comme d'habitude, Andrew, lui, semblait en état de choc. De la sueur perlait sur son front, et les lobes de ses oreilles étaient si rouges qu'ils semblaient prêts à s'enflammer. Son débit rapide était saccadé comme s'il avait le souffle court. Il se faisait un point d'honneur à me sourire très souvent, sans jamais me regarder dans les yeux.

— Eh bien, il faut que je retourne près de mes collègues, là-bas, ils vont se demander ce que je fais, conclut-il. Hum, Grace… tu… tu sembles en pleine forme. Cela m'a fait plaisir de te voir.

Il m'étreignit rapidement. Le visage dans son cou, je sentis la douceur de sa peau et sa chaleur moite, comme un bébé sortant de la sieste. Puis il se recula vivement.

— Natalie… euh, prends soin de toi, lâcha-t-il simplement.

Leurs regards se croisèrent et l'éléphant trébucha, s'affalant piteusement au beau milieu de la table. Je vis dans les yeux bleu azur de ma sœur une explosion d'émotions : souffrance, culpabilité, amour, désespoir… Et moi qui n'aimais personne plus qu'elle, je reçus son désarroi comme un coup de pelle sur la tête.

— Prends soin de toi, Andrew, dit-elle vivement.

Il s'éloigna sous nos yeux, et rejoignit ses amis qui se

trouvaient de l'autre côté du restaurant, heureusement assez grand.

— Tu veux qu'on aille ailleurs ? me demanda-t-elle, après un silence.

— Non, non… J'aime bien cet endroit, dis-je, en forçant sur l'enthousiasme. Et puis on a déjà passé la commande.

Ni elle ni moi n'avions jamais reparlé d'Andrew depuis la rupture. Nous échangeâmes un sourire.

— Est-ce que ça va ? s'enquit-elle doucement.

— Oui, mentis-je. Bien sûr. Je veux dire, je l'ai aimé, c'est vraiment quelqu'un de bien, mais… ce n'était pas « le Bon ».

Je fis avec les doigts le signe des guillemets en prononçant ces derniers mots.

— Tu en es sûre ?

— Oui. C'est un type très chouette et tout, mais…

Je m'interrompis, feignant de réfléchir.

— Je ne sais pas. Il manquait quelque chose.

— Oh ! lâcha-t-elle, la mine pensive.

Le serveur arriva avec les plats. Un steak pour moi ; du saumon pour Nat. Les pommes de terre étaient succulentes. Nous discutâmes de tout et de rien, abordant cinéma, livres, télévision, famille, comme si de rien n'était. Au moment de l'addition, Natalie insista pour payer et je la laissai faire. En sortant du restaurant, ma sœur ne regarda pas dans la direction d'Andrew.

Lorsque je jetai, malgré moi, un coup d'œil par-dessus mon épaule au moment de passer la porte, je vis qu'il fixait Nat. On aurait dit un junkie, à vif, cherchant son shoot. Il n'avait d'yeux que pour elle et ne se rendit même pas compte que je le regardais.

— Merci, Nattie, dis-je en la rattrapant devant l'ascenseur.

— Oh ! Grace, ce n'est rien, répliqua-t-elle, avec un peu trop d'émotion.

Mon cœur cognait sourdement dans ma poitrine, résonnant dans mes oreilles pendant la descente. Je me rappelai mon quatrième anniversaire. Des images de barrettes me traversèrent l'esprit. Les câlins du samedi matin. La tristesse sur son visage quand j'étais partie pour l'université. Je me souviens aussi de la salle d'attente impersonnelle et froide de l'hôpital, sa lumière blafarde, l'odeur de café froid qui imprégnait l'air, et aussi de mon marchandage avec Dieu, lui promettant tout ce qu'il voudrait s'il sauvait ma sœur... Et puis cette lueur que je venais d'entrapercevoir dans les yeux de Natalie au moment où Andrew était apparu.

Quelle force de caractère fallait-il avoir pour rester éloignée de celui qui était peut-être l'amour de votre vie ? Ressentir le vrai « paf bing ! » et le refuser pour le bien d'une autre. En aurais-je été capable ? Est-ce que je méritais un geste aussi généreux ? Etais-je faite du même bois qu'elle ? Quel genre de sœur étais-je, finalement ?

— J'ai pensé à quelque chose qui va peut-être te paraître étrange..., dis-je tandis que nous marchions jusqu'à l'appartement de Natalie, bras dessus bras dessous.

— Il y a tant d'idées étranges dans cette tête, plaisanta-t-elle, sur le ton de la complicité.

— Eh bien, tu vas trouver ce que je vais dire un peu fou, mais ça me semble nécessaire et juste, repris-je, en m'immobilisant au coin de New Haven Green. Natalie...

Je m'interrompis pour donner du poids à ce que j'allais dire.

— Je pense que tu devrais sortir avec Andrew. La malchance a voulu qu'il ne rencontre pas la bonne sœur en premier.

Une mosaïque d'émotions se refléta sur son visage — choc, culpabilité, chagrin, peur... et espoir. Oui. L'espoir.

— Grace, jamais je..., balbutia-t-elle.

— Je sais et je comprends, murmurai-je. Mais je crois que toi et Andrew devriez parler...

Quelques jours plus tard, je déjeunai avec ce dernier pour lui rapporter ma conversation avec ma sœur. Les mêmes émotions transparurent sur son visage. La gratitude en plus. Il émit quelques objections pour la forme, puis céda, sans que j'aie besoin d'insister. Je leur suggérai de se rencontrer, plutôt que de communiquer par téléphone ou e-mail. Ce qu'ils firent. Natalie m'appela le jour qui suivit leur première rencontre et me raconta d'une voix chargée d'émotion leur promenade à travers New Haven, puis leur longue discussion sur un banc, sous les arbres élégants de Wooster Square. Elle me demanda, à plusieurs reprises, si j'étais sûre de moi. Je la rassurai chaque fois.

Oui, ça allait… Il y avait juste cette pensée, qui parfois faisait irruption dans ma tête : avais-je encore des sentiments pour Andrew ? Je n'en étais pas sûre-sûre.

9

Ce samedi matin, les aboiements frénétiques d'Angus me tirèrent du sommeil. Il griffait, grattait contre la porte comme s'il cherchait à récupérer un steak qui aurait glissé de l'autre côté.

— Quoi ? Quoi ? haletai-je, me réveillant en sursaut, l'esprit encore endormi.

Je jetai un coup d'œil à l'horloge. Il n'était que 7 heures du matin.

— Angus ! Il vaudrait mieux pour toi qu'il y ait le feu à la maison, ou tu risques fort d'avoir de gros problèmes !

Que lui arrivait-il ? Mon chien adoré était plutôt du genre à roupiller profondément, ses sept kilos et demi occupant les deux tiers de mon lit.

Je jetai distraitement un regard au miroir... Bon sang ! Je me fis l'effet d'une Cendrillon partie en carrosse et revenue en citrouille. Mon nouveau produit capillaire (qui coûtait quand même cinquante dollars le flacon) arrêtait de toute évidence de faire effet après 1 heure du matin, heure à laquelle je m'étais couchée la veille. A ne pas oublier, à l'avenir ! Si Angus était réellement en train de me sauver la vie et que notre photo devait figurer en première page du journal, il valait mieux que je prenne le temps d'arranger mes cheveux, avant de me précipiter dans les flammes. J'attrapai un élastique et me fis une queue-de-cheval, puis avançai lentement vers la porte. Elle n'était pas brûlante. Je l'entrouvris. Pas d'odeur âcre ni d'épaisses fumées noires piquant les yeux et brûlant les poumons. Bon, c'était plutôt le plan du pompier sexy — qui m'aurait portée comme si j'étais en sucre filé pour franchir le rideau de feu — qui sentait le cramé. Enfin, je devais m'estimer heureuse, puisque ma maison n'était pas menacée de tomber en cendres…

Angus descendit comme une flèche l'escalier, puis exécuta sa danse du visiteur devant la porte d'entrée. Bon sang, j'avais presque oublié que c'était aujourd'hui, la reconstitution de Bull Run ! A l'évidence, Margaret, qui avait prévu de nous accompagner, avait ressenti le besoin de se lever aux aurores… Mais moi, j'avais besoin de café avant de penser à tuer le premier sudiste… ou un soldat de l'Union… Est-ce que je devais tuer des ventres bleus, aujourd'hui ?

J'attrapai Angus, une vraie puce sauteuse, et ouvris la porte.

— Salut, Margaret, marmonnai-je en plissant les yeux à cause de la lumière du jour.

Callahan O'Shea se tenait devant moi.

— Ne me faites pas de mal, ironisa-t-il.

Mon cerveau enregistra en mode décousu, comme les pièces d'un puzzle, le T-shirt d'un rouge délavé, le jean, l'hématome autour de son œil qui avait viré au brun. Ses yeux étaient bleus, et légèrement tombants au coin, ce qui lui donnait un petit air… mélancolique. Très sexy, aussi. Zut, il était encore là, ce petit pincement de cœur ! C'était agaçant, à la fin.

— Vous êtes là pour me dire que vous m'intentez un procès ? bredouillai-je.

Dans mes bras, Angus aboya une fois. *Ouaf !*

Il sourit. On ne pouvait plus parler de pincement : mon cœur exécuta carrément un salto arrière.

— Non, je suis ici pour remplacer vos fenêtres. Joli pyjama, soit dit en passant !

Je baissai les yeux sur mon pyjama où s'étalait en grand Bob l'éponge. Julian avait fait fort, au dernier Noël. C'était un concours entre nous : parvenir à dénicher le cadeau le plus moche ou le plus tarte. Moi, je lui avais offert un « monsieur tête de gazon ».

— Pardon ? repris-je, tandis que ses derniers mots se

frayaient avec retard un chemin dans mon esprit. Qu'est-ce que vous venez de dire à propos de mes fenêtres ? Vous allez les remplacer ?

— Ouais… C'est ce que j'ai dit…

Il avança la tête, laissant courir son regard sur le salon.

— Votre père m'a engagé, l'autre jour. Vous ne le savez pas ?

— Non. Ça date de quand ?

— Jeudi. Vous n'étiez pas là. C'est une jolie maison que vous avez là. Un cadeau de papa ?

— Euh…, balbutiai-je, ne trouvant rien d'autre à dire.

— Alors… est-ce que vous allez me laisser planté là, ou vous écarter et me laisser entrer ?

Je serrai mon Angus un peu plus fort contre moi.

— Non. Ecoutez, monsieur O'Shea, je ne crois pas que…

— Que quoi ? Vous ne voulez pas donner sa chance à un ancien repris de justice ?

— Eh bien, en réalité… je…

Ma bouche se ferma dans un clappement. Je ne me voyais vraiment pas dire à haute voix le fond de ma pensée. Trop grossier. Ce n'était pas politiquement correct.

— Non, ce n'est pas possible.

Je plaquai un sourire sur mes lèvres, me sentant aussi sincère qu'un candidat à la présidentielle promettant la Lune.

— Je pensais m'adresser à un artisan… euh… quelqu'un qui a déjà travaillé pour moi.

— J'ai été engagé. Votre père m'a déjà donné la moitié de la somme.

Il me regarda, les yeux à demi fermés, sourcils froncés.

— Eh bien, j'avoue que c'est un peu gênant comme situation, mais vous devrez la lui rendre.

Angus, toujours dans mes bras, aboya comme pour m'apporter son soutien. Ça, c'était un bon chien.

— Non.

J'en restai bouche bée.

— Eh bien, je suis désolée, monsieur O'Shea, je ne veux pas que vous travailliez ici.

Qu'il me voie en pyjama… Qu'il crée des problèmes…
Qu'il me vole même, peut-être…

Il pencha la tête sur le côté et me dévisagea avec intensité.

— Que c'est désagréable, mademoiselle Emerson, de penser que vous ne m'aimez pas ; c'est même un comble, parce que s'il y a une personne ici qui aurait des raisons d'en vouloir à l'autre, je crois que c'est moi, vous ne pensez pas ?

— Il n'y a pas de raisons qui tiennent ! Je ne vous ai rien demandé…

— Mais comme j'ai de meilleures manières que vous, coupa-t-il, je réserverai mon jugement… sans m'étendre sur votre propension à l'agressivité. J'ai accepté l'argent de votre père et, comme il faut faire venir les nouvelles fenêtres du Kansas, on doit les commander sans perdre de temps, si vous voulez les avoir avant qu'il ne gèle en enfer. Et puis, pour être honnête, j'ai besoin de travailler. D'accord ? Alors, laissez tomber vos airs outragés, oubliez que je vous ai vue dans cette…

Il s'interrompit. Ses yeux glissèrent sur ma silhouette, me détaillant des pieds à la tête.

— Mettons-nous au travail, reprit-il. Je dois prendre les mesures de vos fenêtres. Je commence par le haut ou par le bas ?

Au même moment, la BMW de Natalie s'arrêta dans mon allée. Je tentai de maintenir fermement Angus contre moi, son petit corps secoué de tremblements, tandis qu'il essayait de se libérer à grands coups de reins. Ses cris me perçaient les tympans, résonnant désagréablement dans ma boîte crânienne.

— Vous n'avez vraiment aucune autorité sur ce cabot ! s'exclama-t-il.

— On ne vous a pas demandé votre avis ! Non, je ne te parle pas à toi, mon Angus, repris-je, ma bouche contre son petit crâne. Et puis, tu n'es pas un cabot, mon trésor…

— Salut, lança ma sœur, en montant les marches d'un pas léger.

Elle s'immobilisa, jetant un regard empreint de curiosité à mon voisin.

— Bonjour. Je suis Natalie Emerson, la sœur de Grace.

Ce dernier prit sa main, et je remarquai son air charmé. Oh ! que je le détestais !

— Callahan O'Shea, murmura-t-il. Le menuisier de Grace.

— Ce n'est pas *mon* menuisier. Qu'est-ce qui t'amène ici, Nat ?

— Je pensais que nous pourrions prendre un café, dit-elle, avec un large sourire. Je mourais d'impatience que tu me parles de Wyatt. On n'a pas eu l'occasion de le faire depuis l'exposition de maman, et je me suis dit que si je ne venais pas...

— Un petit ami ? s'enquit mon voisin. Qui aime la brutalité, je suppose ?

Natalie, les yeux posés sur le coquard, haussa les sourcils et sourit.

— Allez, Grace, on se prend un café ? Callahan... c'est ça ? Est-ce que ça vous dit ?

— Beaucoup, répondit-il à ma sœur, magnifique et soudainement irritante.

Cinq minutes plus tard, je fixais d'un regard morne la cafetière pendant que ma sœur et mon voisin discutaient, s'entendant comme larrons en foire !

— Alors, comme ça, Grace vous a frappé ? Vraiment ? Avec une crosse de hockey ? Oh ! non, Gracie... dis-moi que tu n'as pas fait ça !

Elle lâcha ce petit rire rauque qui ne laissait aucun homme insensible.

— C'était de l'autodéfense, ripostai-je, tout en sortant trois tasses de mon placard.

— Elle avait bu, expliqua Cal. Enfin, la première fois, elle avait bu. La seconde fois, avec le râteau, c'était plus de l'inconséquence.

— Non, absolument pas ! m'emportai-je, tout en posant la cafetière sur la table.

J'ouvris d'un geste sec le réfrigérateur pour y prendre la crème, que je posai sur la table avec un peu trop de force.

— Ça n'a rien à voir avec de l'inconséquence.

— Je ne sais pas, poursuivit-il, en inclinant la tête. Qu'en dites-vous, Natalie ? N'est-ce pas une preuve d'inconséquence de se faire surprendre dans cette tenue ?

Il laissa glisser une nouvelle fois son regard sur mon Bob l'éponge.

— Ça suffit, l'Irlandais. Je vous renvoie. Vous êtes viré, voilà ! Une fois pour toutes !

— Allez, Gracie, dit Natalie, laissant échapper un rire mélodieux. Il n'a pas tout à fait tort. J'espère que Wyatt ne t'a pas vue là-dedans.

— Wyatt aime mon Bob l'éponge, rétorquai-je.

Ma sœur versa une tasse de café à Callahan, évitant avec application mes yeux qui lançaient des éclairs.

— Cal, avez-vous rencontré le petit ami de ma sœur ? demanda-t-elle.

« Cal » ? Parce que c'était Cal, maintenant ?

— En fait, non, répondit-il, avec un sourire moqueur.

J'essayai de l'ignorer. Pas facile. « Cal » semblait si… — juste ciel ! — merveilleux… assis là dans ma cuisine accueillante, buvant son café dans ma tasse Fiestaware couleur bleuet — une édition limitée —, avec, à ses pieds, Angus qui mâchonnait les lacets de ses bottes. Un rayon de soleil éclairait ses cheveux en bataille, d'un châtain profond, faisant ressortir les mèches dorées. Il dégageait une telle virilité, avec ses épaules larges et musclées ! Et il était sur le point de faire des réparations dans ma maison ! Bon sang… Quelle femme n'en ressentirait pas de l'excitation ?

— Alors, à quoi ressemble-t-il ? lança Natalie.

Un bref instant, je crus qu'elle parlait de Callahan.

— Quoi ? Oh ! tu parles de Wyatt ? Eh bien, il est très… beau.

— Très bien… et comment s'est passé ton rendez-vous de l'autre soir ? poursuivit-elle, d'une voix aussi sucrée que le café dans lequel elle était en train de tourner distraitement sa petite cuillère.

Piégée dans la souricière que j'avais moi-même mise en place ! Nat avait appelé, l'autre nuit, et en entendant la voix d'Andrew en arrière-plan, j'avais coupé court à la communication, prétextant que je devais retrouver Wyatt à Hartford. Comment me tirer de cet embrouillamini ? L'air moqueur, mon voisin dardait sur moi son regard bleu.

— C'était bien… très agréable. Vraiment sympa. Nous avons mangé. Bu…

Bravo l'éloquence, Grace ! Je ne fus pas sans noter le froncement de sourcils de mon voisin.

— Allez, Gracie ! insista celle qui avait été ma sœur bien-aimée. Comment est-il ? Je sais que c'est un chirurgien pédiatrique ; il ne peut qu'être merveilleux, mais je veux des détails.

— Adorable ! Il a un caractère en or, dis-je, la voix un peu trop haut perchée. Il est très…

Je m'interrompis, coulant un regard de biais vers Callahan.

— Il est respectueux, amical, incroyablement généreux. Il donne de l'argent aux sans-abri… et… euh… il recueille… les chats.

Lourd soupir de ma petite voix intérieure, navrée devant mes piètres performances de menteuse.

— Il semble parfait, dit Natalie d'une voix où perçait la satisfaction. Il a de l'humour ?

— Oh, oui ! acquiesçai-je, il est très drôle. Mais sans se moquer. Jamais sarcastique ni trop lourd.

— Les opposés s'attirent donc vraiment ! s'esclaffa mon voisin.

— Je croyais que je vous avais viré, vous !

Il me sourit, l'œil malicieux, et mes genoux me trahirent… Je me sentis chanceler.

— C'est merveilleux, dit Natalie.

Un instant, je fus tentée de lui parler d'Andrew, mais avec le repris de justice dont la présence semblait occuper tout l'espace, je choisis de m'abstenir.

— C'est aujourd'hui qu'a lieu la bataille ? me demanda ma sœur, en prenant une gorgée de café.

Je la regardai, admirative. Comment faisait-elle pour rendre chacun de ses gestes si gracieux, équilibré et magnifique ? Il se dégageait d'elle une beauté cinématographique.

— Quelle bataille ? demanda-t-il.

— Ne lui dis rien, intimai-je à ma sœur. Et, oui, j'y vais.

— Ce n'est pas le tout, mais il faut que je rentre à New Haven, dit Natalie avec regret, en repoussant sa tasse. Je suis très heureuse de vous avoir rencontré, Cal.

— Tout le plaisir a été pour moi, répliqua-t-il en se levant.

En plus, le repris de justice avait de bonnes manières… quand Natalie était dans les parages, tout du moins.

Je la raccompagnai jusqu'à la porte.

— Tout va bien avec Andrew ? demandai-je, d'une voix aussi légère que possible.

Son visage s'éclaira aussitôt : c'était comme d'assister à un magnifique lever de soleil.

— Oh ! Grace… oui.

— Tant mieux, dis-je, en ramenant une de ses mèches de cheveux derrière son oreille. C'est tout ce que je veux, ma puce.

— Merci, murmura-t-elle. Je suis tellement ravie pour toi aussi ! Wyatt semble si parfait !

Elle me serra fort dans ses bras.

— On se voit bientôt ?

— Absolument.

Je la serrai à mon tour, mon cœur débordant d'amour, et la regardai rejoindre d'un pas aérien son petit bolide. Elle m'adressa un signe de la main, tout en faisant marche arrière dans mon allée. Quand elle disparut au bout de la rue, j'arrêtai de sourire. Margaret avait immédiatement su que Wyatt Dunn était une invention, et mon voisin, un quasi-étranger, semblait l'avoir deviné aussi. Mais pas Natalie. Elle voulait tellement me voir avec quelqu'un ! Me savoir heureuse et amoureuse lui aurait enlevé un poids sur la conscience. Je n'avais pas besoin d'un dessin !

Avec un soupir, je retournai dans la cuisine.

En me voyant, Callahan s'adossa à sa chaise, les mains croisées derrière la tête.

— Alors, comme ça, votre petit ami est un « sauveur » de chats…

Je lui décochai mon plus beau sourire.

— En effet. Il y a beaucoup de chats abandonnés dans son quartier. Très triste, vraiment. Il les recueille et les garde le temps de leur trouver des familles d'adoption. Ça vous dirait d'en prendre un ?

— Un chat ?

— On dit qu'on choisit un animal selon sa personnalité.

Il eut un petit rire sec, amusé, et je sentis une nouvelle fois mes jambes se dérober sous moi — traîtresses ! —, comme la fois où j'avais vu Bruce Springsteen en concert.

— Non, merci, Grace.

— Alors, dites-moi, monsieur O'Shea, repris-je très vite. Combien avez-vous détourné, et à qui ?

Il serra imperceptiblement les lèvres.

— Plus d'un million de dollars. A mon estimé employeur.

— Un million… Fichtre !

Mes yeux se posèrent sur le plan de travail, près du frigo, où se trouvait mon chéquier, en évidence. Je devrais peut-être le mettre à l'abri… En même temps, je n'avais pas non plus un million sur mon compte… Interceptant mon regard, il leva un sourcil sarcastique — celui qui n'était pas marqué par le coquard.

— C'est tentant, mais c'est fini pour moi, j'ai tourné la page. Cela dit, il faut parfois faire preuve d'une grande force intérieure pour résister, ironisa-t-il, en faisant un mouvement de la tête vers l'étagère contenant ma collection de chiens anciens en métal.

Il se leva sans crier gare.

— Puis-je aller à l'étage pour prendre les mesures des fenêtres, Grace ?

J'ouvris la bouche pour protester, et me ravisai. A quoi

bon? Combien de temps est-ce que ça allait lui prendre, pour changer les fenêtres? Deux jours?

— Euh... Oui, bien sûr. Attendez une seconde, laissez-moi m'assurer que... euh...

— Et si vous m'accompagniez? De cette façon, si je cède à la tentation de fouiller dans votre boîte à bijoux, vous m'arrêterez.

— Je voulais m'assurer que mon lit était fait, c'est tout, mentis-je. C'est par là.

Pendant les longues minutes où Callahan déroula son mètre, mesura le cadre de la fenêtre de ma chambre, notant les dimensions sur un petit calepin, je luttai contre les vagues de désir et d'irritation qui me chahutaient. Il entra ensuite dans la chambre d'amis et répéta les mêmes gestes, précis, efficaces. Je m'appuyai contre le chambranle de la porte, le regard fixé sur son dos (enfin, un peu plus bas, pour être honnête), alors qu'il ouvrait une fenêtre et jetait un coup d'œil au rebord extérieur.

— Il se pourrait que j'aie besoin de remplacer les moulures, dit-il, quand je mettrai les nouvelles fenêtres. Mais ça, je ne le saurai qu'au moment où je vais les enlever. Elles sont plutôt anciennes.

Je levai les yeux vers son visage.

— D'accord. Bien sûr. Ça me paraît bien.

Il s'avança vers moi et je retins mon souffle. Seigneur... il se tenait à quelques centimètres. A la chaleur que dégageait son corps, je sentis le mien se ramollir comme de la guimauve. Je chancelai imperceptiblement. Mon cœur se contracta vivement, dur comme une pierre, avant de s'ouvrir comme un tournesol au soleil. Le mètre dans la main, il effleura le dos de la mienne et je repris brutalement mon souffle par la bouche.

— Grace?

— Oui? soufflai-je.

Il était si près que je distinguais la veine gonflée dans son cou. Que ressentirais-je si je posais mes lèvres à cet endroit, glissais les doigts dans ses cheveux en bataille, si...

— Vous pouvez vous écarter ? demanda-t-il.

— Bien sûr ! Bien sûr, je… pardon, je crois que j'avais l'esprit ailleurs.

Ses yeux se plissèrent et un sourire éclaira son visage. Il était déjà dans l'escalier.

— Je vais passer la commande et je vous tiens au courant.

— Super.

— A bientôt. Bonne chance pour la bataille.

— Merci, dis-je en rougissant sans raison.

— Oh ! et verrouillez bien en partant… Je reste chez moi toute la journée.

— Très drôle. Allez, ouste ! dis-je. J'ai des yankees à tuer, moi !

10

Le son du canon grondait à mes oreilles, et j'inspirai avec délice l'odeur âcre de la poudre qui flottait dans l'air. Je laissai courir mon regard sur la campagne balayée par les fumées, et aperçus quelques silhouettes de soldats de l'Union s'effondrer sur le sol. Derrière la première ligne, les ventres bleus étaient déjà en train de recharger.

— Vous êtes vraiment des gens bizarres…, marmonna Margaret.

— Oh ! tais-toi, ignorante ! répliquai-je, sur un ton affectueux qui démentait mes paroles.

Je pris la poudre qu'elle me tendait pour recharger le canon.

— Nous ne faisons que rendre hommage à tous ces combattants. Et arrête de te plaindre. Tu n'as plus beaucoup de temps à vivre. Allez au diable, monsieur Lincoln ! lançai-je en m'époumonant.

J'adressai mes excuses silencieuses au magnanime Abraham, le meilleur président que notre nation ait jamais eu. Pour preuve de mon attachement à l'homme : la miniature du Lincoln Memorial que je gardais dans ma chambre et son discours de Gettysburg que je connaissais par cœur (je le récitais d'ailleurs souvent).

J'étais sûre qu'il comprenait… et me pardonnait : c'était pour la cause de la reconstitution. La communauté des « Brother Against Brother » prenait ces spectacles vivants très au sérieux. Nous étions environ deux cent mille passionnés et chaque scène était planifiée avec précision. Les soldats yankees firent feu et Margaret se laissa tomber, ses yeux bleu-vert fixant le ciel. Je pris moi aussi une balle dans l'épaule, et, dans un cri théâtral, m'affaissai juste à côté d'elle.

— Ça va prendre des heures pour casser ma pipe, expliquai-je à ma sœur. Le temps que le plomb empoisonne le sang. Les soins dans un hôpital de campagne n'y changeront rien, car il n'y a pas de traitement. Donc, d'une façon ou d'une autre, l'agonie longue et douloureuse est inévitable.

— Au risque de me répéter, vous n'êtes qu'une bande d'illuminés ! ironisa Margaret, tout en reportant son attention sur son téléphone portable pour vérifier ses messages.

— Sacrilège ! dis-je en affectant une mine horrifiée.

— Quoi ?

— Le téléphone ! Tu as vu, toi, un soldat de la guerre de Sécession avec un portable ? Je te rappelle que nous sommes au beau milieu d'une reconstitution historique. Pourquoi es-tu venue si ça ne t'intéresse pas ?

— Papa n'a pas cessé de harceler Junie.

Junie était sa secrétaire, une perle avec une patience à toute épreuve — et il en fallait pour travailler avec ma sœur !

— Elle m'a suppliée de dire oui, juste pour qu'il arrête d'appeler et de passer par le bureau. Et puis, ça m'a donné une raison pour ne pas rester chez moi.

— Eh bien, maintenant que tu es là, cesse de geindre.

Je cherchai sa main, comme l'aurait fait un confédéré cherchant du réconfort auprès d'un frère d'armes, blessé au combat.

— Nous sommes en plein air, c'est une magnifique journée, et nous avons de la chance de flemmarder sur un tapis de trèfles odorants.

Margaret n'eut aucune réaction.

Je lui coulai un regard en coin. Elle avait les yeux rivés sur l'écran de son portable, la mine maussade, une expression plutôt habituelle chez elle, mais ses lèvres tremblaient d'une manière suspecte. Etait-elle sur le point de fondre en larmes ? Je me redressai vivement.

— Margs ? Est-ce que ça va ?

— Super, ça ne se voit pas ?

— Vous êtes censées être mortes ! nous interpella notre père de loin, tout en fonçant droit sur nous, à grandes enjambées.

— Désolée, papa. Euh… je veux dire général Jackson, rectifiai-je en m'affalant docilement dans l'herbe.

— Margaret, s'il te plaît, range-moi ce téléphone, ordonna mon père. Beaucoup de personnes ont travaillé dur pour donner à ce moment une authenticité historique.

Elle fit une grimace.

— Bull Run dans le Connecticut. Tu parles d'une authenticité !

Mon père laissa échapper un grognement de dépit. Un gradé choisit cet instant pour surgir à ses côtés et demander :

— Que devons-nous faire, monsieur ?

— « Alors, monsieur, donnons-leur de la baïonnette ! » lança mon père.

Un petit frisson d'excitation me parcourut en entendant cette phrase historique. Dieu, quelle guerre ! Les deux officiers mimèrent un petit conciliabule, puis s'éloignèrent pour donner le signal aux soldats positionnés sur la colline.

— J'ai besoin de faire un break avec Stuart, murmura ma sœur.

Je me redressai de nouveau sur mon séant, faisant trébucher un confédéré qui repositionnait mon canon.

— Je suis désolée, soufflai-je à ce dernier, avant de l'encourager : Allez débusquer ces rats jusque dans leurs retranchements !

Aidé d'un autre soldat, il souleva le canon et le fit tourner pour en changer l'orientation, tandis que des déflagrations sporadiques déchirant l'air couvraient les ordres des officiers.

— Margaret, tu es sérieuse ?

— J'ai besoin de prendre un peu de recul.

— Que s'est-il passé ?

Elle soupira.

— Rien. C'est bien le problème. Cela fait sept ans que nous sommes mariés, et il ne se passe plus rien. Nous refaisons les mêmes choses jour après jour. On rentre à la maison. On mange en se regardant dans le blanc des yeux.

Quand il parle boulot, infos, ça ne me fait ni chaud ni froid et je me dis juste : Alors voilà, c'est tout ?

Un papillon, précoce pour la saison, se posa sur le bouton en laiton de mon uniforme, battit des ailes, puis se remit à voleter. Un confédéré apparut au-dessus de nous.

— Alors, vous êtes mortes, oui ou non ? Faut vous décider !

— Oui, nous le sommes. Pardon.

Je me laissai retomber en arrière, tirant ma sœur par le bras pour la faire s'allonger.

— Est-ce qu'il y a autre chose, Margs ?

— Non.

Elle battit des paupières puis regarda au loin. Je me tus. Tout, dans son attitude, contredisait ses paroles, mais on ne forçait pas Margaret à se confier si elle ne l'avait pas décidé.

— C'est juste… Je me demande s'il m'aime vraiment. Est-ce que j'éprouve encore de l'amour pour lui ? Est-ce que c'est ça, le mariage ? Etions-nous faits l'un pour l'autre ?

Nous restâmes étendues sur l'herbe, plongées dans un silence pensif. J'avais la gorge serrée. J'aimais bien Stuart : c'était un homme doux, gentil, très apprécié des étudiants de Manning. Je devais bien reconnaître que je ne le connaissais pas tant que ça, finalement. Nous ne faisions que nous croiser de temps à autre au travail, et on ne l'entendait pas beaucoup dans les repas de famille. A sa décharge, il fallait bien dire qu'il était difficile de placer un mot, entre les disputes de nos parents et les monologues de ma grand-mère sur tout ce qui n'allait pas dans le monde d'aujourd'hui. Je savais, en revanche, que c'était un homme bon, intelligent, et qui aimait profondément ma sœur. Peut-être même l'aimait-il trop… au point de se laisser mener par le bout du nez, auraient dit certains.

La clameur des soldats de l'Union en déroute et les cris triomphants des confédérés emplirent l'air.

— Bon ça y est, c'est fini… On peut y aller, maintenant ? s'enquit Margaret.

— Non. Papa vient juste de positionner les treize canons. Encore une minute… une toute petite minute…

Exultant à l'avance, je me redressai sur les coudes pour avoir une meilleure vue de la scène, sans pouvoir m'empêcher de sourire. Rick Jones, qui tenait le rôle du colonel Bee, exhorta ses hommes à se remettre en position et lança la dernière réplique que tous attendaient :

— « Il y a Jackson qui tient comme un mur de pierre ! »

Des « Hourra ! Hourra ! » fusèrent.

J'étais censée être morte, mais je ne pus m'empêcher de me joindre aux cris de liesse. Margaret secoua la tête, le regard amusé.

— Grace, il est urgent que tu aies une vie, finit-elle par s'esclaffer en se levant.

— Et que dit Stuart ? demandai-je en prenant la main qu'elle me tendait.

— Tu le connais… Il me dit de prendre tout le temps dont j'ai besoin pour faire le point.

L'expression de Margaret était difficilement déchiffrable. Je connaissais ma sœur. Nul doute qu'elle portait sur la grande compréhension de son mari un regard plus dédaigneux qu'admiratif, n'y voyant qu'un manque de caractère.

— Alors voilà… Est-ce que je pourrais rester chez toi pour une semaine ou deux ? Peut-être un peu plus…

— Bien sûr, répondis-je sans hésiter. Aussi longtemps que tu le souhaites.

— Dis, au fait, je peux te brancher avec ce type que j'ai rencontré à l'expo de maman, la semaine dernière. Lester. C'est un artiste du métal, un métallo ou quelque chose comme ça.

— Un métallo-artiste ? Qui s'appelle Lester ? répétai-je. Oh ! Margaret, allez…

Je m'interrompis. Je n'étais pas très chaude pour les rencards arrangés. En même temps, cela ne pouvait certainement pas être pire que le dernier rendez-vous avec mon vétéran.

— J'espère qu'il est mignon, au moins ?

— Voyons, je ne sais pas trop… On ne peut pas dire mignon, pas exactement, mais il a son petit charme.

— Lester, le métallo-artiste « qui a son charme ». C'est bizarre, mais je ne le sens pas trop.

— Je ne crois pas que tu sois en situation de faire la fine bouche. « Faute de grives, on mange des merles », dirait la grand-mère. Tu veux rencontrer quelqu'un, c'est donc ce que tu vas t'appliquer à faire. D'accord ? Je lui dirai d'appeler.

— Super, marmonnai-je. Hé, Margs, est-ce que tu as fait ton enquête sur le nom que je t'ai donné ?

— Quel nom ?

— Celui du repris de justice qui habite à côté de chez moi. Callahan O'Shea. Il a détourné plus de un million de dollars.

— Non, je n'ai pas eu le temps. Je le ferai cette semaine. Détournement de fonds... Ça va, ce n'est pas trop terrible.

— Il n'y a pas de quoi fanfaronner. Il a quand même volé un million de dollars. Ce n'est pas rien !

— On ne parle pas non plus de viol ni de meurtre, lança Margs d'un ton léger. Regarde, il y a des donuts au buffet. Merci, mon Dieu, je suis affamée.

Et sur ces mots, nous traversâmes le champ, rejoignant les troupes — les rescapés et les ressuscités — réunies autour de Starbucks et de donuts Krispy Kreme. Une sacrée concession à la vérité historique — à la viande de mulet et à la crêpe de maïs frite à la poêle.

Plus tard, en fin de journée, je passai près d'une heure devant la glace à discipliner mes boucles et à choisir une tenue. J'avais planifié deux rendez-vous à la suite avec deux hommes avec qui j'avais communiqué via eCommitment. Enfin... il s'agissait plutôt d'une prise de température, d'un avant-goût avant de décider si vrai rendez-vous il devait y avoir. Je devais d'abord retrouver Jeff — dont la photo m'avait beaucoup plu — pour un verre à Farmington. Comme moi, il appréciait la randonnée, le jardinage et les films historiques, quoique, sur ce dernier point, je restais plus dubitative, sa référence en la matière étant le péplum blockbuster *300* — ce qui aurait sans doute dû m'alerter. J'avais néanmoins choisi de ne pas m'attarder sur cette petite pierre d'achoppement. Il disait travailler à son compte dans l'industrie du spectacle. Il n'en avait guère dit plus. L'industrie du spectacle… Hmm… Valorisant et très vague à la fois. Etait-il agent littéraire, ou quelque chose de ce genre ? Avait-il monté son propre label de musique ? Possédait-il une discothèque ?

Je devais ensuite prendre un apéritif avec Léon, un professeur de sciences. Nous n'aurions aucun mal à trouver des sujets de conversation, je ne m'inquiétais pas trop. Les e-mails que nous avions échangés ces derniers jours avaient porté sur le métier, ses joies et ses chausse-trapes. J'étais impatiente d'en savoir plus sur sa vie personnelle.

A l'heure convenue, je pénétrai dans le restaurant lounge qui se situait tout près d'une rue piétonne où la concentration, au mètre carré, de personnes portant de faux bijoux Tiffany et des vêtements de sport griffés dépassait tout ce que j'avais pu voir. Je n'eus aucun mal à repérer Jeff : il était en tout point ressemblant à sa photo — plutôt mignon, pas très grand, les cheveux bruns, les yeux foncés et une fossette sur la joue gauche que je trouvai craquante. Par timidité ou anxiété, nous ne sûmes comment nous comporter, et l'ébauche d'étreinte plutôt maladroite finit en bises rapides du bout des lèvres. Cela le fit rire : une réaction qui ne me le rendit que plus sympathique. Après avoir suivi le maître d'hôtel jusqu'à une petite table, nous commandâmes un verre de vin. La conversation s'engagea rapidement avec les banalités d'usage, mais rapidement, et sans aucun signe avant-coureur, la situation dérapa.

— Vous pouvez vous vanter d'avoir attisé ma curiosité, Jeff. Alors, que faites-vous au juste dans la vie ? demandai-je d'un ton badin, en sirotant mon verre.

Il eut un sourire en coin. Très énigmatique.

— Disons que j'ai ma propre affaire.

— C'est ce que j'ai cru comprendre. Mais dans quoi ?

— Le spectacle.

Je marquai une pause, et le regardai écarter la salière et la poivrière.

— Ah… Et quoi exactement, dans le spectacle ?

— *Ça !*

Et là, tout se passa très vite. Je le vis reculer le buste tout en claquant des doigts (enfin, sur le coup, je n'entendis que le petit bruit sec), et une flamme jaillit sur la table.

Plus tard, quand les pompiers eurent fini d'éteindre le début d'incendie et jugé la situation sous contrôle, nous pûmes retourner dans l'établissement pour partie recouvert de mousse ignifuge. Ainsi sonna le glas de cette rencontre !

— Plus personne n'est donc sensible à la magie ? me demanda Jeff, la voix tremblotante.

Il avait l'air aussi misérable qu'un chiot qui se serait pris un coup de pied aux fesses, et cela me serra le cœur.

— Je n'ai pas voulu mettre le feu, bredouilla-t-il au policier indifférent qui lui récitait ses droits.

— Vous êtes donc magicien ? m'étonnai-je, tripotant distraitement la pointe d'une boucle de cheveux qui avait légèrement roussi.

— C'est ma passion, dit-il pendant qu'on le menottait. La magie fait partie de ma vie.

— Ah… Bonne continuation, alors.

Je ne trouvai rien d'autre à dire. Etais-je en train de virer parano, ou les hommes qui m'approchaient, ces derniers temps, finissaient menottes aux poignets ? Je devais cependant reconnaître que Callahan O'Shea avait meilleure allure que ce pauvre Jeff, qui me fit penser à un furet pris au piège. Oui, même les mains dans le dos, mon voisin restait sexy en diable…

Je m'arrachai à mes pensées. Léon, le professeur de sciences, m'attendait. Et j'arriverais à l'heure grâce à l'efficacité des pompiers de Farmington.

J'avais mis beaucoup d'espoir dans cette autre rencontre. Au premier coup d'œil, je le trouvai très séduisant, avec son crâne rasé à la Ed Harris, ses yeux d'un bleu lumineux et son sourire juvénile. Je semblai le captiver, ce à quoi je ne pouvais qu'être sensible. La conversation s'engagea sans temps mort, et, pendant plus d'une demi-heure, nous parlâmes de notre travail.

— Grace, je voudrais te poser une question…

Il poussa sur le côté les petites assiettes de tapas pour me prendre la main.

J'étais allée me faire faire une manucure dans la semaine et ne le regrettais pas. Jamais je n'avais trouvé meilleure façon de dépenser mon argent.

Son visage se fit grave.

— Qu'est-ce qui compte le plus pour toi ?

— Ma famille, répondis-je sans réfléchir. Je suis très proche d'eux. J'ai deux sœurs, une plus âgée, une…

— Je vois. Et quoi d'autre, Grace ? Qu'est-ce qui vient ensuite ?

— Hum, eh bien… mon travail, mes élèves, je suppose. Je les aime beaucoup, j'ai tellement à cœur de…

— Bien… Quoi d'autre, encore ?

Cette façon de me couper la parole commençait singulièrement à m'agacer.

— Eh bien… Je fais du bénévolat auprès de personnes âgées… J'anime un cours de danse de salon avec un ami, Julian. Je fais la lecture aussi pour certains…

— Es-tu croyante ? coupa-t-il.

Je marquai une pause. A cette question, devais-je faire preuve d'humour, et me déclarer définitivement plus « spirituelle » que « croyante pratiquante » ?

— Si on peut dire… Enfin, oui, je veux dire. Je vais à l'église… oh, peut-être une fois par mois environ, et je…

— Je voulais savoir où tu en étais dans ta foi. Ce que tu ressentais pour Dieu.

Je battis des paupières, les mots peinant à se faire un chemin dans mon esprit.

— Dieu ? balbutiai-je.

Léon hocha la tête.

— Hum… eh bien, Dieu est… il est super.

A ces mots passa devant moi l'image d'un Dieu très paternel, les yeux levés au ciel, affligé et s'exclamant : « Pour l'amour de Moi ! Allez, Grace, un petit effort ! Tu peux trouver mieux que "il est super". C'est quand même Moi qui ai dit "Que la lumière soit", et bing ! La lumière fut ! »

(Je me suis toujours représenté Dieu comme ayant un grand sens de l'humour. Il fallait qu'il en ait, non ?)

Les yeux bleus de Léon prirent l'éclat froid du métal.

— Oui, Il est super. Mais toi, es-tu chrétienne ? As-tu accepté Jésus-Christ comme ton sauveur ?

— Bien… oui, je suppose…

Aussi loin que je remontais, je ne me souvenais pas que quelqu'un dans ma famille (des descendants du *Mayflower*, quand même !) ait un jour utilisé ce terme. Nous étions congrégationnistes, et la religion tendait davantage à la pensée philosophique.

— Jésus est aussi… bon, ajoutai-je.

Après Dieu, au tour de Jésus, exposé sur la croix, de m'apparaître, relevant la tête, sous le coup de l'indignation — ô combien compréhensible : « Merci, merci beaucoup, Grace. Voilà donc toute la gratitude que je reçois pour être mort, cloué là ? »

— Jésus est mon guide, dit Léon, fièrement. J'aimerais t'emmener dans mon église pour que tu ressentes le vrai sens de la foi.

Alors là, je dis : pouce !

— En fait, Léon, c'est gentil à vous, mais j'ai déjà une paroisse. Je m'y sens très bien… je n'ai pas envie d'en changer.

Ses yeux bleus, brillants soudain d'une fièvre fanatique, ne furent plus que deux fentes. Il fronça les sourcils, la mine sévère.

— J'ai l'impression que tu n'as pas réellement rencontré Dieu.

O.K. Cette fois, c'en était trop. La goutte d'eau !

— Bon, Léon, on ne va pas tourner autour du pot. Vous ne me connaissez que depuis quarante-deux minutes, alors comment diable pouvez-vous dire ça ?

Le mot « diable » fut sa goutte d'eau à lui. Léon se cabra violemment, comme si je venais de brandir non pas une, mais deux crosses de hockey.

— Blasphématrice ! siffla-t-il entre ses dents. Je suis

désolé, Grace, mais rien n'est possible entre nous ! Vous êtes perdue, condamnée à aller droit où vous savez.

Il se leva, en proie à une grande agitation.

— « Tu ne jugeras point », lui rappelai-je, magnanime. J'ai été heureuse de faire votre connaissance et je vous souhaite bonne chance pour la suite…

Alors là, si Dieu n'était pas fier de moi et de ma façon de gérer la situation, c'était à désespérer. J'avais non seulement cité la Bible, mais encore mis en pratique l'un de ses préceptes les plus connus : tendre l'autre joue…

En retrouvant le cocon protégé de ma voiture, je constatai avec désarroi qu'il n'était que 20 heures. A peine 20 heures, et déjà vouée aux flammes de l'enfer… dont j'avais d'ailleurs eu un petit aperçu. Mais toujours pas de petit ami. Je lâchai un long soupir.

Bon. Je ne connaissais qu'un remède à la solitude et au vague à l'âme que je sentais monter : Golden Meadows. Vingt minutes plus tard, j'étais assise dans la chambre 403, en train de faire la lecture.

Sa chemise de satin blanc glissa au sol dans un bruissement qui embrasa ses sens.

Je m'interrompis, jetant un coup d'œil à M. Lawrence, un petit homme sec avec des cheveux blancs, puis repris :

Les yeux assombris de désir, il contempla sa poitrine offerte d'un blanc laiteux.
— Je suis à vous, monseigneur, murmura-t-elle, ses lèvres sensuelles entrouvertes comme un fruit mûr.
En effleurant ses seins, son esprit l'entraîna vite et loin comme un cheval au galop…

— Remarquez avec moi que nous sommes là en présence d'une erreur syntaxique criante. Son esprit ne peut absolument pas — et vous serez d'accord avec moi — effleurer ses seins. Comment le pourrait-il ? dis-je, amusée, en prenant à partie mon auditeur.

146

Un autre coup d'œil vers celui-ci me confirma le même niveau d'attention qu'auparavant, à savoir nul. Il avait les yeux ouverts sur le vide, et ses mains jamais au repos s'agitaient inlassablement sur ses vêtements. M. Lawrence était mutique, et tous ces mois pendant lesquels je lui avais fait la lecture, je ne l'avais jamais entendu prononcer un seul mot. Il me semblait néanmoins apprécier nos séances. En tout cas, rien dans son attitude ne disait le contraire, mais peut-être qu'à l'intérieur il n'était qu'une longue lamentation. Peut-être aurait-il préféré du James Joyce.

— Bon. Revenons à notre histoire.

Son esprit l'entraîna vite et loin comme un cheval au galop. Oserait-il braver l'interdit et saisir cette promesse de passion et de plaisir ? Céder à l'attente délicieusement torturante de gainer son désir dur et tendu dans sa douce moiteur dissimulée ?

— Si vous voulez mon avis, je pense qu'il devrait céder.

Je sursautai, lâchant mon livre, et d'un bloc me retournai vers la voix. Callahan O'Shea était appuyé contre le chambranle de la porte. La pièce sembla soudain se réduire, l'air se raréfier.

— C'est vous ! Qu'est ce que vous faites ici ? m'exclamai-je.

— Ce serait plutôt à moi de poser cette question…

— Je fais la lecture à M. Lawrence. Il aime bien ça.

Je coulai un regard vers ce dernier. Il y avait peu de chances qu'il émerge de son mutisme pour me contredire.

— Alors, comme ça, vous faites la lecture à mon grand-père, ajouta Callahan en croisant les bras.

J'eus un mouvement de recul, sous le coup de la surprise.

— C'est votre grand-père ?

— C'est ce que je viens de dire.

— Je fais la lecture à… à des résidents, quelquefois.

— A tous ?

— Non. Juste à ceux qui ne…

Ma voix se brisa, et je m'interrompis en plein milieu de ma phrase.

— Qui ne reçoivent pas de visite, conclut-il.

— C'est ça, admis-je dans un souffle.

J'avais commencé mon petit programme de lecture quatre ans plus tôt, après avoir constaté avec tristesse — alors que je m'étais égarée dans l'aile médicalisée de la maison de retraite — que beaucoup de personnes âgées souffraient de solitude, certaines ne recevant que peu ou plus de visite. Prenant alors conscience que ma grand-mère était une privilégiée à Golden Meadows, j'avais voulu faire quelque chose à mon petit niveau pour rompre l'isolement de ces résidents abandonnés. *La Courtisane rebelle* n'était pas un classique de la littérature, mais cette histoire avait le mérite de capter l'attention de mes auditeurs. Mlle Kim, de la chambre 39, avait même pleuré quand lord Barton avait demandé la main de Clarissia.

Callahan s'écarta du chambranle et s'avança dans la pièce.

— Salut, Pop, dit-il en embrassant la tête du vieil homme.

Son grand-père n'eut pas de réaction. Je sentis mes yeux me piquer tandis que Cal regardait la frêle silhouette, en pantalon et cardigan, toujours très soignée.

— Bien, je vais vous laisser tous les deux, dis-je en me levant.

— Grace…

— Oui ?

— Merci de lui rendre visite.

Callahan marqua une hésitation et, quand il me sourit, me regardant droit dans les yeux, mon cœur se gonfla comme la voile sous le vent.

— Je sais qu'il aimait les biographies… il y a longtemps.

— O.K., c'est enregistré… Personnellement, je pense que l'histoire du duc et de la prostituée est plus stimulante, mais si vous le dites… j'essaierai.

Après une hésitation, je me surpris à demander :

— Etiez-vous proches, tous les deux ?

— Oui, répondit-il, en regardant son grand-père tirer sur son pull.

Le visage impassible, il posa sa main sur celle du vieil homme pour en arrêter le mouvement nerveux.

— Il nous a élevés, mon frère et moi.

J'hésitai. La politesse aurait sans doute voulu que je cesse de poser des questions, mais la curiosité l'emporta.

— Qu'est-il arrivé à vos parents ?

— Ma mère est morte quand j'avais huit ans. Je n'ai jamais connu mon père.

— Je suis désolée.

Il hocha la tête.

— Est-ce que votre frère vit dans le coin ?

La mâchoire de Cal se contracta.

— Je pense qu'il est quelque part sur la côte Ouest. Nous ne nous voyons plus. Mon grand-père n'a plus que moi.

Je vis son visage s'adoucir, et ma gorge se serra. Soudain, ma famille m'apparut comme un modèle du genre, et je n'en aimai que plus mes parents et leurs chamailleries perpétuelles, ma grand-mère et ses réflexions acerbes, mes tantes, mes oncles, et même cette bonne vieille cousine Kitty… Je pensai à mes sœurs, à cet amour primitif et fort qui me liait à elles. Je ne pouvais m'imaginer brouillée avec aucun d'eux. Jamais.

— Je suis désolée, répétai-je, d'une voix à peine audible.

Cal me dévisagea, puis laissa échapper un rire de gorge.

— J'ai eu une enfance assez normale, en fait. Base-ball. Camping. Pêche à la mouche. Les trucs de garçon !

— Tant mieux, dis-je platement.

Les joues me brûlaient. Son rire continuait à vibrer dans ma poitrine, qui n'était plus qu'une caisse de résonance. Ce n'était pas la peine de le nier, tout chez Callahan O'Shea m'attirait.

— Vous venez souvent ? s'enquit-il.

— Oh ! habituellement, une fois par semaine. J'anime un cours de danse avec mon ami Julian. Le lundi, de 19 h 30 à 21 heures.

Je souris. Peut-être cela lui donnerait-il envie de venir faire un tour. Il verrait ainsi une autre facette de moi, quand je virevoltais dans mes jupons, au grand ravissement des résidents.

— Des cours de danse, hmm… Je ne l'aurais pas deviné.

— Je ne sais comment je dois prendre ça…

— Vous n'avez pas la silhouette d'une danseuse.

— Attention, vous avancez sur un terrain glissant…

— Vous n'êtes pas filiforme comme ces filles que l'on voit à la télévision.

— Vous vous enfoncez… Vous feriez mieux de vous taire…, soufflai-je en le fusillant du regard.

— Les danseuses ne sont-elles pas gracieuses et aimables ? poursuivit-il. Je ne les vois vraiment pas manier le râteau et la crosse de hockey pour assommer les gens…

J'enregistrai son sourire. Il s'amusait indubitablement.

— Peut-être qu'il y a quelque chose chez vous qui appelle les coups, rétorquai-je avec humeur. D'ailleurs, je n'ai jamais frappé Wyatt.

— Pas encore, répliqua Callahan. En parlant de l'homme parfait, où est-il ? Je ne l'ai pas beaucoup vu dans le voisinage.

Ses yeux étaient moqueurs. Bien sûr, pensai-je. Qu'irait faire un chirurgien pédiatrique séduisant, aimant les chats, avec une enseignante d'histoire à la chevelure indomptable, qui aimait passer ses week-ends à faire semblant de succomber à une hémorragie sur des champs de bataille reconstitués ? Piquée au vif, je répliquai sans réfléchir :

— Wyatt est à Boston cette semaine, si vous voulez savoir. A un symposium où il doit présenter un article sur un nouveau protocole de guérison pour des patients de moins de dix ans !

Doux Jésus ! Où étais-je allée chercher ça ? Tout ce temps passé devant ces émissions que j'avais regardées sur la chaîne Discovery Santé trouvait soudain sa raison d'être.

— Oh…

Il me parut assez impressionné — ou peut-être était-ce

moi qui voulais m'en convaincre —, et j'en retirai une petite satisfaction.

— Bien. Maintenant que je suis là, vous n'avez pas de raison de rester davantage ici.

J'étais congédiée.

— Je vous laisse entre vous. Au revoir, monsieur Lawrence, dis-je en me tournant vers le vieil homme. Nous reprendrons notre lecture quand votre charmant petit-fils ne sera pas là.

— Bonne nuit, Grace, dit Callahan.

Je ne répondis pas, m'appliquant à sortir de la chambre d'une démarche de ballerine.

Je rentrai chez moi d'humeur massacrante. L'idée que l'Irlandais puisse douter de l'existence de Wyatt Dunn m'exaspérait. Cela semblait donc si improbable ? Il devait bien exister, quelque part sur cette terre, ce chirurgien pédiatrique avec des fossettes et un sourire craquant. Il ne pouvait pas y avoir que des magiciens du dimanche avec des tendances incendiaires, des illuminés fanatiques et d'anciens repris de justice insupportables.

Au moins, j'avais Angus qui m'adorait, et pour lui, j'étais la plus belle créature au monde. Dieu devait avoir en tête le sort des jeunes femmes célibataires, en créant les chiens. J'acceptai le rouleau de papier-toilette déchiqueté, la basket mâchouillée comme cadeau de bienvenue, et le félicitai de ne pas avoir détruit autre chose. Puis je me préparai pour aller au lit.

Rattrapée par mon imagination débridée, ou reprise par mes automatismes, je me vis pendant un instant raconter ma journée à Wyatt Dunn, mes rendez-vous ratés — qui n'auraient bien sûr pas eu lieu, si celui-ci avait existé. Il rirait, puis nous parlerions du week-end à venir… Une sensation de bien-être m'envahit à mesure que le fil de cette relation harmonieuse et profonde, fondée sur la communication et l'humour, se déroulait dans ma tête. J'étais une fille bien, intelligente, qui méritait le mieux. Il me trouvait ravissante, adorait mes cheveux, et me faisait livrer des fleurs juste pour me dire qu'il pensait à moi.

Voilà ce que j'attendais de Wyatt le « off ». C'était sa raison d'être.

S'il n'existait aucun homme qui me corresponde dans le Connecticut, quel mal y avait-il à se livrer à un peu de visualisation positive ? Les athlètes ne se prêtaient-ils pas à cet exercice avant une performance olympique ?

Le fait que Callahan O'Shea vienne parasiter par intermittence mon petit film intérieur, son visage s'imprimant en filigrane devant mes yeux, ne voulait absolument rien dire. Oh que non !

11

— Qui est Jeb Stuart ? lança Tommy Michener.

— Exact ! C'était bien la question, m'exclamai-je.

Sous les applaudissements de son équipe, Tommy, le capitaine, baissa la tête, une légère rougeur sur les joues trahissant sa satisfaction. Mon idée de les faire jouer à un « Jeopardy spécial guerre de Sécession » se révélait être un franc succès. J'avais du mal à ne pas rire, gagnée par l'enthousiasme de la classe.

— Tom, tu gardes la main, choisis un autre thème !

— Je prends les leaders, mademoiselle.

— Nous avons donc les leaders pour mille points. La réponse est : Ce vice-président des Etats confédérés d'Amérique durant la guerre de Sécession fut, tout au long de sa vie, de santé fragile, ne pesant jamais plus de quarante-six kilos.

L'équipe de Hunter appuya sur le buzzer.

— Qui est Jefferson Davis ? suggéra Mallory.

— Non, pas du tout. Il était *président* de la confédération et pas vice-président. Tommy, est-ce que ton équipe a la réponse ?

Ils se regroupèrent, se concertant à voix basse.

Emma Kirk se pencha vers Tommy pour lui murmurer quelque chose à l'oreille. J'avais fait en sorte que ces deux-là soient dans la même équipe. Quel mal y avait-il à forcer un peu le destin ? Il lui parla. Elle hocha la tête.

— Qui est Little Alec Stephens ? énonça-t-elle.

— Oui, Emma ! Bien joué !

Tommy tapa dans la main de la jeune fille, qui en rosit de

plaisir. On aurait dit qu'elle flottait à plusieurs centimètres au-dessus du sol.

Je jetai un rapide coup d'œil à l'horloge. C'était déjà la fin du cours. Prise dans le jeu, j'avais perdu toute notion du temps.

— Très bien, tout le monde… « Attention, c'est la finale ! » Prêts, jeunes gens ? Alors, voilà la réponse : Cet auteur n'aura écrit qu'un seul livre, d'ailleurs récompensé par le prix Pulitzer, qui retrace la grandeur et la décadence du Sud, à travers le destin d'une femme.

Je passai d'une équipe à l'autre, fredonnant avec enthousiasme le générique du célèbre jeu télévisé. L'équipe de Tommy s'était montrée brillante en remportant les précédentes manches. Ils avaient fait très fort, mais je me méfiais des réactions de dernière minute de mon élève préféré. Quel risque allait-il prendre pour attirer l'attention de Kerry, qui était dans l'équipe adverse ? Allait-il remettre en jeu tous les gains de son équipe sur une seule question ? Je n'en aurais pas été surprise…

— Posez vos stylos. D'accord, Hunter, ton équipe est challenger avec neuf mille points. Combien pariez-vous ? Oh ! Vous tentez le tout pour le tout ! C'est très audacieux… En même temps, vous n'avez pas le choix. D'accord, Hunter. Quelle est votre réponse, s'il te plaît ?

Il leva l'ardoise. Je grimaçai.

— Non. Désolée. Ce n'est pas Stephen Crane. Mais avec *La Conquête du courage*, qui a pour cadre la bataille de Chancellorsville, il a écrit à mon sens le plus beau roman de guerre. Bien essayé. A toi, Tommy. Combien avez-vous misé ?

— La totalité de nos gains, mademoiselle, lança-t-il fièrement, en faisant un clin d'œil à Kerry.

Le sourire d'Emma se figea.

— Alors, quelle est ta réponse ?

Ce dernier se tourna vers son équipe.

— Qui est Margaret Mitchell ? déclara-t-il, en articulant tout en montrant son ardoise.

— Correct !

Mon verdict déclencha des cris de joie, des tapes dans

154

les mains et des danses de la victoire qui auraient pu laisser penser qu'ils venaient de remporter les World Series de base-ball ou un autre tournoi de cette importance. L'équipe de Hunter Graystone ne se priva pas non plus de manifester bruyamment sa déception.

— L'équipe de Tommy... Pas de devoirs du soir pour vous, annonçai-je.

Il y eut une nouvelle salve de hourras et de cris de joie.

— L'équipe de Hunter... je suis désolée pour vous, les enfants. Vous n'échapperez pas aux trois pages de résumé sur la vie et l'œuvre de Margaret Mitchell, et si vous n'avez pas lu *Autant en emporte le vent*, honte à vous ! C'est bon, le cours est terminé.

Dix minutes plus tard, j'avais rejoint mes collègues du département d'histoire dans la salle de conférences du bâtiment Lehring. Ils étaient tous là : Paul Boccanio, chauve, avec des lunettes, second par l'ancienneté après le Pr Eckhart, Wayne Diggler (qui avait la malchance de porter le même patronyme que le héros porno star du film *Boogie Nights*), engagé un an plus tôt, alors tout juste diplômé, et bien sûr, la très sexy Ava Machiatelli.

— Ta classe semblait plutôt incontrôlable, aujourd'hui, me murmura cette dernière, d'une voix suave de téléphone rose. C'était le chaos ! Difficile de demander à mes élèves de rester concentrés, dans ces conditions.

Quelle importance, puisque tu leur donneras un A ! ironisai-je en mon for intérieur.

— Nous jouions à Jeopardy ! répondis-je avec un sourire forcé. Beaucoup d'enthousiasme, en effet.

— Très bruyant, aussi.

Un battement de cils de reproche... un autre... et le troisième.

Le Pr Eckhart s'avança d'un pas traînant vers la table et s'assit au bout. Ce mouvement lui avait pris un temps considérable et demandé visiblement beaucoup d'efforts. Il se racla la gorge, puis toussa, un tic auquel plus personne ne prêtait attention, à l'exception des première année qui sursautaient sur leur siège, chaque fois qu'ils l'entendaient, au moins jusqu'à la mi-novembre. C'était un homme distingué, même si l'utilité d'une douche quotidienne lui échappait quelque peu. Il gardait une certaine nostalgie pour les écoles préparatoires d'antan, quand les gamins portaient des uniformes et pouvaient être enfermés dans des placards pour mauvaise conduite, ou même corrigés à coups de règle. « Un âge d'or » qu'il lui arrivait de regretter. Cela mis à part, c'était un homme brillant.

Il tendit ses mains percluses d'arthrite devant lui, puis les croisa.

— Je sais que ça se chuchote déjà dans les couloirs… J'ai décidé que cette année serait ma dernière à Manning en tant que président du département d'histoire.

Je sentis les yeux me piquer et je battis frénétiquement des paupières pour refouler les larmes qui montaient. Je ne parvenais pas à imaginer Manning sans le vieux Pr Eckhart. Qui se tiendrait à mes côtés pendant les conseils d'administration, ou pendant le dîner du proviseur que je redoutais toujours ? Qui prendrait ma défense quand des parents feraient savoir leur mécontentement au sujet du B+ de leur ado ?

— Le proviseur Stanton m'a demandé d'être dans le comité chargé d'examiner les candidatures à ma succession, poursuivit-il. Inutile de vous dire que j'encourage chaudement chacun de vous à postuler, puisque, je vous le rappelle, Manning favorise la promotion interne.

Il se tourna vers le plus jeune membre de notre équipe.

— Vous, monsieur Diggler, manquez encore un peu d'expérience, bien sûr… Je préfère vous voir vous concentrer sur vos cours plutôt que de vous disperser.

Wayne, qui avait le sentiment que son diplôme de Georgetown valait tous nos diplômes réunis, se renfrogna sur son siège.

— Ce n'est quand même pas comme si je me présentais à Exeter…, marmonna-t-il vexé, avant de se murer dans le silence.

Il ne se passait pas une semaine sans que Wayne brandisse

la menace de sa démission quand les choses n'allaient pas dans son sens.

— Cet heureux jour que je vous souhaite n'étant pas encore venu, je crains que vous ne deviez finir de purger votre peine ici.

Le Pr Eckhart me sourit. Nouveau raclement de gorge suivi d'une toux rauque. Ce n'était un secret pour personne que j'étais sa préférée. Mes brownies, indécemment riches en chocolat, dont je le régalais, ainsi que mon implication dans le groupe de reconstitution historique « Brother Against Brother » n'y étaient pas totalement étrangers non plus.

— En fait, en parlant de Phillips Exeter Academy…

— Oh ! oh ! Dois-je comprendre que des félicitations sont de rigueur, monsieur Boccanio ? coupa le Pr Eckhart.

Paul sourit, une légère rougeur sur le visage.

— En effet…

Celui-ci avait de l'expérience, il avait même travaillé dans le privé avant de se lancer dans l'enseignement. Si l'on ajoutait à cela son cursus universitaire impressionnant — il était passé par Stanford et Yale, rien que ça —, il n'y avait rien d'étonnant à ce qu'il se soit fait débaucher : la compétence et la qualité des professeurs des écoles préparatoires n'étaient plus à prouver.

— Traître, lui murmurai-je, d'une voix complice.

J'aimais beaucoup Paul. C'était un homme brillant, avec une mémoire des dates phénoménale qui m'épatait.

Il m'adressa un clin d'œil.

— Il ne reste donc que mes deux estimées collègues féminines, reprit le Pr Eckhart, la respiration sifflante. Très bien, mesdames, j'espère bien soumettre vos candidatures au comité. J'attends votre dossier de candidature, dans lequel vous détaillerez vos qualifications et vos idées. Je le veux sur support papier. Epargnez-moi toutes ces fantaisies électroniques.

— Merci de nous offrir cette opportunité, monsieur, murmura Ava, en battant des cils à la Scarlett O'Hara.

— Très bien, répondit le Pr Eckhart en tirant sur sa

chemise tachée. L'étude des CV commencera dès la semaine prochaine, une fois l'appel à candidatures diffusé par les voies habituelles du recrutement.

— Vous allez terriblement nous manquer, professeur Eckhart, dis-je d'une voix assourdie.

— Merci, Grace.

— Oh, oui ! Ce ne sera plus pareil sans vous, renchérit précipitamment Ava, en dolby stéréo.

— C'est donc entendu.

Il lui fallut s'y reprendre à trois fois pour s'extraire de son fauteuil. J'avais la gorge serrée, pendant que je le regardais se diriger vers la porte, la démarche hésitante.

— Bonne chance, les filles, dit Paul joyeusement. Si vous décidez de jouer ce poste dans un combat de boue, je me porte volontaire pour faire l'arbitre.

— Tu nous manqueras aussi, répliquai-je en souriant.

— C'est injuste, protesta Wayne. Quand j'étais à Georgetown, j'ai déjeuné avec C. Vann Woodward !

— Et moi, j'ai couché avec Ken Burns, plaisantai-je.

Ma repartie fit mouche. Paul laissa échapper un petit rire.

— Et je ne parle pas de ma figuration dans le film *Glory*, insistai-je.

Ça, pour le coup, c'était vrai. J'avais onze ans lorsque mon père m'emmena à Sturbridge, pour faire partie de la foule dans la scène où le 54e régiment du Massachusetts partait pour le Sud.

— C'est le plus beau souvenir de mon enfance, ajoutai-je. Mieux, même, que l'inauguration du nouveau centre commercial par l'acteur qui jouait dans *MacGyver*.

— Pathétique, marmonna Wayne.

— Vieillis un peu, s'impatienta Ava, et fais-toi une raison, tu n'as pas la carrure pour diriger un département.

— Parce que toi si, peut-être, Marilyn Monroe ? demanda-t-il avec irritation. Cet endroit ne me mérite pas !

— Je me ferai une joie d'accepter ta démission quand je serai à la tête de ce département, dis-je d'un ton exagérément aimable.

Wayne tapa ses paumes de main sur la table, puis sortit en claquant la porte derrière lui. La tension baissa aussitôt d'un cran.

— Eh bien, je te souhaite bonne chance, Grace, murmura Ava.

Elle souriait sincèrement.

— Je te souhaite la même chose.

Je n'avais rien contre elle, et sûrement pas d'antipathie — nous passions beaucoup de temps ensemble et nous étions comme une famille dans le petit monde fermé des écoles préparatoires —, mais je ne m'imaginais pas travailler sous ses ordres, devoir passer par son approbation pour mes cours. Impensable. Alors que je la regardais partir avec Paul, ondulant les hanches dans sa jupe serrée, je me rendis compte que j'avais les dents serrées.

Je restai seule dans la salle de conférences quelques minutes, me laissant aller à une petite rêverie jubilatoire. Si j'avais le poste… d'abord, j'engagerais un nouvel enseignant du tonnerre pour remplacer Paul. Il me faudrait insuffler un nouvel élan, faire de Manning une référence en histoire, et même l'excellence reconnue partout ailleurs. Faire en sorte que davantage d'élèves réussissent brillamment. Décrocher aussi un plus gros budget pour organiser des sorties éducatives…

Bien. Si je voulais voir tout cela se produire, je devais me relever les manches et commencer à noter sur le papier mes idées, comme venait de le suggérer le Pr Eckhart. Je ne pouvais réduire Ava à ses tenues flatteuses et près du corps ou à son système de notation trop généreux. C'était une concurrente redoutable, avec un esprit tactique et un sens politique aigu. Pourquoi ne m'étais-je pas mise plus en avant, lors de la réception donnée à la rentrée, qui réunissait corps enseignant et administrateurs ? J'aurais dû parler avec ceux qui avaient mon avenir professionnel entre leurs mains, au lieu de rester en retrait, à siroter du mauvais merlot, en échangeant des anecdotes historiques peu connues avec le Pr Eckhart et Paul.

J'aimais tout autant enseigner que le contact avec les

élèves. J'aimais Manning, son cadre merveilleux, ses campus magnifiques ; et plus encore à cette période de l'année. La Nouvelle-Angleterre se parait de ses plus beaux atours. Le feuillage vert tendre des arbres s'harmonisait avec les pelouses qui se déroulaient à perte de vue, émaillées çà et là de taches de couleur que constituaient les parterres luxuriants de jonquilles et les tenues colorées des élèves, qui s'y attardaient pour paresser, bavarder ou flirter.

J'aperçus soudain une silhouette traversant la cour intérieure, la tête baissée. C'était mon beau-frère. Margaret m'avait prévenue dans un e-mail laconique qu'elle prolongeait son séjour chez moi. J'en avais logiquement conclu que les choses n'allaient pas mieux entre eux. Et j'en avais la confirmation sous les yeux.

Pauvre Stuart…

— Bienvenue à « Rencontre avec M. Parfait ». Je suis Lou, dit l'homme, la quarantaine séduisante.

Assise dans une salle de classe du centre communautaire Blainesford avec Julian et Kiki (larguée mercredi par l'homme de sa vie, le dernier en date, après qu'elle eut cherché à le joindre sur son téléphone portable quatorze fois en une heure), je jetai un coup d'œil discret sur les deux femmes présentes non loin de nous.

— Je n'y crois pas… Le plan galère… On n'est que cinq ! murmurai-je à l'adresse de Julian, qui me lança un regard désabusé.

— Cela fait seize *merveilleuses* et *heureuses* années que je suis marié, poursuivit Lou d'une voix maniérée.

Je me fis la réflexion que son bonheur matrimonial devait se mesurer à la largeur de son alliance. Il aurait fallu être aveugle pour ne pas la voir. Je regardai de nouveau les participantes. Etions-nous censés applaudir ?

— Tout célibataire veut trouver la personne qui lui convient, la *bonne*. Celui ou celle qui nous fera nous sentir *complet*. Je l'ai trouvée, avec ma *Félicia*…

Il s'interrompit de nouveau. Il n'y eut pas davantage d'applaudissements.

— Ma Félicia me fait me sentir complet, reprit-il, avec la rythmique et le phrasé d'un rappeur blanc de banlieue.

J'accablai Julian d'un nouveau regard lourd de reproche, qu'il feignit d'ignorer.

Lou nous sourit avec la légèreté et la gaieté d'un pasteur mormon.

— Vous êtes tous *ici* pour une *raison*, et il n'y a aucune honte à le dire. Vous voulez un homme… euh… Est-ce que je me trompe en supposant que c'est aussi un *homme* que vous recherchez, monsieur ? demanda-t-il à Julian, rompant sa petite musique bien rodée pour le regarder.

Qu'est-ce qui pouvait bien lui faire penser ça ? Sans doute la chemise fleurie rose, le pantalon noir brillant et l'eye-liner.

— C'est exact, marmonna Julian, en me jetant un coup d'œil.

— Bien ! Il n'y a rien de *mal* à ça. Ma méthode marche pour… euh, je veux dire… elle est universelle. Nous pourrions peut-être commencer en nous présentant ? Si nous devons parler de choses personnelles, voire intimes, autant devenir *amis*, dit Lou d'un ton léger. Qui veut commencer ?

— Bonjour, je m'appelle Karen.

La Karen en question était grande, brune, plutôt séduisante dans son survêtement. Je lui donnai à vue de nez dans les quarante, quarante-cinq ans.

— Je suis divorcée, et vous n'avez pas idée du nombre de phénomènes que j'ai rencontrés. Le dernier type avec lequel je suis sortie m'a demandé s'il pouvait me lécher les orteils. C'était au restaurant, vous imaginez la scène ? Quand je lui ai répondu non, il m'a traitée de garce frigide et m'a plantée là. Avec l'addition à payer, bien sûr. Goujat un jour, goujat toujours !

— Waouh…, murmurai-je.

— Et ça, c'était le meilleur rendez-vous que j'aie eu en un an…

— Tout ça est derrière, Karen, assura Lou en affichant une confiance éclatante.

— Moi, c'est Michelle, dit l'autre femme. J'ai quarante-deux ans et je me suis rendue à soixante-sept rendez-vous au cours des quatre derniers mois. Soixante-sept… Est-ce que vous voulez savoir combien ont débouché sur un second rendez-vous ? Aucun. Parce que c'étaient chaque fois des abrutis finis. Mon ex-mari, lui, s'est déjà remarié. Avec Bambi, une serveuse du Hooters, de trente-trois ans, et moi, je n'ai pas rencontré un seul homme intéressant… Alors, je vous comprends parfaitement, Karen.

Cette dernière hocha la tête pour marquer sa solidarité.

— Salut, je m'appelle Kiki, dit mon amie, et j'enseigne dans une école du coin. Y a-t-il une clause de confidentialité dans cette classe ? Personne ne va me balancer, hein ?

Lou laissa échapper un petit rire.

— Il n'y a pas de honte à suivre ce cours, Kiki, mais si cela peut vous mettre à l'aise, nous pouvons tous promettre une totale discrétion : rien ne sortira de ces murs ! Allez-y, poursuivez. Qu'est-ce qui vous a conduite à vous inscrire à ce cours ? Avez-vous dépassé la trentaine ? Avez-vous peur de ne jamais rencontrer M. Parfait ?

— Oh, non, lui, je le rencontre chaque fois. C'est juste que j'ai tendance à… peut-être… à précipiter les choses.

Mon amie me jeta un coup d'œil, et je hochai la tête pour marquer mon soutien.

— Je les fais fuir, finit-elle par avouer.

Julian prit à son tour la parole.

— Je m'appelle Julian. Euh… je suis… Je n'ai pas eu de vraie liaison depuis huit ans. Je crois que j'ai… peur. Ce n'est pas parce que je ne parviens pas à rencontrer un homme… Je suis plutôt sollicité.

Bien sûr qu'il l'était, avec son physique et ses faux airs de Johnny Depp ! Je voyais briller dans les yeux de Karen cette lueur d'intérêt si caractéristique. Elle se perdait déjà en conjectures : « Mmm… Pourrais-je le faire changer de bord ? »

— En fait, vous avez peur de vous engager, peur que cela ne fonctionne pas, et donc en *n'essayant* pas, vous ne pouvez pas *échouer*... Ai-je touché un point sensible ? Très bien ! débita Lou, sans attendre de réponse. Et vous, mademoiselle ? Comment vous appelez-vous ?

— Bonjour. Je suis Grace.

Je m'interrompis, prenant une profonde inspiration.

— J'ai dit autour de moi que j'avais un petit ami, repris-je. C'est faux. Ma sœur s'est mise en couple avec mon ex-fiancé, et pour avoir la paix et faire penser à mes proches que j'étais passée à autre chose, je leur ai raconté à tous que je voyais un type fabuleux. C'est pathétique, j'en ai conscience. Et comme vous, Karen, j'ai eu droit aux rendez-vous foireux. Je suis de plus en plus nerveuse parce que la relation entre ma sœur et mon ex devient sérieuse. Il est urgent pour moi de rencontrer quelqu'un.

Il y eut un moment de silence.

— Moi aussi, je me suis inventé des petits amis, affirma Karen en hochant la tête. Et cela a même donné naissance à ma plus grande fausse histoire !

— Merci ! m'exclamai-je, reconnaissante.

— Je l'ai fait aussi, déclara Michelle. Je me suis même acheté une bague de fiançailles. Elle était magnifique, correspondant en tout point à mes rêves. Je ne l'ai pas quittée pendant trois mois, racontant à qui voulait l'entendre que j'allais me marier. Je suis même allée jusqu'à essayer des robes, le week-end. Un truc de malade, vraiment. Avec le recul, quand j'y repense, je me dis que ç'a été une belle période, très apaisée.

— Voilà qui nous amène directement à l'une de mes *stratégies*, annonça Lou, reprenant la main. Les hommes sont toujours attirés par les femmes qui sont *prises*. Vous avez inconsciemment eu la bonne réaction, Grace, avec votre petit stratagème. C'est une bonne façon d'éveiller l'intérêt d'un homme, ses instincts de chasseur. Une femme déjà en couple semble rayonner d'un plus grand *charme* !

— A moins que ça ne témoigne juste d'un manque d'*honnêteté*, suggérai-je.

Lou partit d'un grand rire. A côté de moi, Julian fit la grimace et murmura entre ses dents :

— Désolé, j'ai pensé qu'on n'avait rien à perdre et que ça valait le coup d'essayer. Comment pouvais-je savoir ?

— Nous en serons quittes pour soixante dollars, lui répondis-je à voix basse. Pense aux margaritas qu'on va aller boire après ça.

— Mais avançons dans le cours. Certains de mes conseils vont vous déstabiliser… vous paraître même un peu désuets, mais le but de ce coaching est de « rencontrer M. Parfait », et ma méthode a prouvé son efficacité.

Il s'interrompit.

— Pour vous, Julian, je ne promets rien… mais vous n'avez rien à perdre en tentant l'expérience et vous me direz si ça a marché, d'accord ?

— Bien sûr, répondit Julian d'un air sombre.

Pendant toute l'heure qui suivit, je me mordis les lèvres pour ne pas m'étrangler de rire, évitant soigneusement de regarder Julian, que je sentais lutter tout aussi fort. Lou avait raison sur un point : tout ce qui sortait de sa bouche semblait stupide. Tellement simpliste. C'était comme faire un bond dans le passé, un retour dans les années 1950. Soyez *féminines* et *correctes*. S'il m'avait vue avec ma crosse de hockey ! *Ne pas jurer, ne pas fumer, ne pas boire plus d'un petit verre de vin — et ne pas le finir. Donner l'impression à l'homme qu'il est fort. Se rendre aussi séduisante que possible. Etre toujours maquillée. Porter des jupes. Etre abordable. Souriante. Rire — mais tout en élégance. Battre des cils. Cuisiner. Respirer la sérénité et la grâce. Savoir demander son aide à un homme et le flatter en cherchant son avis.*

— Il y a des endroits plus propices que d'autres à la rencontre, poursuivait Lou. Traîner dans les magasins de bricolage peut s'avérer payant. Faites par exemple comme si vous ne saviez pas quelle ampoule choisir. Demandez l'avis d'un homme que vous aurez remarqué.

— Pitié ! laissai-je échapper, n'y tenant plus. Qui voudrait donner rendez-vous à une femme qui ne sait même pas choisir une ampoule ?

— Je sais ce que vous pensez, Grace, riposta Lou, mais il n'est pas question de moi, ici ! Il faut regarder les choses en face... C'est *vous* qui avez un problème, ou *vous* ne seriez pas dans ce cours. N'ai-je pas raison ?

— Il nous a eues, là..., murmura Karen dans un soupir.

— Quelle humiliation ! lançai-je en mimant les expressions ronflantes de Lou.

Cela faisait une demi-heure que nous étions au Blackie, débriefant le cours devant une margarita.

— C'est *fini* et, en tout cas, on aura essayé, rétorqua Julian.

— Arrêtez, tous les deux. Il a raison. Ecoutez ça, dit Kiki, en lisant un des documents.

Dans un restaurant ou dans un bar, redressez les épaules, regardez attentivement autour de vous et dites-vous : je suis la femme la plus désirable ici. Une femme à l'aise avec elle-même, bien dans sa peau, respire la séduction et attire les regards masculins.

Elle se concentra, sourcils froncés.

— Je suis la femme la plus séduisante et désirable ici, ironisa Julian.

— Le problème, c'est que tu es séduisant, répondis-je en lui donnant un coup de coude dans les côtes.

— Trop bête que tu ne sois pas hétéro, dit Kiki, sinon toi et moi pourrions vivre une grande histoire.

— Si j'étais hétéro, Grace et moi serions mariés et nous aurions déjà six enfants, répliqua Julian avec assurance, en passant un bras autour de mes épaules.

— Six, quand même... ça semble beaucoup, fis-je remarquer en posant la tête contre son épaule.

— On va essayer ! déclara Kiki. Après le cours magistral, il faut passer aux travaux pratiques. Quand faut y aller, faut y aller : « Je suis bien dans ma peau et je respire la séduction. Il n'y a pas de femme plus désirable que moi à la ronde. »

Elle se leva, un sourire plaqué sur les lèvres, et marcha jusqu'au bar, où elle s'accouda, la poitrine débordant généreusement de son décolleté.

Un homme qui regardait un match de base-ball à la télévision au-dessus du bar la remarqua immédiatement. Il se tourna vers elle, un sourire appréciateur aux lèvres, et lui dit quelque chose.

Je sentis mon visage s'empourprer. C'était Callahan O'Shea.

— La poisse, sifflai-je entre mes dents.

C'était la cata, si Kiki mentionnait le cours devant lui. Mon voisin saurait que je ne fréquentais personne, et puis… eh bien… n'avait-elle pas le droit de connaître le passé de Callahan, si elle décidait d'adopter une nouvelle attitude avec les hommes ? Ou peut-être était-ce lui qui devait être averti de ses tendances de furie collante, quand elle avait jeté son dévolu sur quelqu'un ?

— Tu ne crois pas que je devrais la prévenir ? murmurai-je à Julian, sans les quitter des yeux. C'est mon voisin. Le repris de justice.

Aucun sujet n'échappant à nos confidences, j'avais bien sûr parlé de Callahan avec Julian.

— Je ne sais pas. Détournement de fonds, ça ne paraît pas si grave…, répondit celui-ci, tout en sirotant une piña colada. Petite cachottière… Tu ne m'avais pas dit qu'il était si sexy.

— Ouais, bon…, balbutiai-je.

Kiki se pencha vers Callahan pour lui parler à l'oreille. Il répondit, et elle renversa la tête en arrière, riant à gorge déployée. Je clignai nerveusement des paupières.

— Je… Je reviens tout de suite.

Je piquai droit sur le bar.

— Kiki, est-ce que je peux te parler une seconde ? demandai-je à mon amie en lui touchant le bras.

Je me tournai vers mon voisin.

— Salut, Callahan.

Sous son regard, je sentis une bouffée de chaleur envahir mon visage. Je devais avoir l'air d'une sorcière, avec mes cheveux… Ce n'était vraiment pas de chance, alors que je ne rêvais que de lui en mettre plein les yeux !

— Salut, Grace.

Un petit sourire glissa sur ses lèvres… Irrésistible… Cet homme était séduisant. Séduisant comme ce n'était pas permis !

— Oh ! Vous vous connaissez, tous les deux ? s'étonna Kiki.

— Oui. Il vient d'emménager dans la maison voisine de la mienne.

Je marquai une hésitation, ne sachant si j'agissais bien. Mais Kiki était mon amie depuis des années et, à sa place, n'aurais-je pas voulu savoir que l'homme qui avait attiré mon regard venait de sortir de prison ? Elle avait le droit de prendre sa décision en tout état de cause.

Callahan me dévisageait avec intensité. Bon sang ! J'aurais parié qu'il pouvait lire en moi comme dans un livre ouvert.

— Julian et moi voulions te poser une question, finis-je par dire.

— Bien sûr, dit-elle, un peu agitée.

Je la pris en aparté, sans un regard pour Cal.

— Euh…, murmurai-je, cet homme vient juste de sortir de prison. Il a détourné plus d'un million de dollars. J'ai pensé que tu devais le savoir.

Je me mordillai la lèvre.

— Zu ! s'exclama-t-elle en grimaçant. Tu vois, ça, c'est tout le drame de ma vie… Sur tous les hommes présents, il faut que je tombe sur celui qui a un casier. Ça n'arrive qu'à moi. Dommage. Il est tellement beau… tu ne trouves pas, toi ?

— Et il semble… eh bien, il est… j'ai pensé que tu devais le savoir.

— Tu as raison, Grace. J'en ai assez bavé comme ça, ces derniers temps. Pas besoin de rajouter des difficultés.

Kiki se rapprocha du bar et prit le verre que lui tendait

le barman. Callahan nous dévisageait toujours. Le sourire en moins.

— Cal, ravie d'avoir fait votre connaissance, lâcha-t-elle poliment.

Il me lança un regard perçant qui me fit trembler sur mes bases et inclina la tête d'une façon courtoise.

— Passez une bonne soirée, dit-il, avant de reporter son attention sur la télévision.

Kiki sur mes talons, je me dirigeai vers notre table sans demander mon reste.

Les dips aux artichauts que nous avions commandés étaient servis, et Julian ne nous avait pas attendues pour piquer dedans. Il fixait de son beau regard de bohémien mélancolique un blond séduisant de l'autre côté du restaurant. Celui-ci soutenait son regard avec la même intensité.

— Allez, vas-y, lui dis-je en faisant un mouvement du menton vers le type. C'est toi, la femme la plus désirable, ici !

— Il a des airs de Tom Brady, le joueur de football, murmura Julian.

— Tu connais ce Tom Brady, toi ? m'étonnai-je.

— Il n'y a pas un gay de ce pays qui ne connaisse pas Tom Brady.

— Peut-être que c'est lui, lança Kiki. On ne sait jamais. Vas-y, fonce, tente ta chance. Flatte sa virilité et son intelligence. Use de toutes les ruses féminines !

Pendant une seconde, Julian parut considérer la possibilité, peser le pour et le contre, puis ses épaules marquèrent un léger affaissement.

— Non, lâcha-t-il. Pourquoi aurais-je besoin d'un homme quand j'ai deux filles magnifiques avec moi ?

Callahan mangea un hamburger, et suivit le match à la télévision sans se retourner une seule fois pendant tout le reste de la soirée. Du moins je ne le vis pas, toutes les fois où je coulai un regard dans sa direction.

12

Ce furent encore les aboiements excités d'Angus qui me tirèrent du sommeil et du lit, le samedi matin. Je descendis les marches en titubant pour ouvrir la porte, et me trouvai face à Margaret, la mine sombre, une valise à ses pieds.

— C'est moi, lâcha-t-elle platement. Tu as du café ?

— Le temps de le faire, répondis-je en clignant des yeux.

J'avais regardé *Gods and Generals* la nuit dernière. Trois heures trente-neuf minutes de pur génie, et je m'étais endormie tard, après avoir pleuré à chaudes larmes devant la scène où le général confédéré Thomas « Stonewall » Jackson hurlait ses derniers ordres. Autant dire que j'étais encore dans mon trip de sacrifice et de grands sentiments patriotiques, et que l'irruption de Margaret dans toute sa splendeur, de si bon matin, me fit l'effet d'une douche froide. Prenant la tête des opérations, elle passa devant moi et se dirigea d'un pas vif vers la cuisine. Je lui emboîtai le pas, encore sonnée par le choc thermique.

— Alors, qu'est-ce qui se passe ? demandai-je en préparant le café.

— Comment dire ?... s'exclama-t-elle d'une voix de sergent-chef. Ne fais jamais l'erreur d'épouser un homme que tu aimes comme un frère, tu entends ?

— Des frères, pas bon… grosse erreur. Enregistré !

— Je suis sérieuse, petite peste.

Elle baissa la tête vers Angus, occupé à mordiller sa chaussure, puis se pencha pour le prendre dans ses bras.

— La nuit dernière, j'ai dit à Stuart : « Pourquoi n'avons-nous jamais fait l'amour sur la table de la cuisine ? » Et tu sais ce qu'il a répondu ?

Margaret me décocha un regard de procureur.

— Quoi ? demandai-je tout en m'asseyant à table à côté d'elle.

Elle baissa la voix pour imiter son mari.

— « Je ne suis pas sûr que ce soit très hygiénique. » Non mais, tu le crois ? Combien d'hommes refuseraient de baiser sur la table de la cuisine ? Tu veux savoir quand on le fait avec Stuart ?

— Non, je n'y tiens pas tant que ça…

— Le lundi, mercredi, vendredi et samedi !

— Waouh ! De quoi tu te plains ? Ça me semble plutôt pas mal…

— C'est marqué dans son agenda. Tu réalises ? Une petite croix devant la case de 21 heures au cas où il oublierait. Devoir conjugal. Coché.

— Oui, mais c'est bien qu'il…

— C'est là tout le problème, coupa-t-elle. Où est la passion ? Alors, me voilà !

— Droit à la maison de la passion, murmurai-je. Tu as sonné à la bonne porte…

— En tout cas, il n'était pas question que je reste là-bas ! Peut-être qu'il va me regarder autrement, maintenant ! Ou peut-être pas ! En fait, à ce stade, je m'en fiche royalement. J'ai trente-quatre ans. Je veux faire l'amour sur une table de cuisine ! Est-ce anormal ?

— Moi, je n'aurais pas dit non.

La voix masculine qui jaillit dans notre dos nous fit nous retourner d'un bloc. Mon voisin se tenait dans l'encadrement de la porte de la cuisine. Angus se mit à aboyer avec force, gigotant comme une anguille pour descendre des bras de Margaret.

— J'ai frappé, expliqua-t-il, avec un large sourire. Salut, je suis Callahan, le charmant voisin.

Je vis sous mes yeux l'expression de Margaret changer du

tout au tout, passant de la colère froide à une curiosité digne d'un lion matant un bébé zèbre à trois pattes.

— Bonjour, Callahan, le charmant voisin, dit-elle en minaudant. Je suis Margaret, la sœur chaude comme la braise de Grace.

— Chaude comme la braise et *mariée*, ajoutai-je. Margaret, je te présente Callahan O'Shea. Cal, voici ma sœur, très heureuse en mariage depuis de nombreuses années, et souffrant, je crois, de ce qu'on appelle communément le cap des sept ans.

— Enfin, on les a eus nos sept ans de réflexion, hein ? dit Margaret, en s'arrachant à sa contemplation appuyée. Alors, comme ça, c'est vous l'escroc…

— C'est ça.

Cal inclina la tête, puis se tourna vers moi.

— Pas du genre fréquentable, n'est-ce pas, Grace ?

Je rougis jusqu'à la racine des cheveux. Oh ! ça, c'était une allusion à mon intervention de la veille auprès de Kiki, ou je ne m'y connaissais pas ! L'expression de mon voisin était franchement impénétrable.

— J'ai reçu vos fenêtres hier après-midi. Si vous voulez, je peux me mettre au travail dès aujourd'hui, poursuivit-il.

Je fermai les yeux, cherchant à imaginer cet homme en train de voler ma collection de pères Noël de style victorien.

— D'accord.

— Si cela peut vous rassurer, je travaillerai seulement quand vous serez dans le coin, suggéra-t-il. De cette façon, vous pourrez garder un œil sur votre chéquier et vos objets de famille… Je peux même me soumettre à une fouille au corps au moment de partir.

— Oh ! ça, je peux m'en charger, dit Margaret en jouant la candeur.

— Très drôle. Est-ce que ça prendra du temps d'installer ces fenêtres ?

— Trois jours. Peut-être cinq… Tout dépendra du temps que je mettrai pour enlever les anciennes. Il se peut que j'aie besoin d'aide. Votre petit ami est dans les environs, aujourd'hui ?

Bon sang ! J'en avais presque oublié Wyatt.

Cela devenait agaçant. Margaret me regarda avec sévérité.

— Il travaille, objectai-je, en lui jetant un regard noir pour lui intimer le silence.

— On ne le voit pas beaucoup dans le coin… Il ne me semble pas venir très souvent, d'après ce que j'ai pu voir.

Cal croisa ses bras et leva un sourcil interrogateur.

— C'est vrai, il est très occupé.

— Qu'est-ce qu'il fait, déjà ? insista-t-il.

— C'est un…

Pourquoi cela me semblait-il soudain si cloche ?

— … chirurgien pédiatrique.

— Que c'est noble, murmura Margaret, dissimulant son sourire dans sa tasse de café.

Mes yeux s'attardèrent sur les cheveux en bataille de Cal et, à mon grand désarroi, je me surpris à me demander l'effet que cela ferait d'y passer les doigts. Je devais surtout arrêter de rêver éveillée.

— Très bien, vous pouvez commencer aujourd'hui. Vous voulez d'abord prendre une tasse de café ?

— Non. Merci.

Il venait de refuser le calumet de la paix. Pire… il enfonça le clou :

— Par quelle pièce souhaitez-vous que je commence ? Voulez-vous faire un état des lieux avant ?

— Bon, écoutez, je suis désolée d'avoir dit que vous sortiez de prison à mon amie, mais vous y êtes allé, alors…

— Alors quoi ?

Je lâchai un soupir.

— Vous pouvez commencer ici, je pense.

— Par la cuisine, très bien.

Sur ces mots, il tourna les talons et se dirigea dans le couloir, vers la porte d'entrée.

Après quelques secondes, quand elle fut certaine qu'il

était sorti de la maison — probablement parti chercher la première fenêtre —, Margaret se pencha vers moi.

— C'était une dispute ? Pourquoi lui as-tu dit que tu avais un petit ami ? Cet homme est une bombe ! Je me le ferais bien, là, tout de suite. Sur ta table de cuisine !

— On ne se disputait pas ! C'est à peine si on se connaît. Et, oui, c'est une bombe, mais ce n'est pas la question.

— Pourquoi ça ? Je croyais que tu cherchais à t'envoyer en l'air.

— Chuut ! Baisse la voix. Je lui ai dit que je fréquentais quelqu'un.

— Pourquoi une telle ânerie ?

Je regardai Margaret avaler une gorgée de café, tenaillée par un sentiment diffus d'impuissance.

— Natalie est passée ici en coup de vent le week-end dernier, pour me tirer les vers du nez au sujet de Wyatt… et il était là.

Margaret était le bon sens même. Je ne connaissais personne de plus terre à terre qu'elle. Que pouvait-elle comprendre au besoin que je ressentais de m'inventer des petits amis et au confort que ça m'apportait ? Contrairement à elle, la rêverie faisait partie de mon code génétique.

— Et puis, je ne pense pas que ce soit une mauvaise chose qu'il pense qu'un homme s'arrête ici de temps à autre. Juste au cas où il aurait l'intention de cambrioler ma maison.

— Moi, en tout cas, ça ne me gênerait pas s'il venait faire du repérage chez moi.

Je la fusillai du regard.

— D'accord, d'accord, marmonna-t-elle. Mais il est tellement sexy ! Je me demande si c'est un bon coup…

— Margaret !

— Relax ! Je plaisante…

— En parlant de rendez-vous, tu ne devais pas m'en arranger un avec le métallo-artiste ? Le désespoir me guette, ici.

— Oui, oui, exact… Lester, l'artiste du métal… qui a son charme. Je vais l'appeler.

— Formidable, marmonnai-je. J'ai hâte.

Elle prit une autre gorgée de café.

— Tu as quelque chose à manger ? Je suis affamée. Oh…
et j'ai rapporté du linge sale, j'espère que ça ne te dérange pas.
Je ne pouvais pas rester une minute de plus chez moi. Et si
Stuart appelle, dis-lui que je ne veux pas lui parler, compris ?

— Oui. Sa Majesté désire-t-elle autre chose ?

— Est-ce que tu pourras rapporter du lait écrémé, la
prochaine fois que tu fais les courses ? Ce lait mélangé à de
la crème va me tuer.

Margaret faisait partie de ces gens qui mangeaient du
fromage allégé sans savoir qu'ils passaient à côté de l'essentiel.

Callahan pénétra dans la cuisine, en portant une nouvelle
fenêtre qu'il posa contre le mur.

— Etes-vous marié, monsieur le charmant voisin ? lui
demanda Margs.

— C'est une proposition ?

Ma sœur eut un sourire diabolique.

— Ça se pourrait bien…

— Margaret ! Laisse-le tranquille.

— Et combien avez-vous fait, Al Capone ? poursuivit
celle-ci. Dieu, quelles fesses dans ce jean…, articula-t-elle
dans un murmure à mon adresse, sans quitter des yeux le
postérieur de mon voisin.

— Arrête ça, répliquai-je entre mes dents.

— Dix-neuf mois. Et merci du compliment, ajouta-t-il
en lui faisant un clin d'œil.

Mon bas-ventre, lui, répondit par une série de petites
contractions.

— Dix-neuf mois sur les trois à cinq ans requis ?

— Ouais… Je vois que vous avez fait vos devoirs du
soir, dit-il en souriant à ma sœur.

Ma magnifique sœur, devrais-je dire, à la chevelure de feu,
aussi cinglante qu'une cravache, l'esprit acéré comme une
lame de rasoir. Dans la tranche des hauts salaires. Pointure 37.

— C'est Grace qui m'a demandé de faire ma petite
enquête, parce qu'elle craignait pour sa sécurité.

— Boucle-la, s'il te plaît ! dis-je en piquant un fard.

— D'autres questions ? demanda Cal, d'une voix légère.

— Une femme depuis votre sortie ? s'enquérit Margaret, les yeux baissés sur ses ongles.

— Bonté divine ! glapis-je.

— Vous voulez savoir si je suis passé par un bar à hôtesses avant de venir en ville ?

— C'est ça, confia Margaret, en ignorant mes petits couinements effarés.

— Non. Pas de femme.

— Waouh… Et dans la grande maison ? Aucune petite amie ? insista-t-elle, imperturbable.

Je fermai les yeux.

Callahan ne parut pas s'en formaliser. Il rit, nous tournant le dos, alors qu'il continuait à examiner mes fenêtres.

— Ce n'était pas ce genre de prison.

— Vous devez vous sentir très seul, poursuivit Margaret en souriant malicieusement.

— Tu as fini avec ton interrogatoire ? m'exclamai-je. Il a du travail à faire.

— Rabat-joie, souffla ma sœur. Enfin, tu as raison. Il faut de toute façon que j'aille au bureau. Je suis avocate… Callahan, est-ce que Grace vous l'a dit ? Avocate pénaliste. Je vous donne ma carte ?

— Je suis un voleur repenti.

Il eut un sourire qui semblait promettre tous les fantasmes, même les plus inavouables.

— Je connais des personnes au bureau des libertés conditionnelles, vous savez. Très bien, même. Je vous ai à l'œil.

— Je tremble, rétorqua-t-il en riant.

— Je t'aide à t'installer, lançai-je à ma sœur, en la tirant de sa chaise et en attrapant sa valise.

Une fois à l'étage, je sifflai entre mes dents :

— S'il te plaît, arrête ton cinéma. Tu ne peux pas tromper Stuart. Il est merveilleux et tu lui briserais le cœur. Je l'ai vu à l'école l'autre jour, on aurait dit un chien qu'on aurait chassé à coups de pierre.

— Eh bien, peut-être m'accordera-t-il plus d'attention dorénavant.

— Oh ! Pour l'amour du ciel, arrête de faire l'enfant gâtée !

— Il faut que j'aille au bureau, dit-elle, sans relever mon dernier commentaire. On se voit pour le dîner, d'accord ? Tu cuisines ?

Je pris une profonde inspiration.

— Je ne serai pas là.

— Pourquoi ? Tu vois Wyatt ? ironisa-t-elle, les sourcils froncés.

Je passai une main dans mes cheveux.

— Euh… non. Enfin, si. Nous allons dîner chez Nat. Un genre de repas « entre couples ».

— Sainte Vierge mère de Dieu ! marmonna ma sœur.

— Je sais, n'en rajoute pas… Wyatt aura une urgence médicale de dernière minute : ce sont les risques d'une vie professionnelle remplie.

— Tu es bête. Au fait, merci de m'accueillir ici, ajouta Margs en franchissant la porte de la chambre d'amis, se souvenant vaguement que des remerciements étaient sans doute de rigueur.

— De rien, répondis-je. Laisse Callahan tranquille, tu veux ?

Pendant de longues minutes, je trouvai à m'occuper à l'étage, cherchant tous les prétextes pour rester loin de mon voisin. Je pris d'abord une douche. Sous le jet d'eau chaude, la détente m'envahit et mon esprit emprunta un chemin de traverse. Cal entrait sans crier gare dans la salle d'eau, enlevait son T-shirt, défaisait sa ceinture, ôtait son jean usé. Il me prenait dans ses bras musclés, sa bouche chaude et exigeante se promenant sur moi, sa…

Je battis des paupières sous le flot d'images sensuelles, et terminai ma douche à l'eau froide.

Margaret me cria dans l'escalier qu'elle partait pour le bureau. Je l'entendis saluer joyeusement Callahan. Comment faisait-elle ? Elle venait de quitter son mari et ne semblait pas le moins du monde affectée. Puis je m'installai devant mon ordinateur portable — le PC étant en bas — pour élaborer un questionnaire portant sur la reconstruction après la guerre de Sécession, à l'intention de mes élèves de dernière année. Je corrigeai ensuite les essais de mes élèves de deuxième année sur l'administration de Franklin D. Roosevelt. Le bruit de la scie et les coups de marteau me parvenaient nettement d'en bas, se mêlant au sifflement désinvolte de Callahan dans une joyeuse cacophonie.

Angus laissait échapper de temps à autre quelques grognements, mais il avait cessé de gratter à la porte de ma chambre et somnolait maintenant sur le dos dans un rayon de soleil. Tellement attendrissant, avec ses petites dents du bas. Je me concentrai sur le travail de mes élèves, notant des commentaires dans la marge, les encourageant à faire preuve de clarté sur certains points, à en développer d'autres.

Quand je finis par descendre, quatre fenêtres sur les huit étaient déjà posées. Cal jeta un regard dans ma direction.

— Je n'ai pas eu à changer ces appuis de fenêtre. Si cela se passe aussi bien en haut, je devrais avoir fini lundi ou mardi.

— Oh… Tant mieux, dis-je. Ça me paraît bien.

— Content que ça vous plaise.

Il me regarda, impassible. Je le dévisageai aussi, comme hypnotisée. Il avait un visage d'une beauté virile, et terriblement séduisant. Ses yeux, surtout, m'attiraient. Brûlant d'une flamme intérieure. Reflets de l'âme ? Jamais une pensée ne m'avait paru plus vraie.

L'air sembla soudain se charger d'électricité, et je sentis une chaleur envahir mon visage et mon corps.

— Je ferais mieux de me remettre au travail.

Il joignit le geste à la parole.

13

A la seconde où Natalie ouvrit la porte, je sus. C'était indéfinissable et ça tenait à presque rien : l'odeur douce du shampooing qui flottait dans l'appartement... Andrew avait emménagé chez ma sœur, et cette vérité me heurta de plein fouet.

— Bonjour, ma chérie ! dis-je en l'embrassant.

— Oh ! c'est bon de te voir ! s'exclama Natalie.

Elle me serra fort, puis m'écarta légèrement d'elle pour me dévisager.

— Wyatt n'est pas là ?

— Salut, Grace ! lança Andrew de la cuisine.

Mon ventre se tordit. Mon ex vivait chez Natalie.

— Salut, Andrew, répondis-je sur le même ton. Wyatt est coincé à l'hôpital, poursuivis-je plus bas à l'intention de Nat. Il sera un peu en retard.

J'avais réussi à contrôler mes émotions, et ma voix était posée.

— Mais il va venir ? insista-t-elle en fronçant les sourcils.

— Oui, bien sûr.

— J'ai fait ma délicieuse tarte à la crème pour le dessert, ajouta Nat, tout sourires. Tu penses que ce sera suffisant pour faire bonne impression ?

L'appartement de Natalie se situait dans la neuvième de New Haven, la partie réhabilitée du centre-ville, pas très loin de son cabinet d'architecte. Je l'avais aidée à emménager et je connaissais son appartement dans les moindres détails. Chaque meuble, chaque objet de décoration, même ce cheval en bronze que je lui avais offert pour sa pendaison de crémaillère, était à sa place, rien ne semblait avoir changé, et pourtant plus rien n'était pareil. Depuis combien de temps Nat et Andrew vivaient-ils ensemble dans ce charmant petit nid douillet qui abritait leur amour ? Un mois ? Six semaines ? Partout, sa présence s'affichait déjà : la veste sur le portemanteau, les baskets près de la porte, le *New York Law Journal* posé sur la table basse. S'il n'habitait pas ici, il y passait en tout cas beaucoup de temps.

— Comment ça va ? demanda Andrew, émergeant de la cuisine et nous rejoignant.

Il m'étreignit brièvement, et le contact de son corps osseux n'éveilla en moi ni élan protecteur ni attendrissement. J'eus l'impression de n'avoir entre les bras qu'un sac d'os.

— Pas mal, parvins-je à articuler avec un semblant de sourire.

— Bien, bien… Que veux-tu boire ? Une vodka Martini ? Un Apple Martini ? Un Russe Blanc ? me proposa-t-il.

Son regard vert s'éclaira derrière ses lunettes. Il était fier de ces années où il avait travaillé comme barman pour payer ses études de droit.

— Je prendrais bien du vin, dis-je, juste pour le priver du plaisir d'étaler ses talents.

— Blanc ou rouge ? Nous avons une bonne bouteille de cabernet sauvignon.

— Je préfère du blanc, s'il te plaît.

J'accentuai mon sourire et enfonçai le clou :

— Mais Wyatt aime beaucoup le cabernet.

A cet instant précis, je fus reconnaissante à Wyatt et ne l'en aimai que plus. Je lui devais une fière chandelle. Il n'avait peut-être pas de réalité physique, mais, sans lui, cette soirée aurait été cauchemardesque. Je m'assis sur le canapé, écoutant d'une oreille distraite ma sœur qui me racontait sa recherche de saint-pierre, qu'elle avait fini par trouver à Fair Haven, sur un petit marché près de Quinnipiac River. Je m'imaginai sans mal la scène. Natalie, modèle d'élégance et de modernité, se rendant à bicyclette au marché italien. Sans doute qu'un commerçant sous le charme lui avait même glissé gracieusement dans son panier quelques *biscottis*. Natalie à la magnifique chevelure, au job fabuleux, à l'appartement de rêve, au mobilier de bon goût. Natalie en couple avec mon ex-fiancé, et, pour couronner le tout, qui me disait combien elle mourait d'impatience de rencontrer mon nouveau petit ami.

Je n'étais pas fière de lui mentir — à elle comme à mes parents, à ma grand-mère et même à Callahan —, mais c'était un cas de force majeure. Je refusais d'être « cette pauvre Grace » dont le fiancé avait préféré la petite sœur.

Pendant un bref instant, un autre scénario s'imprima dans mon esprit. Assis à mes côtés, Cal levait les yeux au ciel tandis que, dans la cuisine, Andrew émincait du persil avec l'agitation d'un atèle frénétique. Un bras musclé autour de mes épaules, il me murmurait à l'oreille : « Je n'arrive pas à croire que tu aies été fiancée à ce squelette ambulant. »

Combien de chances pour que cela arrive ? Autant que de gagner au Loto, et de découvrir que j'étais l'enfant de l'amour de Margaret Mitchell et de Clark Gable.

Je laissai distraitement mon regard se promener sur le salon de Nat, glisser sur la cheminée…

— Oh ! Je me souviens de ça, dis-je d'une voix sans timbre. C'est l'horloge que je t'ai offerte, n'est-ce pas, Andrew ?

C'était bien elle. Une magnifique pendule de la couleur ambrée du whisky, le cadran en émail, un décor finement ciselé, avec chiffres romains, clé en laiton pour remonter le mécanisme. Je l'avais dénichée dans une boutique d'antiquités à Litchfield pour les trente ans d'Andrew, deux ans plus tôt. Je lui avais même organisé une fête-surprise. N'était-ce pas le rôle d'une fiancée amoureuse ? Et amoureuse, je l'étais. Je m'étais donc donné un mal fou pour préparer un pique-nique dans un parc près de Farmington et réunir ses collègues de travail, ainsi que les miens, Ava, Paul, Kiki, le professeur Eckhart. J'avais bien sûr aussi invité Margaret, Stuart, Julian, et mes parents. Les siens étaient aussi de la partie, me faisant sentir qu'ils n'appréciaient que moyennement l'idée de manger dans un lieu public. Merveilleuse journée. Il m'aimait, à cette époque. C'était avant qu'il ne rencontre ma sœur.

— Oui. Je l'aime beaucoup, dit-il, l'air embarrassé, en me tendant mon verre de vin.

— Eh bien, tant mieux, elle m'a quand même coûté un bras, dis-je en insistant lourdement et avec un malin plaisir.

— Elle est… elle est magnifique, marmonna Andrew. *Comme si je ne le savais pas, crétin !*

— Vous êtes bien… parce que tu vis bien ici, maintenant, Andrew, non ?

Je réprimai une grimace en entendant ma voix un peu trop haut perchée.

— Eh bien, euh… pas… Pas encore, pas complètement. Il faut que je donne mon préavis.

Il échangea un regard rapide et nerveux avec ma sœur.

— Hum… Mais tes affaires, elles, ont emménagé…, dis-je sur le ton de la boutade.

Je trempai les lèvres dans mon verre de chardonnay. J'avais la bouche sèche.

Aucun des deux ne répondit. Je poursuivis, m'efforçant de garder un ton plaisant.

— C'est bien. Pourquoi payer deux loyers ? C'est toujours ça d'économisé. Très logique.

Très *rapide,* surtout. Pourquoi presser le mouvement ? Ils pouvaient m'expliquer qu'ils étaient amoureux, et ça valait tous les arguments. Imparable. Et puis, qui ne le serait pas de ma sœur ? Blonde aux yeux bleus. Plus jeune. Plus grande. Plus belle. Plus intelligente. Bon sang, si seulement Wyatt Dunn était réel ! Ou si Callahan O'Shea était ici ! Tout, plutôt que ce sentiment envahissant de rejet qui ne passait pas. Je desserrai les dents et m'assis à côté de Nat tout en la dévisageant.

— On ne pourrait pas croire qu'on est sœurs… on ne se ressemble vraiment pas, c'est fou.

— Oh ! au contraire, je trouve que si ! s'écria-t-elle avec conviction. A part la couleur des cheveux. Gracie, est-ce que tu te souviens quand j'avais fait cette permanente et cette teinture à mes cheveux ?

Elle éclata de rire et posa la main sur mon genou.

— Quand j'ai vu ma tête ! Ça n'avait rien, mais alors rien à voir avec tes boucles et ton brun si lumineux.

Et voilà. Comment pouvais-je rester fâchée contre elle ? Il m'était impossible d'en vouloir à Natalie très longtemps. A croire que je ne me l'autorisais pas. Jamais. Ce n'était peut-être pas juste, mais c'était ainsi. Comment oublier cette journée à laquelle elle faisait allusion ? Elle avait quatorze ans et je me souvenais de ses beaux cheveux souples, permanentés et teints dans un marron uniforme et moche. Désespérée par le résultat, elle s'était enfermée dans sa chambre. La nature avait néanmoins rapidement repris ses droits. Une semaine plus tard, sa chevelure était de nouveau souple, et elle était devenue la seule brune du lycée à avoir les racines blondes.

Elle avait toujours pensé que nous nous ressemblions — moi, mes trois centimètres en moins, mes six kilos en plus, la chevelure possédée et les yeux d'un gris banal —, à une couleur de cheveux près.

— Il y a une ressemblance indéniable, acquiesça Andrew.

Dégage, mec, pensai-je. *Je viens de suivre un coaching sur la manière de trouver un mari, je drague sur Internet, je me consume de désir pour un repris de justice, et toi, tu as cette perle que tu ne mérites même pas, pauvre type.* Je n'avais, semblait-il, pas évacué toute ma colère. En tout cas, j'avais encore une dent contre lui.

Sans doute perçut-il mes ondes négatives, car je le vis battre en retraite sans demander son reste.

— Je ferais mieux d'aller surveiller le risotto. Je crois qu'il faudra plus qu'une prière pour qu'il épaississe.

Et, sur ces mots, il gagna la cuisine à la manière d'un crabe effrayé.

— Est-ce que ça va bien, Gracie ? demanda Natalie doucement.

— Oui, oui, ça va.

Je m'interrompis, inspirant profondément.

— En fait, Wyatt et moi, nous nous sommes un peu disputés.

Je fermai les yeux. Je me fis presque peur : j'étais en train de devenir une experte ès mensonges, une professionnelle de la mystification.

— Oh, non !

— Son métier et ses petits patients lui prennent tout son temps.

Oui, Grace, c'est un enfoiré de première, ton chirurgien pédiatrique. Comment peut-il te négliger ?

— Comprends-moi, il est merveilleux et je suis folle de lui, mais je le vois trop peu.

— Je suppose que ce sont les aléas du métier, murmura ma sœur, les yeux empreints de sollicitude. J'espère qu'il sait se faire pardonner, au moins ?

Je répondis que oui, avec force conviction. Bien sûr qu'il se rattrapait. Petit déjeuner au lit… avec des fraises, des gaufres — un peu trop cuites, mais c'était si mignon, il était comme un gamin… Je parlai aussi de ce merveilleux foulard (que j'avais acheté le week-end dernier avec Julian), et des fleurs (que je m'étais fait livrer), et de la façon dont il m'écoutait… et aimait m'entendre parler de mes cours.

— Au fait, je ne t'ai pas dit, mais je vais postuler à la chaire d'histoire, dis-je en sautant volontairement du coq à l'âne.

— Oh ! Grace, c'est merveilleux ! s'écria ma sœur. C'est ce que tu as toujours voulu ! Tu vas tellement leur apporter…

La sonnerie de mon téléphone flotta entre nous, interrompant la conversation. Pile à l'heure. Je le sortis de ma poche.

— C'est Wyatt.

— Je te laisse.

— Non, non, reste ! insistai-je avant de décrocher.

Je n'avais pas concocté ce petit scénario avec Julian pour qu'elle n'entende pas cette conversation… du moins la fin.

— Salut, bébé, dis-je d'un ton léger.

— Salut, mon poussin, ironisa Julian au bout du fil. Je me disais que je changerais bien de nom. Je me tâte…

— Oh, non ! Est-ce qu'il va bien ? demandai-je en prenant

l'air inquiet, les sourcils froncés — comme je m'étais entraînée dans le rétroviseur pendant le trajet.

— Quelque chose de plus viril, tu crois ? Je pensais à Will ou à Jack. Spike, peut-être ? Qu'en dis-tu ? poursuivit Julian.

— Je pense qu'il a de la chance de t'avoir comme docteur, lançai-je avec conviction, tout en gratifiant ma sœur d'un sourire.

— Tu trouves que ça fait trop macho ? T'as peut-être raison… Mike, alors ? Ou Mack. En même temps, si je le fais, ma mère va me tuer !

— Non, non, ça va ! Je comprends. Oui, je le leur dis… Non, ils savent tous les deux que ton métier est prenant ! Tu n'es pas…

Je m'interrompis, coulant un regard en coin vers ma sœur.

— Menuisier, repris-je, ou… mécanicien. Tu sauves des vies !

— Du calme, fillette, me dit Julian.

— Tu as raison.

— Qu'est-ce qu'il y a pour dîner ? demanda-t-il.

— Risotto, pointes d'asperges et saint-pierre. Et une délicieuse tarte que ma sœur a faite de ses blanches petites mains.

— Grace vous en apportera une part ! lança Natalie, en haussant la voix.

— T'as pas intérêt à l'oublier, je l'ai bien méritée. Tu veux qu'on discute un peu plus ? Ou tu préfères que je fasse ma demande ?

— Non, non, Wyatt, ça va. On se voit plus tard, chuchotai-je.

— Je t'aime, dit Julian. Allez… à ton tour, dis-le-moi…

— Oh… euh… pareil…

Le rouge me monta au visage — je n'en étais pas encore à déclarer ma flamme à un petit ami off. Ni même à un officiel, pas en public. Je raccrochai et poussai un soupir affecté.

— Bon, eh bien, tu as compris qu'il ne pouvait pas

venir. L'intervention a été plus délicate que prévu, et il veut surveiller le réveil de l'enfant.

— Ooh…, souffla Natalie, une sorte d'admiration glissant sur son visage. Grace, je suis vraiment déçue qu'il ne puisse pas venir, mais il semble tellement merveilleux !

— Il l'est. Il l'est vraiment, je t'assure.

Après dîner, elle me raccompagna jusqu'au parking souterrain où j'avais garé ma voiture.

— C'était super de t'avoir ici ce soir, même si je regrette de ne pas avoir pu rencontrer Wyatt.

Sa voix résonna entre les vastes cloisons de ciment.

— Merci, dis-je en déverrouillant la voiture.

Je posai sur la banquette arrière le Tupperware contenant la généreuse portion de tarte promise, avant de me tourner vers ma sœur.

— Les choses semblent sérieuses, entre toi et Andrew ?

Elle marqua une hésitation.

— Je crois que oui. J'espère que cela ne te pose pas de problème.

— Eh bien, je n'ai jamais souhaité que ce soit une simple aventure, Nat, répliquai-je un peu vivement. Je veux dire que ça m'aurait davantage blessée si cela avait été le cas, tu comprends ? Je suis juste… Je suis contente pour vous. C'est bien.

— Tu en es sûre ?

— Oui, tout à fait.

Elle me gratifia d'un franc sourire.

— Merci. Tu sais, je remercierai Wyatt quand je le rencontrerai. Pour te dire la vérité, je pense que j'aurais rompu avec Andrew si je n'avais pas été sûre que tu étais passée à autre chose. Je ne m'en serais pas senti le droit, tu vois ce que je veux dire ?

— Tout est réglé, alors. Il faut que j'y aille… Bonsoir, Nattie, et merci pour ce merveilleux dîner.

*
* *

Il se mit à pleuvoir des cordes pendant le trajet du retour. Malgré le mouvement souple et rapide de va-et-vient des essuie-glaces sur le pare-brise, la visibilité était mauvaise. C'était une nuit trompeuse, plus froide qu'il n'y paraissait, et les éléments déchaînés firent remonter à ma mémoire des images de cette soirée où mon pneu avait éclaté et où j'avais manqué de peu l'accident. La soirée où j'avais imaginé ma rencontre avec Wyatt Dunn et l'avais fait entrer dans ma vie. En y repensant, un petit rire rauque m'échappa.

Un bref instant follement jubilatoire et libérateur, je me laissai aller à imaginer ce qu'il en serait maintenant pour nous tous si je n'étais pas passée par ces foutues toilettes, le soir du mariage de Kitty. La culpabilité, profondément enracinée dans la conscience de Natalie, aurait continué à faire entendre sa petite musique, poursuivant son œuvre d'empoisonnement : « Comment pouvait-on se mettre en couple avec l'homme qui avait été fiancé à sa sœur, qui avait partagé sa vie ? Oui, c'était mal… inconcevable… condamnable. » Andrew serait peut-être sorti de ma vie une fois pour toutes, et je n'aurais plus eu à supporter son expression empreinte de gratitude et d'émerveillement quand il posait les yeux sur Natalie — il ne m'avait jamais regardée comme ça ! Non, quand il me regardait, c'était avec de l'affection, du respect, de la connivence. Rien qui s'apparente de près ou de loin au « paf bing ! ». Il ne m'avait pas aimée comme je l'avais cru, pas comme je l'avais aimé.

Malgré la présence de Margaret endormie dans la chambre d'amis, et l'énergie que dépensa Angus pour m'accueillir, je fus envahie par une sensation collante de vacuité. Jamais la maison ne m'avait paru aussi vide. Si seulement mon séduisant docteur existait, et était en chemin pour me rejoindre… Je lui tendrais un verre de vin, lui ferais un petit massage des épaules, et il me sourirait avec reconnaissance. Nous nous blottirions l'un contre l'autre sur le canapé avant d'aller au lit. Angus ne lui mordillerait pas les talons, parce que mon chien, dans l'idéal, avait un sacré flair pour juger les personnes, et il adorerait Wyatt…

Je m'arrachai à ma rêverie pour aller dans la salle de bains. Entre le moment où je me démaquillai et celui où je me brossai les dents, l'idée de monter au grenier s'imposa. Il s'était arrêté de pleuvoir, mais il fallait que j'aille vérifier qu'il n'y avait aucune fuite. Une fenêtre pouvait être restée malencontreusement ouverte, et il pouvait se remettre à pleuvoir, qui sait ? Un voile brumeux flottait sur le paysage, et il faisait très humide.

Callahan était là, sur son pan de toit. C'était tout lui, ça, pensai-je. Pas le genre de gars à se laisser guider sa conduite par quelques gouttes de pluie.

Le grand air avait dû lui manquer, en prison. Je savais qu'il avait purgé sa peine dans une prison fédérale, mais quand je pensais à lui dans cet environnement, je ne pouvais m'empêcher de l'imaginer en uniforme orange ou à grosses rayures blanches et noires, enfermé dans une cellule avec des barreaux et un lit métallique (le seul film en milieu carcéral qui venait alimenter mon imaginaire était *Les Evadés* avec Tim Robbins et Morgan Freeman).

Pendant une seconde, je me vis le rejoindre, me glisser près de lui, son bras autour de moi, ma tête sur son épaule, ses doigts jouant dans mes cheveux… Immobiles, silencieux… parfois, quelques mots chuchotés à l'oreille. L'image fut si puissante que j'eus l'impression de percevoir le battement sourd de son cœur sous ma main.

— Ne perds pas ton temps, tentai-je de me raisonner. Même sans casier judiciaire, ce n'est pas ton type d'homme.

Si seulement cette petite voix irritante qui ne cessait de répéter « Il ne t'a même pas remarquée » pouvait se taire ! Sans parler du trouble énervant que je ressentais en sa présence ! Je cherchais la sécurité, la stabilité. L'embrasement des sens et la passion débridée, très peu pour moi. Je préférais passer mon tour. Mais qu'il était séduisant, vu d'ici…

14

— Grace ?

Je levai les yeux des pensées que j'étais occupée à planter dans le jardin, à l'arrière de la maison, ce dimanche, et me tournai vers Callahan O'Shea, qui venait de m'interpeller, debout devant la baie coulissante de la cuisine. Il était arrivé un peu plus tôt dans la matinée et s'était directement mis au travail. Il n'avait aucune raison de traîner pour discuter et flirter, vu que Margaret était partie courir ! Ma sœur faisait beaucoup de footing et parcourait de longues distances. Qui sait quand elle serait de retour ?

— J'ai besoin de déplacer les étagères près de la fenêtre. Est-ce que vous pourriez enlever vos petites… affaires ?

Angus, qui tournait autour d'un malheureux papillon de nuit depuis de longues minutes, avec force jappements modulés en bâillements et gémissements, finit par bondir sur lui.

— Bien sûr, dis-je, me redressant.

Tout en m'essuyant les mains, je le suivis dans la maison et, sans dire un mot, posai sur le canapé mes « affaires », pour partie des pièces de collection — une tabatière datant des années 1880, un minuscule canon, une figurine en porcelaine de Scarlett O'Hara dans sa robe de velours vert, un dollar des États confédérés dans un cadre, et des DVD.

— Laissez-moi deviner : vous avez un penchant pour la guerre de Sécession, déclara-t-il en jetant un regard sur les boîtiers des films.

Il y avait pêle-mêle *Glory, Retour à Cold Mountain, La*

Conquête du courage, Les Prairies de l'honneur, Nord et Sud, Josey Wales hors-la-loi, Gods and Generals, Gettysburg, ainsi que le documentaire de Ken Burns, le DVD sorti en édition limitée, que Natalie m'avait offert pour Noël.

— Je suis professeur d'histoire.

— Ceci explique cela, répondit-il en observant plus attentivement les jaquettes. *Autant en emporte le vent* est encore dans son film de protection. Vous avez d'autres exemplaires ?

— Non, non. C'est ma mère qui me l'a offert, mais je me refuse à regarder cette fresque flamboyante ailleurs que sur grand écran. Ce serait du gâchis, vous ne croyez pas ?

— Vous voulez dire que vous ne l'avez jamais vu ?

— C'est ça, mais j'ai lu le livre quatorze fois ! Et vous ?

— Je l'ai vu.

— Sur grand écran ?

— Non. A la télévision.

— Alors, ça ne compte pas.

Il eut un petit rire et je sentis mon estomac se contracter. Je l'aidai à écarter les étagères. Il attrapa sa scie et fit mine d'attendre que je m'éloigne avant de reprendre.

— Cal…, dis-je sans bouger. Pour quelle raison avez-vous détourné un million de dollars ?

— Un million six, rectifia-t-il en branchant la scie. Pourquoi les gens volent-ils, en règle générale ?

— Je ne sais pas. Vous, pourquoi avez-vous volé ?

Il darda son regard bleu sombre sur moi. Je le sentis réfléchir, m'évaluer, se demander ce qu'il devait me dire et comment le dire. J'attendis. Que cachait-il ? J'étais curieuse de connaître son histoire.

— C'est moi, je suis à la maison !

La porte d'entrée claqua à cet instant et Margaret apparut, écarlate et en sueur — belle, même après l'effort… Il n'y avait décidément pas de justice !

— Alerte rouge, les enfants. Maman est en route. J'ai vu sa voiture garée devant la boulangerie Chez Lala. On se magne. J'ai dû battre un record du monde pour être là avant elle.

Ma sœur se dirigea vers le sous-sol et, dans son élan, prit naturellement la tête des opérations, moi sur ses talons.

— Venez nous aider, Callahan ! cria-t-elle.

— Qu'est-ce qu'il se passe ? demanda ce dernier, en nous emboîtant le pas sans hésiter.

Arrivé au bas de l'escalier, il s'immobilisa, et parcourut du regard l'espace encombré d'objets de verre soufflé qui déclinaient le thème de l'anatomie féminine.

— Eh ben, dites donc ! lâcha-t-il.

Je ne le lui faisais pas dire ! Ma mère étant une artiste très prolifique, et généreuse, mon sous-sol était devenu, par la force des choses et au fil des ans, une sorte d'antichambre dédiée à la gloire féminine.

— J'aime beaucoup, reprit-il d'un ton neutre.

— Vous, silence, lui dit Margaret, passée en mode commando. Pas le temps pour les bavardages. Attrapez quelques sculptures et montez-les à l'étage. Notre mère va faire une attaque si elle découvre que Grace entrepose ses œuvres ici. Je parle par expérience, croyez-moi.

Sans plus d'états d'âme, elle se saisit au hasard de deux sculptures, *The Home of Life* (un utérus) et *Nest n° 12* (un ovaire), puis s'élança avec légèreté dans l'escalier.

— Vous louez votre sous-sol ? me demanda-t-il.

— Plus tard, dis-je, sans parvenir à réprimer un petit rire. Remontez quelques objets et posez-les sur n'importe quelle étagère, comme s'ils n'en avaient jamais bougé !

Je lui lançai sans prévenir une sculpture de forme vaguement sphérique, justement nommée *Breast in Blue*. Pris au dépourvu ou surpris par le poids, il l'attrapa au vol, mais, déséquilibré, je le vis tenir ce « sein artistique » comme une patate chaude. Je me précipitai sans réfléchir sur lui, pensant qu'il allait la lâcher, et me retrouvai, enveloppant l'objet, mes mains sur les siennes. Nos regards se croisèrent, et il sourit.

Paf bing !

Il sentait bon le bois, le savon et le café. Ses mains étaient grandes, chaudes, et nous étions si proches l'un de l'autre que je sentis sa chaleur. J'eus l'impression de me noyer dans ses yeux bleus. Mes jambes faiblirent et mon centre d'équilibre se mit à pencher dangereusement sur *Breast in Blue*… On s'en fichait, que ce soit un repris de justice ! Qu'il ait volé, ou fait je ne sais quoi d'autre ! J'étais incapable d'esquisser le moindre mouvement, comme si la foudre m'avait terrassée sur place. Mon expression, à cet instant, devait davantage refléter la béatitude qu'on éprouve après l'amour que la convivialité d'une voisine aimable.

Un bruit de Klaxon déchira l'air, déclenchant, à l'étage, les aboiements en rafale d'Angus, qui résonnèrent dans toute la maison. A en juger par les « boum », il était maintenant en train de se jeter contre la porte d'entrée.

— On se dépêche, en bas ! cria Margaret. Tu sais comme elle est !

Le charme était rompu. Cal attrapa une seconde sculpture et monta en l'emportant. Je lui emboîtai le pas, les bras chargés et les joues en feu.

Je posai sans manières *Hidden Treasure* sur une étagère et *Portal in Green* sur la table basse, bien en vue — où elle m'apparut encore plus inconvenante ainsi exposée.

— Bonjour, tout le monde ! s'exclama ma mère de l'autre côté de la porte. Angus, on se calme. Du calme, mon beau… Chut… Non. Arrête. Chut, trésor. Arrête d'aboyer.

Le cœur battant toujours la chamade, je soulevai mon chien et ouvris.

— Salut, maman ! Quelle bonne surprise ! Qu'est-ce qui t'amène ?

— Je viens avec des pâtisseries, ma chérie ! Hello, Angus ! Tu es en forme ! Bonjour, Margaret. Stuart nous a dit, à ton père et moi, que nous te trouverions ici…, s'exclama-t-elle, avant de s'interrompre.

Son regard se fixa sur un point derrière moi.

— Bonjour. On ne se connaît pas…

Je jetai un coup d'œil par-dessus mon épaule. Cal se tenait dans l'encadrement de la porte de la cuisine.

— Je te présente mon voisin, maman, Callahan O'Shea. Callahan, ma mère, la célèbre sculptrice Nancy Emerson.

— C'est un plaisir. Je suis un fan de votre travail.

Il serra la main de ma mère, et celle-ci me lança un regard interrogateur.

— Papa l'a engagé pour installer mes nouvelles fenêtres, expliquai-je.

— Je vois, dit-elle, l'air un tantinet soupçonneux.

— Il faut que je passe par chez moi avant d'aller à la quincaillerie du coin, Grace. Besoin de quelque chose ? demanda-t-il en se tournant vers moi.

Juste… d'être embrassée…

— Euh, non… Je ne vois rien, balbutiai-je en rougissant de nouveau.

— A tout à l'heure alors. Ravi de vous avoir rencontrée, madame Emerson.

Nous le regardâmes s'éloigner dans un grand silence que ma mère rompit, dégainant la première.

— Margaret, il faut qu'on parle. Allons nous asseoir, les filles. Oh ! Grace ! Quelle idée de mettre cette sculpture ici ! Je ne trouve pas ça drôle. C'est sérieux, l'art, ma chérie.

Cal avait déposé *Breast in Blue* dans ma corbeille à fruits au milieu des oranges et des poires.

Je réprimai un sourire, et Margaret étouffa un gloussement dans le sachet en papier contenant les viennoiseries.

— Oh ! Des petits pains aux graines de pavot…, s'exclama-t-elle. Tu en veux un, Gracie ?

— Asseyez-vous, toutes les deux. Pour l'amour du ciel, Margaret, qu'est-ce que c'est que cette histoire de laisser Stuart tout seul ?

Je lâchai un soupir. Ce n'était donc pas une visite pour le plaisir, et elle n'était pas venue pour moi. Mais je n'étais que sa cadette, celle qui avait grandi sans problème, « presque sans qu'on s'en rende compte », comme ma mère le répétait souvent, coincée entre une aînée du genre diva (qu'elle était toujours) — à l'adolescence rebelle, au caractère bien trempé, aux brillants résultats universitaires — et une benjamine si facile à aimer, dont chaque souffle était pris comme un petit miracle depuis qu'elle avait frôlé la mort.

Ma rupture avec Andrew était finalement ce qui m'était arrivé de plus marquant dans la vie. Avec, peut-être, mon choix professionnel, un choix revendiqué que mes parents, malgré tout l'amour qu'ils me portaient, ne comprenaient toujours pas. « Celui qui peut agit ; celui qui ne peut pas enseigne », m'avait dit mon père, citant Bernard Shaw, quand j'avais obtenu un master en histoire américaine, après avoir renoncé à l'école de droit. Ils considéraient l'enseignement comme la voie de la facilité, et les longues vacances d'été plaidaient en ce sens. Ce qui était très injuste, puisque ce n'était que la partie émergée de l'iceberg, qui masquait tout le travail fourni en amont : soutien scolaire, corrections, préparation de cours, heures passées à recevoir parents et élèves dans mon bureau jusqu'à une heure tardive, à entraîner des équipes de débatteurs pour les joutes oratoires, à préparer les événements scolaires, à chaperonner les soirées étudiantes et les sorties éducatives, à analyser les nouvelles méthodes pédagogiques.

Ma mère s'adossa à sa chaise et dévisagea son aînée.

— Alors, Margaret ? Tu m'expliques ?

— Je ne l'ai pas quitté-quitté, répliqua ma sœur, en mordant dans son petit pain. Je… traîne juste dans le coin.

— C'est ridicule. Ça n'a pas toujours été facile entre ton père et moi, et nous avons nos problèmes, mais est-ce que, pour autant, tu m'as vue courir me planquer chez tante Mavis à la première difficulté ?

— Tante Mavis est une emmerdeuse. Grace ne l'est pas autant. Pas vrai, sœurette ?

— Ton compliment me va droit au cœur, Margs. Et laisse-moi te dire que c'est un honneur de t'avoir dans ma demeure. Quel doux spectacle de voir tes vêtements éparpillés dans ma chambre d'amis… Madame souhaite-t-elle que je fasse un peu de lessive ?

— Eh bien, puisque tu le proposes… Toi qui as un travail qui te laisse du temps libre, poursuivit-elle, moqueuse.

— Excuse-moi. En tout cas, moi, je ne défends pas une brochette de dealers…

— Ça suffit, les filles, coupa machinalement ma mère, le regard fixé sur son aînée. Est-ce que tu as l'intention de quitter Stuart ?

Cette dernière ferma les yeux.

— Je ne sais pas.

— Eh bien, si tu veux mon avis, c'est absurde. Tu l'as épousé, tu ne peux pas le quitter comme ça ! Tu dois faire tout ce que tu peux pour arranger les choses entre vous.

— Et vivre comme papa et toi ? Autant me trancher tout de suite les veines. Je peux compter sur ton éloge funèbre, Gracie ?

— Ton père et moi sommes parfaitement…

La voix de ma mère faiblit, et son regard se perdit dans sa tasse, comme si elle cherchait à lire dans le marc de café.

— Peut-être que toi aussi tu devrais venir crécher ici, suggéra ma sœur en levant un sourcil ironique.

— Très drôle, Margaret, dis-je en lui jetant un regard de travers. Arrête tes bêtises… Maman n'en a aucune envie. Sérieusement, papa et toi, vous vous aimez toujours, malgré vos querelles…

— Oh ! Grace…, soupira-t-elle. Qu'est-ce que l'amour a à voir avec ça ?

— Merci, Tina Turner, lança Margaret, goguenarde, en fredonnant sur l'air de « What's love got to do with it ».

— Mais tout ! protestai-je sans relever.

— Oh ! l'amour, vaste sujet…, marmonna ma mère, bottant en touche d'un simple revers de la main.

— L'amour, c'est la guerre, reprit ma sœur.

— On ne peut pas vivre sans amour ! m'indignai-je, poussée dans mes retranchements.

— L'amour, ça craint, rétorqua-t-elle.

— Margs, la ferme ! Maman ? Qu'est-ce que tu disais ? Cette dernière soupira.

— On s'habitue aux défauts, aux manies de son conjoint… On s'adapte, bien obligé. Votre père n'est qu'un vieil avocat barbant dont la seule idée de l'amusement se résume à jouer le soldat mort dans les champs !

— Ce n'est pas stupide, la reconstitution historique !
protestai-je mollement.

Ma mère ne releva pas.

— Et certains jours, je n'ai qu'une envie, c'est de le
trucider, mais je ne pars pas pour autant, Margaret. Nous
avons échangé des vœux, nous nous sommes promis amour,
soutien et fidélité, même si cela ressemble à un sacerdoce,
quelquefois.

— Mon Dieu, que c'est beau ! ironisa Margaret.

— Et pourtant, crois-moi, il dépasse souvent les bornes,
quand il dénigre mon art ou plaisante lourdement dessus ! Il
ne s'est pas vu quand il court en habit d'époque, en faisant
semblant de tirer. Moi, je crée. Moi, je célèbre la femme.
Moi, je suis capable de m'exprimer autrement que par des
grognements et des sarcasmes. Moi, je…

— Un peu plus de café, maman ? coupa Margs.

— Non, il faut que j'y aille.

Elle resta assise, ne faisant pas mine de bouger.

— Puisqu'on en parle, maman, je me suis toujours
demandé quelles étaient les raisons qui t'avaient poussée à
choisir le corps de la femme… comme source d'inspiration ?

Ma question déclencha une sorte d'étouffement chez
Margaret, surprise de m'entendre relancer la conversation
sur le sujet.

— Comment est-ce que ça a commencé ? insistai-je en
évitant de croiser le regard de ma sœur, qui devait lancer
des éclairs.

J'étais pourtant en troisième cycle universitaire quand
ma mère s'était découvert un talent artistique, mais, prise
dans ma propre vie, je ne m'y étais pas vraiment intéressée,
reléguant les revendications maternelles, puis son travail
créatif, au rang de simples lubies.

Celle-ci sourit.

— En vérité, tout a commencé sur un malentendu. Je
m'essayais au verre soufflé et je n'en maîtrisais pas encore bien
la technique. Je tentais de façonner une boule de Noël, quand
ton père est entré dans la pièce. Il a dit que ça ressemblait

à un sein et, sans me démonter, je lui ai répondu du tac au tac que c'était le cas. Je l'ai vu devenir écarlate. Sa réaction m'a interpellée, et j'ai voulu avoir un avis de professionnel. Alors, je l'ai montré à la galerie Chimera et ils ont adoré.

— Mmm…, murmurai-je. Comment ne pas aimer ?

— Ça s'est vraiment passé comme ça. D'après le *Hartford Courant,* qui m'a consacré un article, je m'inscris dans le féminisme postmoderne. On me compare à une O'Keeffe sous acide. On voit dans mon œuvre la même vision esthétisée et fascinée du corps que chez un Mapplethorpe.

— Tout ça à cause d'une déco de Noël ratée, lâcha ma sœur, d'un air goguenard.

— Pour la première, je te l'accorde, Margaret, mais toutes celles qui ont suivi entrent dans une démarche réfléchie : célébrer la Femme, transcender le miracle physiologique, expliqua ma mère. J'aime ce que je fais, et tant pis si vous êtes trop coincées pour apprécier mon art à sa juste valeur. J'ai une carrière et mon travail est reconnu. Et si ça défrise ton père, eh bien, tant pis !

— C'est vrai, pourquoi ne pas torturer papa ? répliqua Margaret. Après tout, il n'a rien fait d'autre que tout te donner.

— A ça, je te répondrai juste, ma chérie, qu'il n'a pas été perdant et que vous êtes tous des ingrats. Pendant toute votre enfance, je me suis fondue dans le décor, m'évertuant à me glisser entre le mur et le papier peint. Ah, c'est sûr, il n'avait pas à se plaindre ! En rentrant, il trouvait une maison astiquée comme un sou neuf, des filles intelligentes, bien élevées et superbes. Son Martini servi. Il n'avait plus qu'à mettre les pieds sous la table pour déguster le repas — que j'avais mis des heures à préparer —, puis à sauter au lit pour une partie de jambes en l'air.

Ma sœur et moi eûmes le même mouvement de recul sur nos chaises, la même expression horrifiée sur le visage.

Ma mère dévisagea Margaret avec un air sévère avant de poursuivre :

— Je lui ai donné de mauvaises habitudes. Alors, tant pis si le changement « bouscule » un peu sa petite vie bien

196

rangée. Quant à toi, Margaret, mon aînée chérie, la chair de ma chair, j'aurais attendu de ta part une réaction du genre : « Bien joué, maman ! » Parce qu'à présent, il fait attention à moi, et que je n'ai pas à courir me réfugier chez ma sœur.

— Aïe ! Touchée. Regarde, Gracie, je saigne ! lança Margaret.

Bizarrement, elle souriait.

— S'il vous plaît, arrêtez de vous battre. Maman, nous sommes très fières de toi. Tu es une créatrice visionnaire. Vraiment.

— Merci, Gracie, répliqua-t-elle en se levant. Bien, il faut que j'y aille. On m'attend à la bibliothèque… Des admirateurs… pour parler d'art, d'inspiration.

— Réservé aux adultes, je suppose, ironisa Margaret, en prenant Angus de mes genoux pour lui embrasser la tête.

Ma mère poussa un soupir et leva les yeux vers le plafond.

— Ma chérie, il y a des toiles d'araignée. Et ne râle pas, trésor. Tu m'accompagnes jusqu'à ma voiture ?

Je la suivis, laissant ma sœur aînée, qui gavait Angus avec des morceaux de son petit pain.

— Qui était cet homme chez toi, tout à l'heure ?

— Tu veux parler de Callahan ?

Ma mère hocha la tête.

— Je te l'ai dit, c'est mon voisin.

— Je ne voudrais pas que tu gâches ce que tu es en train de vivre avec Wyatt en t'amourachant d'un manuel, ma chérie.

— Maman ! m'écriai-je. Tu ne le connais même pas ! Il est très gentil.

— Je suis juste en train de te rappeler que tu vis quelque chose de bien avec ce charmant médecin, c'est tout !

— Je n'envisage rien avec Callahan, dis-je laconiquement. C'est juste l'homme que papa a engagé pour faire des travaux chez moi.

Un regard sur le côté. La poisse ! En parlant du loup… mon voisin montait dans son pick-up et, à en juger par son expression, il y avait fort à parier qu'il avait entendu la fin de la conversation.

— Très bien, répondit ma mère d'une voix radoucie. C'est juste qu'après la rupture avec Andrew, tu n'étais que l'ombre de toi-même, ma chérie. Et c'est bon de voir qu'un homme a fait revenir le rose sur tes joues.

— Je te croyais féministe !

— C'est le cas.

— Tu me rassures ! Il peut y avoir aussi tout un tas d'autres raisons : le temps qui a fait son œuvre, le printemps, ou le travail qui m'apporte beaucoup, en ce moment. Tu sais que je vais poser ma candidature pour la chaire d'histoire ? Wyatt Dunn n'a peut-être rien à voir avec l'amélioration de mon moral.

— Mmm… Bien, comme tu veux. Il faut que j'y aille, chérie. A bientôt. Et arrête de marmonner !

— Elle finira par me faire mourir, m'exclamai-je en rentrant. Si je ne la tue pas en premier…

Je m'interrompis net : Margaret était en pleurs.

— Bon sang, je plaisantais.

— Mon mari n'est qu'un idiot ! gémit ma sœur, en essuyant ses larmes du plat de la main.

— O.K., O.K., O.K., calme-toi.

Je lui tendis une serviette en papier pour qu'elle se mouche, et lui tapotai doucement l'épaule tandis qu'Angus lui léchait avec conviction le menton.

— Dis-moi ce qu'il y a, Margs ?

Elle prit une inspiration.

— Il veut qu'on ait un bébé, chuchota-t-elle, la voix tremblante.

J'ouvris la bouche sous le coup de la surprise.

J'avais toujours entendu ma sœur répéter qu'elle ne voulait pas d'enfants, qu'elle n'était pas faite pour être mère, bien trop égoïste pour le devenir. En fait, elle clamait que l'image de Natalie reliée à un respirateur avait écrasé en elle tout instinct maternel. Qu'elle les aimait bien, mais chez les autres — même si elle n'était pas la première pour porter les bébés de nos cousines, lors des réunions familiales, ou pour entamer de vraies conversations avec les plus grands sans bêtifier.

— Tu veux qu'on en parle ? Comment te sens-tu ?

— D'après toi ? grommela-t-elle. Je me cache chez toi, je flirte avec ton voisin gaulé comme un dieu, je ne parle plus à mon mari, et maman vient de me faire une leçon sur le mariage ! Oui, je vais du tonnerre !

— Arrête, dis-je fermement. Au lieu de mouiller la fourrure de mon chien, dis-moi ce qui ne va pas. Vas-y, ouvre ton cœur, tu sais que ça restera entre nous.

Elle me regarda, les yeux pleins de larmes, le bout du nez rouge.

— Je me sens… trahie, finit-elle par avouer. C'est comme s'il disait que je ne lui suffisais plus… Et il peut être tellement irritant, quelquefois !

Sa voix trembla, prête à se briser.

— Et bonnet de nuit ! Ce n'est pas la personne la plus excitante du monde, hein ?

Je murmurai que oui, bien sûr, il était d'un tempérament plutôt casanier.

— C'est comme s'il m'avait donné un coup à l'arrière du crâne.

— Tu en penses quoi, Margs ? Est-ce que toi, tu as envie d'un bébé ?

— Non ! Je ne sais pas ! Peut-être ! Oh ! et puis zut ! Je n'ai pas envie d'y penser, d'en parler, je vais prendre une douche.

Elle se leva d'un bond, me tendit mon chien, qui parvint à happer dans mon assiette le dernier morceau de pain au sésame. Il laissa échapper un petit rot, clôturant ainsi ma conversation à cœur ouvert avec ma sœur.

15

Le mercredi soir, je me préparai pour mon rendez-vous avec Lester, qui avait fini par sauter le pas et appeler. Il m'avait paru plutôt normal au bout du fil, mais je préférais ne pas tirer de plans sur la comète… Un métallo-artiste, adhérent d'une coopérative… Avec un prénom pareil… Comment ma sœur avait-elle dit ? « Il a son charme »… Non, je ne fondais pas de gros espoirs sur cette rencontre.

Néanmoins, entre deux maux, je n'avais pas longtemps hésité, préférant de loin sortir plutôt que de me morfondre chez moi. C'était l'occasion d'essayer quelques-unes des techniques de Lou et de mettre en avant mes atouts. Il ne fallait pas se voiler la face, j'étais désespérée.

Margaret était au travail — nous n'avions plus reparlé de Stuart depuis notre discussion du week-end. Sous le regard d'Angus qui ne me lâchait pas d'une semelle, j'enfilai une jupe assez courte pour mettre en valeur mes fabuleuses jambes, appliquai un soupçon de rouge à lèvres et vaporisai un nuage de mon « eau bénite » sur les cheveux. Fin prête, j'embrassai mon chien à plusieurs reprises, lui donnai mes dernières consignes : ne pas être jaloux, ne pas être triste, ne pas faire de bêtises, et, emportée dans mon élan, je l'autorisai même à regarder la chaîne HBO et à commander une pizza. *Le gâtisme te guette, ma fille !* pensai-je en sortant de chez moi, l'image grotesque de la mémère à son chien-chien en tête.

Je devais retrouver Lester chez Blackie et décidai d'y aller à pied. Il faisait frais, mais c'était une belle soirée. Le soleil couchant embrasait l'horizon dans un dernier sursaut d'orgueil. Je contemplai un instant ma maison. La terrasse était éclairée, et la lampe Tiffany que j'avais laissée allumée pour Angus diffusait une lumière feutrée. Les boutons de pivoines attendant quelques rayons de soleil pour s'épanouir renfermaient tant de promesses... Dans une semaine ou deux, leurs parfums se répandraient dans l'air, et avec la bruyère, les lavandes, les fougères et les hostas qui bordaient l'allée, ce serait une explosion de senteurs qui imprégnerait toute la maison.

Je la trouvai parfaite, accueillante, unique, et elle aurait pu aisément figurer en couverture d'un magazine. Seuls le mari et les enfants manquaient à ce tableau idyllique — la famille adorable que je n'avais jamais eu de mal à imaginer dans les moindres détails... jusqu'à maintenant.

Sans doute aurais-je dû la revendre après la rupture, mais je n'avais pas pu m'y résigner. J'avais ressenti un véritable coup de cœur dès ma première visite et je m'y étais immédiatement projetée, charmée par le bruissement en arrière-fond de la rivière Farmington. Tellement de potentiel... Peut-être qu'inconsciemment, aussi, je m'y étais accrochée parce qu'elle représentait tous les rêves que j'avais faits avec Andrew. Nous aurions dû y être si heureux...

Elle n'avait pas abrité notre amour tout neuf, mais elle était devenue mon refuge, mon remède à la déception et au chagrin, pendant que je la transformais, comme un sculpteur le fait avec son bloc de glaise. J'en avais fait un havre confortable et beau, au design capable de surprendre et de subjuguer. Ce serait mentir de prétendre que je n'avais pas eu l'arrière-pensée, en faisant tout ça, de montrer à Andrew ce qu'il avait perdu. En fait, je ne me lassais pas d'imaginer sa tête quand il me verrait avec quelqu'un de plus intelligent, de plus grand, de plus drôle, de plus riche, de plus beau... et fou d'amour pour moi. Il comprendrait alors l'erreur monumentale qu'il avait commise et le regretterait pour le restant de sa triste vie.

Bon, cela n'en prenait pas tout à fait le chemin... Avec d'un côté un petit ami médecin qui n'existait pas, de l'autre un métallo-artiste que je n'avais jamais vu, sans oublier un voisin repris de justice, lequel éveillait en moi bien trop de sensations à mon goût.

— Allez, vas-y, fonce, dis-je pour m'encourager.

Même si Margaret était en pleine crise sentimentale, ces derniers jours, elle ne m'aurait pas arrangé un rencard foireux. Mais ce prénom n'était pas follement émoustillant… Lester. Ou Les ? Non, ça ne le faisait pas plus.

Le Blackie était bondé quand j'y pénétrai et je regrettai immédiatement d'y avoir fixé le rendez-vous. Comment allais-je le repérer, dans cette foule ? Qu'étais-je censée faire ? Taper sur l'épaule de chaque homme pour savoir s'il était le Lester qui « travaillait le métal » ? Crier à la ronde : « Y a-t-il un Lester dans la salle ? S'il vous plaît, si vous sculptez le métal, rapprochez-vous du bar. »

— Qu'est-ce que je vous sers ? demanda le barman alors que je m'appuyais contre le comptoir.

— Un gin tonic, s'il vous plaît.

Voilà, c'était reparti pour un tour. J'étais là, m'appliquant à irradier confiance en soi et séduction, posant un regard mi-amusé, mi-détaché sur ce qui m'entourait, refusant avec force l'image de la fille désespérée « recherchant de toute urgence un amoureux pour ne pas être seule au mariage de la petite sœur et de l'ex-fiancé ! Bon danseur serait un plus ».

— Excusez-moi, est-ce que vous êtes Grace ? Je suis Lester.

Je me retournai vers la voix qui venait de m'interpeller et écarquillai les yeux. Mon rythme cardiaque s'arrêta, puis repartit brutalement, mon cœur cognant contre mes côtes comme s'il battait à plus de cent quatre-vingts pulsations par minute.

— C'est bien vous, Grace, n'est-ce pas ? répéta l'homme.

— Merci, murmurai-je.

C'était un « merci » comme dans « merci, mon Dieu ! ». Je fermai la bouche et souris sottement, avant de poursuivre :

— Bonsoir. Je veux dire, oui, c'est moi. Salut, ça va bien, merci…

Voilà ! La nervosité me faisait dire n'importe quoi. Mais

ce type était si… Dieu du ciel ! Devant moi se tenait un homme qui était une tentation ambulante, du genre que toute femme aimerait goûter avec de la crème fouettée et de la sauce chocolat. Des cheveux noirs, des yeux de braise, des fossettes à tomber par terre. Son T-shirt avec un col en V révélait une bande de peau cuivrée et un cou à faire damner tous les saints du paradis ! Type beau gosse brun comme Julian, mais version dangereux. Ténébreux. Plus grand, aussi. Et hétérosexuel. Merci, mon Dieu !

Le barman posa mon verre sur le comptoir.

— Gardez la monnaie, murmurai-je en lui tendant un billet.

— Je nous ai trouvé une table, me dit Lester. Là-bas, au fond. Est-ce que ça vous va ?

Il ouvrit la voie, m'offrant une vue plongeante sur ses fesses. Tandis que nous nous frayions un chemin parmi la clientèle, je remerciai mentalement Margaret de m'avoir arrangé ce rencard avec Lester, le métallo-artiste, qui avait sacrément plus que du « charme », et je me promis de lui envoyer des fleurs, de faire sa lessive et de lui préparer des brownies. Avec toute ma gratitude en prime !

— J'ai été vraiment très content quand Margaret a appelé.

Il s'assit et prit une gorgée de la bière qu'il avait déjà commandée.

— Elle est si cool…

— Oh ! dis-je, toujours en mode « parfaite idiote ». C'est… oui. Elle est cool. J'aime ma sœur.

Il sourit, et j'entendis comme un petit gémissement venant du plus profond de mon corps monter dans ma gorge.

— Alors, comme ça, vous êtes professeur ?

Je me secouai mentalement, cherchant à m'arracher à cette étrange béatitude.

— Oui, j'enseigne l'histoire à Manning Academy.

Je réussis à terminer quelques phrases, avec sujet, verbe et complément sur ce que je faisais, sans parvenir à calmer ma nervosité. Cet homme était incroyablement beau. Ses cheveux épais et mi-longs ondulaient agréablement autour de son visage. Il avait des mains viriles et mates, avec des doigts longs et une cicatrice sur laquelle j'aurais volontiers posé les lèvres.

— Et vous, Lester, en quoi consiste votre travail ?

— En fait, je vous ai apporté une de mes pièces. Un petit cadeau pour vous remercier d'être venue.

Il tendit la main vers sa sacoche en cuir vieilli, posée à côté de lui, et la plongea dedans.

Un cadeau. Je fondis comme… eh bien, comme un bloc de métal en fusion. Il avait pensé à moi et m'avait *fabriqué* un objet.

Il se redressa et posa une sculpture en métal sur la table.

C'était impressionnant. Le personnage abstrait qui se dressait sur son socle s'enroulait avec grâce en un arc fluide, les bras levés vers le ciel, et la chevelure, aérienne, semblait onduler sous un souffle de vent. Rondeur, délicatesse des découpes… Tout n'était qu'énergie et sensualité.

— Oh ! mon Dieu…, murmurai-je. C'est magnifique.

— Merci, dit-il. Cette création fait partie d'une série sur laquelle je travaille en ce moment, un vrai succès commercial. Mais celle-ci, je l'ai faite spécialement pour vous.

Il s'interrompit, plongeant son regard sombre, très sombre, dans le mien.

— Vous me plaisez beaucoup, Grace. J'espère que nous allons nous découvrir tout un tas de points communs. C'est un cadeau qui symbolise l'espoir que je fonde sur la suite.

— Oui.

C'était le « oui » comme celui de « je veux vous épouser et vous donner quatre enfants, tous en bonne santé ».

Il sourit encore, et j'attrapai mon verre — ou m'y accrochai — et bus quelques gorgées.

— Excusez-moi une seconde. Il faut que je passe un rapide coup de fil, je reviens vite.

— Oui, oui, bien sûr, parvins-je à articuler.

Je vacillais sur le fil de l'orgasme, et cette petite pause était la bienvenue. Cela me permettrait de reprendre mes esprits. Que celle qui n'a jamais éprouvé ce sentiment me jette la première pierre ! M. le Beau Ténébreux *m'appréciait*…

souhaitait mieux me connaître… et plus si affinités. Cela pouvait-il être si facile ? Un instant, je me vis l'emmener à une réunion familiale pour rencontrer ma tribu, ou à la prochaine invitation de Natalie et Andrew. J'imaginai même la réaction de Callahan O'Shea en me voyant avec lui ! Est-ce que ce ne serait pas la chose la plus cool ? Dieu du ciel, si !

J'attrapai mon téléphone portable dans mon sac et composai le numéro de chez moi.

— Margaret, marmonnai-je précipitamment quand elle décrocha. Je l'aime, je l'adore ! Merci, merci ! Il est fantastique ! Il n'est pas seulement « charmant à sa façon »… il est beau à tomber à la renverse !

— Je viens de mettre *Gods and Generals*, lâcha laconiquement Margaret. Tu regardes vraiment ces conneries ?

— Il est extraordinaire, Margs !

— J'ai entendu ! Ravie d'avoir pu te rendre ce service. Je n'ai pas eu beaucoup à insister, il était très chaud pour te rencontrer. Pour tout dire, il me l'avait demandé à moi en premier, mais je lui ai montré mon alliance. Je me demande bien pourquoi j'ai fait ça… Je regrette, tu peux me croire !

— Oh ! il revient… Merci encore ! Faut que je raccroche.

Je posai mon téléphone et me collai un sourire sur les lèvres tandis que Lester se rasseyait.

Tout mon corps vibrait de désir et j'eus du mal à tenir la conversation, durant la demi-heure qui suivit. Il aurait été plus juste de dire qu'il parlait et que j'écoutais, ce que j'essayais de faire le mieux possible, malgré le flot d'émotions qui rugissait en moi. Lester évoqua sa famille, sa passion pour le travail du métal, ses expositions à New York et San Francisco, sa dernière longue relation sentimentale (avec une femme très hot qui n'avait aucun tabou au lit). Maintenant, il cherchait un vrai engagement, disait-il, quelque chose de sérieux. Il aimait cuisiner et était impatient de me préparer des repas. Il voulait des enfants. Il… était parfait.

La sonnerie de son téléphone l'interrompit.

— Oh ! Pardon, Grace, excusez-moi, dit-il avec un

sourire navré, tout en jetant un bref coup d'œil sur l'écran. J'attendais ce coup de fil.

— Je vous en prie, dis-je en sirotant mon gin tonic.

Tu peux faire ce que tu veux de moi. Je suis à toi.

Il décrocha.

— Qu'est-ce que tu veux, pétasse ? s'écria-t-il, le visage tordu par un rictus mauvais.

Je fis un bond sur ma chaise et m'étouffai avec ma gorgée. Autour de nous, les clients interloqués s'étaient figés. Ce qui ne parut pas impressionner Lester, qui poursuivit, imperturbable.

— Ouais, eh bien, devine où je suis ? hurla-t-il dans son téléphone, en se détournant légèrement de moi. Je suis dans un *bar* avec une *femme* ! Alors, qu'est-ce que tu en dis, sale garce ? Je vais la ramener chez nous et la baiser !

Sa voix monta dans les aigus, tendue à l'extrême, prête à se briser.

— Tu as bien entendu ! Je la prendrai sur le canapé, dans notre lit, dans la cuisine, sur le sol et sur cette foutue table ! Alors, qu'est-ce que ça te fait, sale tricheuse, misérable roulure ?

Il raccrocha, puis me regarda en souriant.

— Alors, où en étions-nous ? s'enquit-il, d'une voix radoucie.

— Euh..., balbutiai-je, lançant des regards de bête traquée autour de moi. Est-ce que c'était votre ex ?

— Elle ne représente plus rien pour moi, lâcha-t-il. Hé, ça vous dirait de terminer la soirée chez moi ? Je nous préparerai un petit truc à manger.

A cette seule évocation, tout mon être se rétracta aussi vite qu'un escargot dans sa coquille. Je ne voulais avoir affaire à aucune partie de sa cuisine. Merci, très peu pour moi !

— Euh... Lester... Je me trompe peut-être, mais il semblerait que vous ne l'ayez pas totalement oubliée ?

Je forçai sur le sourire.

Son visage se décomposa alors sous mes yeux.

— Oh ! merde..., lâcha-t-il, un sanglot dans la voix. Je l'aime encore ! Je l'aime et ça me tue ! J'en crève.

Il baissa la tête et se mit à se cogner le front contre la

table, à plusieurs reprises, sanglotant à grosses larmes, et reniflant bruyamment.

Je croisai le regard d'une serveuse et lui montrai mon verre vide.

— J'en prendrais bien un autre !

Une heure et demie — et une incontinence émotionnelle et lacrymale — plus tard, je raccompagnai Lester à sa voiture. Je l'avais laissé s'épancher, me contentant de hocher la tête, mon gin tonic pour seul réconfort (quel mal y avait-il puisque je rentrais à pied ?), pendant qu'il me parlait de Stefania, la jeune femme russe sans cœur qui l'avait quitté pour… une autre femme, ou qu'il me racontait comment il était allé chez elle et avait crié son nom, encore et encore, jusqu'à ce que la police débarque et l'emmène au poste… comment il l'avait appelée plus d'une centaine de fois en une seule nuit… et comment il avait vandalisé la mappemonde ancienne de la bibliothèque municipale en grattant le mot « Russie », ce qui lui avait valu cent heures de travaux d'intérêt général. Ah, les *artistes* ! Moi aussi, j'avais été quittée, mais est-ce qu'on m'avait vue me répandre en insultes devant les fenêtres d'Andrew ? Quelque chose me disait qu'il plairait beaucoup à Kiki. Oui, ces deux-là étaient faits pour s'entendre…

— Eh bien, bonne chance, Les, dis-je, en frottant mes mains sur mes avant-bras pour me réchauffer.

La nuit était fraîche et des lambeaux de brume s'enroulaient autour des lampadaires.

— Je déteste l'amour, lança-t-il, la tête et les bras levés vers le ciel sombre, s'adressant soudain avec théâtralité aux forces invisibles de l'univers. Allez-y, foudroyez-moi ! Finissons-en, pourquoi faire durer le supplice ?

— Courage, dis-je. Et… merci pour le verre.

Je le regardai sortir du parking au volant de sa voiture — rien ne m'aurait fait monter avec lui, même s'il n'avait eu aucune arrière-pensée en me proposant une balade. Aucun regret. Avec un soupir, je jetai un coup d'œil à ma montre : 22 heures, un mercredi soir. Et une nouvelle opportunité qui partait en fumée.

Bon sang… J'avais oublié son cadeau au bar ! Même si son créateur était timbré, j'aimais bien sa sculpture. Et qui sait, elle pouvait même prendre de la valeur dans les prochaines années, peut-être plus vite qu'on ne le pensait, du fait justement de la personnalité de l'artiste. Avec une manchette dans le journal comme « Un sculpteur sur métal interné », les prix pouvaient flamber. Quant à ma sœur, mon premier geste en rentrant serait de l'étrangler. On ne s'inventait pas marieuse et, en tant qu'avocate, elle aurait pu faire une rapide enquête sur les antécédents du rencard qu'elle m'arrangeait.

Je retournai à l'intérieur du bar, me frayai à coups de coude un passage dans la foule, récupérai ma statuette, puis refis le chemin en sens inverse et poussai la porte pour sortir. En sentant une résistance, j'insistai de toutes mes forces. Elle finit par s'ouvrir d'un coup, cognant contre quelqu'un qui cherchait à entrer.

— Aïe ! fit l'homme.

Je fermai les yeux quand je reconnus Callahan. Bon sang !

— Regardez où vous allez, marmonnai-je en guise de salutations.

— J'aurais dû me douter que c'était vous ! s'exclama-t-il. Alors, comme ça, on vient s'enivrer, Grace ?

— J'avais rendez-vous, si vous voulez tout savoir. Et vous n'êtes pas en position de pointer les doigts… euh… le doigt ! Un Irlandais dans un bar. Quelle originalité !

— Je vois qu'on a un peu trop bu, encore une fois. J'espère que vous ne rentrez pas en voiture.

Son regard passa au-dessus de moi, en direction du bar. Je me retournai et aperçus une jeune femme blonde plutôt séduisante qui lui souriait en lui faisant un petit signe.

— Je n'ai pas bu ! Et je ne conduis pas, alors pas la peine de s'inquiéter. Qu'elle commande un double à ma santé !

Sur ces mots, je passai devant lui, et affrontai la fraîcheur de la nuit.

Certes, Callahan O'Shea était arrogant et terriblement agaçant, mais je devais néanmoins admettre qu'il avait raison sur un point : je ne tenais pas l'alcool. J'avais pensé commander quelques tapas, mais quand la serveuse s'était approchée, Lester était en pleine tirade sur l'amour, et je ne m'étais pas sentie le cœur de demander des ailes de poulet sauce Buffalo. Ç'aurait été un manque avéré de sensibilité. Et puis je n'étais pas ivre, juste un peu étourdie. L'odeur de lilas qui flottait dans l'air n'arrangeait rien.

Le brouillard semblait s'épaissir et, dans l'air humide, je pouvais presque sentir mes cheveux s'animer d'un souffle de vie et prendre de l'ampleur, comme sous le coup d'un sort, à l'image d'une chevelure de gorgone. Je pris une profonde inspiration tout en fermant les yeux — à peine une seconde, me sembla-t-il — et, sans doute à cause des trottoirs cabossés de Peterston, je trébuchai. Néanmoins, je réussis à récupérer mon équilibre, sans y perdre ma dignité.

— Je ne peux pas croire que votre petit ami vous laisse rentrer seule dans ces conditions, Grace. Ne me dites pas que c'est un goujat...

Je le fusillai du regard.

— Encore vous. Qu'est-ce que vous voulez ?

— Je ne peux pas vous laisser rentrer seule.

Il inclina la tête pour regarder ma sculpture.

— Je vois qu'on a gagné un Emmy.

— C'est un très beau cadeau. De Wyatt. Qui me l'a offert. Et vous n'avez pas besoin de me raccompagner.

— En tout cas, il y a « quelqu'un » qui aurait dû le faire. Sérieusement, où est votre petit ami ?

— Il est au bloc demain matin et il fallait qu'il parte. Alors, il est parti.

— Mouais..., fit-il, sceptique. Pourquoi ne vous a-t-il pas ramenée en voiture ? Trop occupé avec ses chats errants ?

— Je voulais marcher et j'ai insisté, si vous voulez tout savoir. Et votre rendez-vous galant, vous en avez fait quoi ? lançai-je, l'attaque étant la meilleure défense. Vous l'avez planté au bar ? Tss, tss...

— Ce n'est pas un rendez-vous galant.

— Pourtant, sa façon de vous faire signe ne trompait pas.

— Je répète que ce n'est pas un rendez-vous galant.

— *Pourtant*, j'ai peine à le croire. Alors, qui est-ce ?

— On va dire que c'est mon agent de probation, finit-il par lâcher avec un air goguenard. Allez, Grace, dites à oncle Cal la vérité. Est-ce qu'on a eu une prise de bec avec son petit ami, ce soir ?

— Non, il n'y a pas eu de prise de bac… enfin… de bec ou de tout ce que vous voulez. Et c'est la vérité vraie.

Il était peut-être temps de changer de sujet.

— Etes-vous vraiment irlandais ?

— Qu'en pensez-vous, Sherlock Holmes ?

Je pense que vous êtes un crétin. Oups. L'avais-je dit à haute voix ?

— Peut-être que vous devriez vous en tenir à un soda, la prochaine fois que vous irez dans un bar ? suggéra-t-il. Qu'avez-vous bu ?

— Deux gin tonics — en fait, un et demi. Comme je ne bois pas souvent, j'en ressens tout de suite les effets. C'est tout bête.

Nous arrivâmes sur la passerelle qui enjambait la voie ferrée.

— Ainsi, vous ne tenez pas l'alcool… Vous pesez combien ?

— Ça ne se fait pas, de demander son poids à une femme. Alors marche arrière, mon petit pote.

Il lâcha un rire grave, délicieusement grave.

— J'aime que vous m'appeliez « mon petit pote ». Je vous appellerai « ma petite pochtronne », ça vous va ?

Je lâchai un lourd soupir.

— Ecoutez, Callahan O'Shea, du clan des leprechauns, merci de m'avoir raccompagnée jusqu'ici. Je ne suis plus qu'à quelques rues de chez moi. Pourquoi ne retourneriez-vous pas auprès de cette jeune femme que vous avez laissée au bar ?

— Parce que ça craint, par ici, et que je ne veux pas que vous rentriez seule.

Il n'avait pas tout à fait tort. C'était effectivement un

coin mal famé de la ville… En fait, drogués et dealers se retrouvaient sous ce pont. Je lui coulai un regard en coin. En plus d'être beau, je devais admettre qu'il était très… eh bien, prévenant.

— Merci, dis-je. Vous êtes sûr que cela ne va pas gêner votre rendez-vous galant ?

— Pourquoi est-ce que ça la gênerait ? Je suis en train de faire du service civique.

Au moment de descendre les marches métalliques de la passerelle, mon pied glissa et Callahan dut me rattraper. Je m'accrochai à lui et, ainsi protégée dans ses bras solides et rassurants, j'aurais voulu que le temps s'arrête. Il sentait tellement bon le savon et le bois…

Il leva un bras et, avec délicatesse, enleva quelque chose de mes cheveux… une feuille. Il la regarda un instant avant de la laisser tomber, puis reposa la main sur mon avant-bras.

— Votre rendez-vous est…, balbutiai-je. Euh… elle semble sympathique. Très aimable, je veux dire, à ce que j'ai vu.

Mon cœur s'agitait en tous sens, frétillant dans ma poitrine comme un poisson hors de l'eau.

Cal finit par me lâcher.

— C'est vrai, elle est sympa, mais comme je vous l'ai déjà dit, ce n'est pas un rendez-vous galant.

Une vague de soulagement déferla sur moi, et mes genoux se mirent à trembler douloureusement. Je n'avais pas du tout envie qu'il fréquente quelqu'un. Qu'est-ce que cela voulait dire ? Nous nous remîmes à marcher, côte à côte, nous enfonçant dans le brouillard doux et enveloppant comme un cocon, que des halos de phares venaient par intermittence déchirer. Je déglutis.

— Cal, est-ce que vous… euh… voyez quelqu'un ?

Son regard voilé se posa sur moi.

— Non, Grace, je ne vois personne.

— Pas du genre à vous marier, je suppose. N'avez-vous pas envie de vous poser, même un peu ?

— J'adorerais, lâcha-t-il. Une femme, deux enfants, une pelouse à tondre.

— Vraiment ? demandai-je, étonnée.

Enfin… il aurait été plus vrai de dire que ma voix avait déraillé et que ça avait davantage ressemblé à un couinement. J'aurais plutôt vu Callahan dans le rôle du type qui entrait dans la pièce au moment où résonnaient les rythmes rock et blues de *Bad to the Bone*, que dans celui du père de famille qui passait la tondeuse alors que les enfants gambadaient.

— Vraiment ?

Il enfonça les mains dans ses poches.

— Ce n'est pas ce que vous et M. Merveilleux désirez ?

— Oh ! oui, bien sûr… Je crois. Je ne sais pas trop.

Ce n'était pas le genre de conversation que je voulais avoir alors que je n'étais pas en pleine possession de mes moyens.

— Difficile d'être avec un homme qui est marié à son travail, finis-je par dire sans conviction.

— Je comprends.

— Vous savez, parfois, ce n'est pas ce que l'on croit… je veux dire que les apparences sont trompeuses, ajoutai-je, stupéfaite de l'avoir dit à haute voix.

— Je vois.

Il se tourna vers moi, un léger sourire étirant ses lèvres, et je baissai vivement les yeux. Je ne savais rien de cet homme. Sauf qu'il me plaisait beaucoup. Qu'il voulait se poser. Qu'il avait purgé une peine de prison pour des actes condamnables.

— Dites, vous regrettez d'avoir détourné cet argent ? demandai-je tout à trac.

Il pencha la tête et me dévisagea.

— C'est plus compliqué que ça.

— Pourquoi ne me racontez-vous pas votre histoire, l'Irlandais ?

Il se mit à rire.

— Peut-être un jour. On est presque arrivés à la maison.

On est presque arrivés à la maison. Comme si nous

avions un endroit à nous. Comme s'il allait entrer et se faire mordiller par Angus. Comme si j'allais nous préparer un truc à grignoter — ou qu'il allait le faire — avant qu'on mange du pop-corn devant un film. Ou pas. Parce que nous préférerions monter, nous débarrasser de tous ces vêtements contraignants et faire l'amour.

— Nous y voilà, dit-il en s'engageant dans l'allée avec moi.

La rampe glissante de la terrasse était si froide, et sa main dans mon dos dégageait tant de chaleur… Waouh ! Une seconde… Il avait *sa main* dans *mon dos*. C'était diablement agréable, comme s'il restait un petit rayon de soleil dans tout ce noir.

Je me tournai vers lui, et ce que j'allais lui dire se perdit dans son sourire et son regard intense posé sur moi. Que voulais-je lui dire ? Je n'en avais aucune idée et cela n'avait aucune importance.

Mes genoux flageolants se dérobèrent, et mon cœur se mit à tanguer comme sous l'effet de la houle. L'espace d'un instant, j'eus la sensation que ses lèvres se posaient sur les miennes, une impression forte et intense qui me laissa sans force et tremblante de désir. J'entrouvris les lèvres, battis des paupières et fermai les yeux. Il était comme un aimant, qui m'attirait irrésistiblement.

— Bonne nuit, ma « petite pochtronne ».

J'ouvris les yeux.

— Euh… bonne nuit, « mon petit pote ». Merci de m'avoir raccompagnée.

Il tourna les talons sur un sourire que je ressentis jusque dans ma moelle. Je le regardai s'éloigner pour retourner auprès de la femme qui n'était pas un rendez-vous galant. Je restai là sans vraiment savoir si j'en étais diablement soulagée ou profondément déçue.

16

— Salut, papa, dis-je à mon père qui lisait son journal sur la table de la cuisine, devant son verre de vin rouge.

Il avait pris pour argent comptant certaines études médicales qui disaient qu'un verre de vin par jour était bon pour la santé.

Mes cours terminés, j'avais fait une petite boucle par chez mes parents avant de rentrer chez moi. Cela m'arrivait souvent — on ne se refaisait pas ! Individuellement, c'étaient des gens charmants. Mon père était un homme raisonnable, sur lequel on pouvait compter — le meilleur des pères, à mon avis —, et notre passion commune pour la guerre de Sécession ne faisait que renforcer notre lien. Ma mère était d'une fine intelligence, pleine de vie, une maman dévouée qui nous confectionnait nos déguisements pour Halloween et qui préparait de délicieux cookies avec trois fois rien. Individuellement, c'était bien le mot… Mes parents avaient toujours donné l'impression de faire les choses chacun de leur côté. En fait, ils avaient des amis et une vie sociale des plus normale, mais j'avais très peu de souvenirs d'eux sortant en couple, et ne me rappelais pas les avoir surpris enlacés ou en train de s'embrasser amoureusement.

C'était plutôt désespérant. Et si, finalement, le mariage, c'était ça ? La sensation d'étouffer, l'irritation à fleur de peau, les regrets à peine voilés d'être passé à côté de sa vie. Le constat était amer quand je regardais autour de moi. Et maintenant, c'était le couple de Margaret et Stuart qui connaissait des trous d'air. Quant à ma grand-mère, je ne me souvenais pas de l'avoir entendue une seule fois évoquer avec nostalgie ses trois époux, auxquels elle avait survécu. Lui arrivait-il d'avoir une pensée attendrie pour eux ? Pas l'impression.

— Salut, ma fille, répondit-il en levant les yeux de son *Wall Street Journal*.

J'enlevai sa laisse à mon chien, qui se précipita sur lui.

Dans l'ordre de ses préférences, mon père arrivait en deuxième position.

— Alors, comment va ce petit bonhomme ?

Mon chien se mit à faire des sauts de cabri, tout en laissant échapper des petits jappements empreints d'amour.

— Oui, oui, oui, tu es un bon garçon !

— Il a encore des progrès à faire, avouai-je. Il a encore mordu mon voisin.

— Mince ! Et ça avance, pour les fenêtres ?

— Callahan a terminé.

A mon grand désarroi, je devais reconnaître que ça me manquait, de ne plus tomber sur lui en train de s'activer chez moi, de ne plus l'entendre siffloter, penché sur une fenêtre.

— Il a vraiment fait du bon travail. Merci encore, papa.

Il sourit en attrapant Angus pour le caresser.

— De rien. Au fait, j'ai entendu dire que tu tiendrais le rôle de Jackson pour la prochaine reconstitution de la bataille de Chancellorsville.

— Oui, et j'aurai même une monture, dis-je avec un sourire que je voulus modeste.

Nous avions la grande chance de compter parmi les membres des « Brother Against Brother » le propriétaire d'une écurie qui prêtait des chevaux pour l'occasion, à la condition d'avoir pris quelques cours d'équitation. Snowlight, le cheval blanc à la crinière duveteuse que je m'étais vu attribuer, avait néanmoins quelque peu douché mon enthousiasme et tempéré mon plaisir. Il n'était plus très jeune, affichait un embonpoint certain, et surtout souffrait d'une narcolepsie qui se traduisait, au moindre bruit inattendu, par une faiblesse musculaire. Je redoutais l'étape où j'allais devoir rallier la position de mes troupes, car cela risquait d'enlever de la solennité au moment. Le colonel Jackson étant néanmoins censé tomber sous les balles, le handicap de ma monture allait tomber à pic.

— Toi, tu as été formidable à Bull Run, soit dit en passant.

Mon père acquiesça d'un mouvement de tête, tout en tournant une page de son journal.

— Où est maman ?

— Dans le garage, répondit-il.

— L'atelier ! rectifia celle-ci derrière la porte.

La voix agacée de ma mère nous parvint distinctement dudit *atelier* — que mon père s'évertuait à appeler péjorativement « garage », la faisant littéralement bondir chaque fois. Elle ressentait cela comme une attaque personnelle, et un dénigrement de son expression créative.

— Elle est dans *l'atelier,* en train de faire ses sculptures porno ! renchérit mon père, en haussant la voix pour que sa femme l'entende.

Il referma le journal d'un mouvement sec.

— Que Dieu me pardonne, Grace, mais si on m'avait dit que votre mère allait péter les plombs, quand vous êtes toutes parties pour la fac…

— Papa, le coupai-je, tu pourrais faire des efforts, l'encourager, lui montrer que tu la soutiens…

— Pornographie ? Mon pauvre, tu es complètement hermétique à l'art ! Irrécupérable.

Je me tournai vers ma mère, qui se tenait dans l'encadrement de la porte, les joues rougies par la chaleur du four, tandis qu'Angus en profitait pour se faufiler entre ses jambes. Ses aboiements perçants remplirent l'air alors qu'il s'époumonait devant les sculptures.

— Salut, maman. Ça avance comme tu veux ?

— Bonjour, ma chérie, répondit-elle en m'embrassant sur la joue. J'essaie de faire un verre plus léger ; le dernier utérus que j'ai vendu pesait huit kilos six, mais, pour l'instant, le résultat n'est pas à la hauteur de mes espérances. J'obtiens quelque chose de plus léger, mais de plus cassant aussi.

Elle tourna la tête vers son atelier.

— Angus, non ! Reste loin de cet ovaire, bébé !

— Angus ! Cookie ! criai-je à mon tour.

Mon chien revint comme une flèche dans la cuisine, et ma mère ferma la porte derrière elle ; elle se dirigea vers le pot à cookies « spécial chien obéissant » que mes parents gardaient sous la main pour celui qui occupait la position de petit-fils en titre.

— C'est pour qui, ça ? C'est pour le plus mignon ! dit ma mère.

Angus s'assit, faisant le beau, les pattes de devant levées, à la plus grande joie de ma mère qui fondait à tous les coups.

— Que tu es mignon ! s'exclama-t-elle. Mais tu le sais, hein ? Tu es un gentil bébé ! Tu es mon Angus, mon petit ourson !

Elle finit par se redresser, se souvenant enfin de ma présence.

— Quel bon vent t'amène, Gracie ?

Dépité de ne plus être au centre de l'attention, mon toutou trottina jusqu'à la porte menant au jardin, en quête de quelque chose à vandaliser.

— Je me demandais juste si vous aviez parlé à Margaret dernièrement.

Depuis sa crise de larmes dans ma cuisine, j'avais à peine entraperçu ma sœur aînée, qui s'était encore plus plongée dans le travail.

Ma mère lança un regard noir à mon père.

— Jim ! Notre fille nous rend visite. Tu ne crois pas que tu pourrais oublier ton foutu journal et lui prêter un peu d'attention ?

Mon père leva les yeux au ciel, puis se remit à sa lecture.

— Jim !

— C'est bon, maman, ça va. Papa écoute… N'est-ce pas, papa ?

Celui-ci acquiesça, l'air résigné.

— Bon, au sujet de Margaret et Stuart, que veux-tu que je te dise ? Je compte sur eux pour faire ce qu'il faut pour sauver leur couple. Le mariage, ce n'est pas une mince affaire, c'est compliqué. Tu verras.

Ma mère donna une petite chiquenaude au journal de mon père, qui lui lança un coup d'œil plus qu'agacé.

— N'est-ce pas, Jim ? Que c'est compliqué…

— Avec toi, c'est sûr, marmonna-t-il.

— En parlant mariage, ma chérie, Natalie voulait qu'on lui confirme pour le brunch, ce dimanche, elle te l'a dit ?

— Mariage ? Quoi ?

Je grimaçai en entendant ma voix haut perchée.

— Quoi, quoi ? reprit ma mère.

— Tu viens de dire « en parlant mariage ». Ils se sont fiancés ?

Mon père baissa son journal et me regarda par-dessus ses lunettes.

— Ça te contrarierait, chaton ? demanda-t-il, l'air inquiet.

— Euh… non ! Bien sûr que non ! Non, évidemment ! Mais elle vous en a parlé ? Elle ne m'a rien dit, à moi.

Ma mère me tapota l'épaule.

— Elle n'a rien dit, mais Grace, ma puce… c'est quelque chose qui pourrait arriver dans un avenir proche.

— Oh ! je sais… Evidemment ! C'est ce que je leur souhaite. Ils sont faits l'un pour l'autre.

— Maintenant que tu as rencontré Wyatt, tout est différent. Ça doit faire moins mal, non ? s'enquit ma mère.

Une seconde, je faillis cracher toute la vérité sur Wyatt Dunn, mon saint-bernard de docteur. *Maman, papa, j'ai inventé toute cette histoire pour que Nat arrête de culpabiliser. Et pendant qu'on est dans les révélations, est-ce que je vous ai dit que je ressentais une très forte attirance pour mon voisin, le repris de justice ?* Comment réagiraient-ils ? J'imaginai leur consternation, leur inquiétude, peut-être même leur panique, devant la preuve irréfutable que je n'avais pas oublié Andrew, que je ne m'en remettrais jamais. Ils me penseraient irrécupérable, définitivement bonne à enfermer. Mon béguin pour Cal ? Rien de plus que le symptôme de mon état émotionnel fragile et bancal.

— Tu as raison. D'accord, dis-je lentement. J'ai Wyatt. Et des copies qui attendent d'être notées.

— Et moi, il faut que je me remette à mes sculptures, répondit ma mère. Mon *art* n'attend pas !

Elle pointa du menton le journal de mon père.

— Tu te feras à manger, lui lança-t-elle.

— Très bien, pas de problème. Et ça ne change pas grand-chose, car ta cuisine n'est plus qu'un lointain souvenir, depuis que tu es devenue une *artiste*.

— Vieillis un peu, Jim.

Ma mère se tourna vers moi.

— Attends une minute, ma chérie. Nous aimerions beaucoup rencontrer Wyatt, dit-elle, tout en attrapant son calendrier accroché à côté du frigo. Fixons une date maintenant.

— Maman, tu sais comment c'est. Il a un emploi du temps chargé. Il est sur Boston pour son travail quelques jours par semaine… euh… des consultations. A l'hôpital pour enfants. Oups, il se fait vraiment tard, il faut que j'y aille ! On se voit vite. Je t'appelle pour te donner une date.

Tandis que je circulais en ville, Angus sur les genoux, les pattes posées sur le volant comme s'il m'aidait à conduire, je repensai à chacune des petites histoires à l'origine de la rencontre de mes proches — une sorte de genèse, en somme.

Celle de mes parents était associée au lac Waramaug, dans le Connecticut, où mon père était maître nageur. Ma mère, pour amuser la galerie, avait fait semblant de se noyer. Elle n'avait que seize ans et faisait juste la fofolle avec ses copines ; si mon père avait été moins sérieux, sans doute l'aurait-il compris. Il l'avait si vertement réprimandée, après l'avoir sortie de l'eau, qu'elle avait fondu en larmes. Et là, il était tombé tout simplement amoureux d'elle.

Margaret et Stuart s'étaient rencontrés sur le campus d'Harvard au cours d'un exercice d'évacuation. C'était une nuit de janvier très froide et Margs n'était vêtue que de son pyjama. Stuart lui avait donné son manteau et, pour que ses pieds ne touchent pas la neige, l'avait laissée s'asseoir sur ses genoux, puis il l'avait ramenée, toujours en la portant jusque dans son dortoir (jusque dans son lit, précisait la petite histoire).

Moi aussi, je voulais mon histoire. Je ne voulais pas dire à mes enfants : « Papa et moi, nous nous sommes rencontrés sur un site de rencontres en ligne. Nous étions particulièrement désespérés l'un et l'autre, et nous n'avons pas trouvé d'autre moyen », ou : « Votre père pensait que je ne savais pas choisir une ampoule… que je me maquillais même pour aller me coucher ! »

Notre rencontre, à Andrew et moi, avait eu du panache, avec un cadre et un contexte hors du commun. Combien de filles pouvaient se vanter d'avoir rencontré leur moitié sur un champ de bataille, en l'occurrence celui de Gettysburg ? Je poussai la tête d'Angus, qui me gênait pour voir la route. Il est vrai que celle de Natalie et Andrew n'était pas mal non plus ! *Je m'étais fiancé à sa sœur, mais je sus à la seconde où je posai les yeux sur Natalie que je m'étais trompé de fille Emerson ! Ah, ah, ah !*

— Arrête, dis-je, me parlant à moi-même. Tu trouveras quelqu'un. Bien sûr que si. Tu ne demandes pas la lune ! Juste quelqu'un de bien. Alors oui… Natalie et Andrew vont se marier. Rien de nouveau sous le soleil. C'était écrit et il n'y a vraiment pas de quoi en faire un drame !

Dans ces conditions, pourquoi est-ce que je ne parvenais pas à chasser la sensation de tristesse qui me collait à l'âme ? Tandis que je faisais mes courses, m'arrêtant chez le marchand de vin, chez le glacier et au pressing, j'échafaudai tout un tas de scénarios qui auraient pu fonder le début de mon histoire à deux. *Il m'a recommandé du bon chardonnay à un prix abordable et, de fil en aiguille, nous avons longuement parlé… j'ai conservé la bouteille, en souvenir, là sur l'étagère.* Pas de chance, l'homme derrière la caisse avait soixante ans bien sonnés, de l'embonpoint et une alliance à l'annulaire gauche. *C'est devant la boutique Ben & Jerry's que nous nous sommes rentrés dedans. Nous n'étions pas d'accord sur le meilleur parfum ; il préférait Vanilla Heath Bar, et moi Coffee Heath Bar. Nous n'avons toujours pas réussi à nous mettre d'accord.* Pas plus de chance, il n'y avait qu'une gamine d'une douzaine d'années dans le magasin de glaces, et elle avait choisi le parfum Cinnamon. *Il était devant moi quand je suis entrée au pressing. Il venait chercher un costume et moi, mon uniforme de soldat confédéré…* Cette fois, il n'y avait pas de clients, et la propriétaire, une toute petite femme au visage doux, me tendit mon vêtement gris sous housse en disant :

— Faites attention de ne pas vous prendre une balle !

— Hélas, je ne l'éviterai pas, c'est écrit…, répliquai-je, forçant sur le sourire.

En arrivant chez moi, je pris le temps de ranger mes courses, puis, après avoir enlevé de la gueule d'Angus la boîte de tampons sur laquelle il s'acharnait, lui donnant à la place une friandise pour chien à mâchouiller, je me versai un verre de vin bien mérité. Dans une impulsion, je montai mon uniforme dans le grenier, chose que je ne faisais jamais d'habitude avant l'hiver, une fois la saison des batailles achevée. Je n'allumai pas. Je connaissais chaque recoin de cet espace, chaque obstacle par cœur, et pouvais m'y déplacer à l'aveugle.

Il était là. Allongé sur son pan de toit, les mains derrière la tête, les yeux tournés vers le ciel.

Notre rencontre ? Vous voulez savoir ? Je lui ai donné un bon coup de crosse de hockey. Il faut dire que je croyais qu'il était en train de dévaliser la maison d'à côté. C'était une erreur… Et c'était sa première nuit de liberté ! Qu'est-ce qu'il avait fait ? Oh ! trois fois rien… juste détourné plus d'un million de dollars.

Je finis par m'arracher au spectacle avec un soupir et redescendis. Je m'imaginai Wyatt Dunn rentrant à la maison, me prenant dans ses bras, le menton posé sur mes cheveux. Angus ne le mordrait pas, n'aboierait même pas. Nous nous assiérions sur le canapé et je lui verserais un verre de vin. Qu'il était agréable de raconter sa journée… J'étais d'ailleurs particulièrement fière de ma dernière idée. J'avais divisé la classe en deux groupes, les citoyens de la Confédération d'un côté et ceux de l'Union de l'autre, pour les faire débattre. Je ris en repensant au groupe des confédérés, qui avaient joué le jeu en prenant l'accent traînant du Sud, et au fou rire qui avait gagné la classe quand Emma Kirk avait imité le « taratata » de Scarlett O'Hara.

Je sursautai en entendant frapper à ma porte d'entrée. En pleine rêverie, je restai interdite et désorientée un bref instant, presque convaincue que c'était Wyatt qui se tenait derrière ma porte. Comme si, par les seules forces de la pensée, j'avais pu faire sortir mon « off » du néant ! Angus courut vers la porte en aboyant. Je l'attrapai et jetai un coup d'œil à l'extérieur. C'était Cal, descendu de son toit. Je sentis une chaleur familière envahir mes joues en ouvrant la porte.

— Salut, dis-je, tandis que mon chien grognait en montrant les dents.

— Salut, lâcha-t-il, appuyé contre le chambranle de la porte.

— Est-ce que ça va ? Il y a un problème ?

Mon interrogation était légitime… Il était tard, après tout.

— Ouais, lâcha-t-il nonchalamment.

Il me regardait et, pour la première fois, je remarquai que le bleu délavé de ses iris était piqueté de petites paillettes d'or, son T-shirt d'un vert anis. L'odeur du bois fraîchement coupé flotta entre nous.

— Qu'est-ce que je peux faire pour vous ?

Ma voix était rauque.

— Grace…

— Oui, soufflai-je.

— J'aimerais que vous arrêtiez de m'espionner.

J'aspirai une bouffée d'air, accusant le coup.

— Espionner ? Je ne… Non, je ne…

— De votre grenier. Est-ce que ça vous gêne que je sois sur mon toit ?

— Non ! Je faisais juste…

Hrrrr… Hrrrr… Ouarf ! Angus se débattait pour descendre de mes bras.

222

— Attendez une seconde. Ou plutôt entrez. Je vais le mettre dans le sous-sol, murmurai-je, sautant sur cette excuse pour prendre un peu de recul.

J'enfermai mon chien, inspirai profondément puis reportai mon attention sur mon voisin, qui avait fait un pas à l'intérieur. Le mot « ironique » me vint à l'esprit en remarquant son sourcil levé.

— Cal, je rangeais juste des affaires dans mon grenier. Je vous ai aperçu, et je me suis demandé ce que vous faisiez là, c'est tout… Je suis désolée si ça vous a dérangé.

— Grace, nous savons tous les deux que vous m'espionniez. Il faut arrêter.

— Bonjour la grosse tête ! m'exclamai-je. Je rangeais mon uniforme de l'armée des confédérés. Vous pouvez monter pour vérifier par vous-même…

Angus lâcha un bref aboiement derrière la porte du sous-sol. Brave bête ! Je pouvais compter sur son soutien en toute occasion.

Cal s'avança encore d'un pas et baissa les yeux sur moi. Son regard glissa vers mes cheveux, puis… oh, Seigneur… descendit sur mes lèvres.

— Il y a quelque chose que j'aimerais bien savoir, lâcha-t-il. Pourquoi votre petit ami vous laisse-t-il aussi souvent seule ?

Sa voix était douce.

Tout mon corps s'embrasa. Il ne fut qu'une immense vibration — ou une succession de pulsations.

— Eh bien…, murmurai-je, le souffle court. Je ne suis pas sûre que ça va fonctionner. Nous avons… euh… décidé de faire le point.

Dis-lui que tu es libre, Grace. Dis-lui que toi et Wyatt, c'est fini.

Mais rien ne sortit de ma bouche. En toute honnêteté, j'étais comme tétanisée. Tout mon corps frémissait à son contact. Par peur aussi qu'il ne profite de la situation, consciente que j'étais à un battement de cœur de me jeter sur lui et de lui arracher ses vêtements.

Au lieu de ça, j'imaginai soudain Cal, une expression sarcastique sur son visage séduisant, me repoussant en prononçant, d'une voix ferme et définitive, un « non merci ». Une sensation beaucoup moins agréable, qui me faucha debout, douchant mes élans.

— Alors…, dis-je d'une voix pincée. Il y a autre chose, monsieur O'Shea ?

— Non.

Devant l'intensité de son regard, je baissai les yeux. Mes joues me brûlaient.

— On ne m'espionne plus… D'accord ?

— Oui, murmurai-je. Désolée.

Puis il tourna les talons et s'éloigna, me laissant mortifiée et tremblante au milieu de mon salon, avec l'impression que mon soutien-gorge m'empêchait de respirer.

Je rendis les armes : j'étais irrésistiblement attirée par Callahan O'Shea, mais le reconnaître ne voulait pas dire que c'était une bonne chose, d'autant que je n'étais pas sûre du tout qu'il m'apprécie — même un peu ! La question du casier judiciaire n'était même pas forcément le problème. Après tout, il n'avait tué personne. Détournement de fonds, oui, c'était un délit, mais ce n'était pas un acte criminel… et s'il le regrettait… Et puis, il avait purgé sa peine, payé sa dette à la société, etc.

Non. Ce n'était pas la question de son passé, même si cela pouvait peser un peu dans la balance. C'était le fait que toute ma vie, j'avais su ce que je voulais. Andrew correspondait en tout point à mon idéal. Cela s'était mal terminé, mais je n'aspirais qu'à rencontrer un autre Andrew, cette fois sans la complication de la sœur chérie.

Callahan était attirant, mais je ne pourrais jamais être apaisée avec lui. Il n'était pas du genre à me regarder avec adoration. Il… il… il était juste *trop*. Trop fort, trop beau, trop séduisant, trop attirant, et il faisait naître en moi un tumulte d'émotions. C'était déstabilisant, vraiment. Je me montrais irritable, lunatique et lascive quand je ne voulais être que douceur, amour et tendresse. Je voulais… être comme Natalie. Je voulais… un homme qui me regarderait comme Andrew regardait ma sœur. Callahan, lui, me regardait comme s'il avait accès à tous mes vilains petits secrets.

17

Un soir où j'étais restée un peu plus tard à Manning, pour peaufiner ma présentation de candidature à la chaire d'histoire, j'eus la surprise de voir mon beau-frère entrer dans mon bureau. Il y avait peu de chances pour qu'on se croise, si on s'en remettait au seul hasard, son bureau se situant dans le bloc récent de l'aile sud du campus, le Caybridge Hall, à l'opposé du Lehring, le plus ancien bâtiment de Manning qui abritait, fort légitimement à mes yeux, le département d'histoire.

— Salut, Stuart ! m'exclamai-je en me levant pour lui faire la bise.

— Comment ça va, Grace ? demanda-t-il.

— Pas mal. Assieds-toi. Tu veux boire quelque chose ?

— Non, merci. Je voulais juste te parler, si tu as quelques minutes…

Je le dévisageai, remarquant ses yeux éteints et ses larges cernes. Même sa barbe me parut plus grise que quelques semaines plus tôt. Stuart avait une mine de déterré. Je me rassis derrière mon bureau et inspirai profondément.

— Tu veux me parler de Margaret ?

Il baissa les yeux.

— Grace…, dit-il en penchant la tête, mal à l'aise. Est-ce qu'elle t'a dit pourquoi nous étions… séparés ?

— Euh…, m'interrompis-je, hésitant soudain sur ce que je devais répondre. Elle n'est pas rentrée dans les détails…

— J'ai soulevé l'idée de faire un bébé, murmura Stuart. Et là, elle a carrément explosé. A l'entendre, il semblait

Un petit mot
Annie

soudain que nous avions toutes sortes de problèmes dont je n'avais même pas conscience. Apparemment, je serais très ennuyeux, je ne lui parlerais pas assez de mon travail. Elle dit qu'elle a l'impression de vivre avec un inconnu. Ou un frère. Ou un vieux de quatre-vingt-dix balais. Soi-disant que nous ne nous amusons pas assez ; à l'entendre, nous avons tout raté parce que nous ne partons pas sur un coup de tête pour les Bahamas, avec pour seul bagage une brosse à dents et un guide touristique... Comment faire, alors qu'elle travaille soixante-dix heures par semaine, tu peux me le dire ? J'aimerais voir sa tête si je lui faisais ce coup !

Il n'avait pas tout à fait tort, et je hochai la tête, impuissante. Pour le dire gentiment, Margaret était plutôt du genre lunatique.

Il laissa échapper un soupir de lassitude.

— Tout ce que je voulais, c'était parler — juste parler — de l'idée d'avoir un bébé. Je sais que nous avions dit que nous n'en voulions pas, mais nous avions vingt-cinq ans quand nous l'avons décidé. C'était il y a longtemps, nous étions jeunes... Nous avons changé, et je pensais que nous pouvions au moins y repenser. Et maintenant, elle parle de divorcer.

— Divorcer ? dis-je, d'une voix proche du couinement. Oh ! Je ne savais pas, Stuart...

Je restai silencieuse quelques secondes, puis repris :

— Tu connais Margaret... la foudre et le tonnerre à elle toute seule. Je doute qu'elle veuille vraiment...

Ma voix baissa. Qu'est-ce que je connaissais des envies de ma sœur ? D'un côté, je ne parvenais pas à l'imaginer divorcer de Stuart, mais je savais aussi qu'elle était impulsive. Sur un coup de tête, elle était capable de tout, et il n'était pas dans ses habitudes de reconnaître qu'elle avait fait une erreur ou qu'elle avait tort.

— Qu'est-ce que je suis censé faire ? demanda-t-il, d'une voix brisée.

— Oh ! Stuart...

Je me levai et lui tapotai maladroitement l'épaule.

— Ecoute, murmurai-je. Il y a une chose...

Je m'interrompis, réprimant à la fois une grimace et la phrase qui me venait à l'esprit. *Vous programmez les moments où vous faites l'amour !*

— Peut-être que… euh… les choses sont devenues… un peu trop routinières entre vous ? fis-je remarquer, d'une façon qui me parut plus diplomatique. Peut-être que se surprendre de temps en temps…

Sur la table de la cuisine, par exemple. Nouvelle grimace réprimée.

— Ce ne serait pas une mauvaise chose de lui montrer que tu fais vraiment… attention à elle.

— Mais je fais attention à elle, protesta-t-il, en se frottant les yeux d'une main, comme le font souvent les hommes qui se trouvent devant un problème. Grace, je l'aime ! Je l'ai toujours aimée. Je ne comprends pas pourquoi ça ne lui suffit plus…

Je me sentis plutôt soulagée en ne voyant pas ma sœur, au moment où je rentrai chez moi — même si, au fond, je n'en fus pas particulièrement surprise. Comme l'avait fait remarquer Stuart, Margaret était surbookée, avec des journées de travail interminables. Je chassai de mon esprit leurs problèmes conjugaux et me préparai à la va-vite un truc à grignoter, avant de monter me changer dans ma chambre pour ma soirée « Danse avec les anciens ».

Je jetai un coup d'œil par la fenêtre vers la maison de Callahan, que je n'avais pas revu depuis qu'il m'avait accusée de l'espionner, remarquai les nouveaux bardeaux sur le toit, ainsi que la jolie terrasse aux lignes courbes, à l'arrière. Ces deux derniers jours, il avait travaillé à l'intérieur et je n'avais même pas pu l'apercevoir, à mon grand regret.

— Allez, Angus, on y va.

Je rassemblai mes affaires et quittai la maison, mon chien bondissant joyeusement à mes côtés. Il me connaissait bien et savait ce que ça voulait dire, quand j'enfilais ma jupe froufroutante. J'entrai dans ma voiture et, d'une façon automatique, je pris mon allée en marche arrière jusqu'à la rue.

Un bruit de tôle froissée me fit piler net.

Le pick-up de Callahan! Il l'avait garé dans la rue, mais pourquoi l'avait-il collé si près de mon allée? Bon, peut-être pas collé-collé, mais j'avais pris de mauvaises habitudes, n'ayant pas eu, jusqu'à présent, de voisins de ce côté de la rue. J'avais dû braquer un peu trop vivement... Je soupirai. Pas la peine de me chercher des excuses, j'étais en tort... Avec un peu de chance, il y aurait plus de peur que de mal...

Je sortis de la voiture pour inspecter les dégâts. Quelle galère! Cal allait être furieux d'apprendre que j'avais embouti son feu arrière gauche. Ma voiture, en revanche, n'avait rien, à peine une rayure à l'endroit du choc. Les voitures allemandes étaient robustes.

Je jetai un coup d'œil à ma montre et me dirigeai vers la maison de celui-ci, résignée à confesser ma bêtise.

Je frappai vivement à la porte. Pas de réponse.

— Callahan? appelai-je. C'est pour votre voiture...

Toujours rien. Il n'était pas chez lui. Je n'avais pas de stylo sous la main, bien sûr, et pas le temps d'aller en chercher un chez moi, si je ne voulais pas arriver en retard à la maison de retraite. J'étais déjà limite.

Tant pis! Il attendrait. Je redescendis l'allée, et repartis, après avoir poussé Angus qui occupait le siège conducteur.

Tout en roulant vers Golden Meadows — mon chien assis sur mes genoux, ses adorables petites pattes de devant posées sur le volant —, je me pris à m'imaginer en mère célibataire. En recourant à une banque du sperme, je simplifiais les choses. Terminée, la quête de l'homme de ma vie. Finies, les rencontres plus que hasardeuses sur le Net.

En longeant le lac, magnifié par un soleil couchant qui embrasait l'horizon, mon regard s'attarda sur deux bernaches du Canada au long cou noir qui piquaient vers l'eau, dans un mouvement gracieux. A l'instant où elles se posèrent à la surface, elles nagèrent l'une vers l'autre. Magnifique tableau respirant la douceur, la tendresse. Tout ce à quoi j'aspirais.

De mieux en mieux : voilà que je me mettais à envier des oies, maintenant !

Je me garai dans le parking visiteurs de la maison de retraite et me dépêchai de rejoindre l'accueil, sentant le calme et la quiétude m'envahir. Cet endroit avait sur moi un effet bienfaisant.

— Salut, Shirley, lançai-je à la standardiste en entrant.

— Salut, Grace.

Elle sourit.

— Et qui est là ? Mais c'est Angus ! Salut, bébé ! Salut, toi ! Est-ce que tu veux un cookie ?

J'assistai amusée à la scène. Elle fondait littéralement devant mon chien, qui jouissait ici d'une très grande popularité. Il était d'ailleurs particulièrement conscient d'avoir une audience gagnée à sa cause. Il leva la patte droite, pencha sa petite tête, et Shirley s'extasia bruyamment.

— Tu es sûre, ça ne te gêne pas de le surveiller ? demandai-je.

— Si ça me gêne ? Penses-tu ! Il est si gentil ! Je t'adore, toi, tu sais !

Un dernier regard sur Angus qui mangeait avec délicatesse son cookie (il savait se tenir en public !), et je m'élançai en souriant dans le couloir.

— Bonsoir tout le monde ! m'exclamai-je en pénétrant dans la grande salle commune, où avait lieu le cours de danse hebdomadaire.

— Bonsoir, Grace ! répondirent en chœur les participants.

J'étreignis les corps fragiles, embrassai les joues ridées, tapotai les épaules frêles, et j'en retirai du réconfort et une nouvelle énergie.

Julian était là aussi, et la vue de mon vieux copain me fit presque fondre en larmes.

— Oh ! que tu m'as manqué, toi ! m'exclamai-je.

Le cours de la semaine dernière avait été annulé pour cause de dépistage gratuit de l'hypertension artérielle des pensionnaires.

— Tu m'as manqué aussi, répliqua-t-il en faisant des

grimaces. En fait, les rencontres en ligne, ce n'était pas une si bonne idée ! Et si on oubliait tout ça ?

— Qu'est-ce qui s'est passé ?

— Rien de transcendant, répondit-il. Disons que… je ne dois pas être fait pour vivre en couple. Sur le plan « sentiments », je veux dire. Mais bon, y a pire que d'être célibataire, tu n'es pas d'accord ?

— Tout à fait, mentis-je. Absolument ! Pourquoi ne viendrais-tu pas regarder *Projet haute couture,* demain, à la maison ?

— Merci. Je me sens si seul…, répondit-il avec un pauvre sourire.

— Et moi donc !

Il me tapota la tête et enclencha la musique.

— Tout le monde est prêt ? lança-t-il à la ronde, annonçant ainsi le début du cours. Tony Bennett, « Sing, You Sinners ! ». Et si nous faisions un petit lindy hop pour nous mettre en jambes, Gracie ?

Trois danses plus tard, les joues rouges et le souffle court, j'allais m'asseoir auprès de ma grand-mère.

— Salut, mémé, dis-je en lui appliquant une bise sur sa joue ridée.

— Regarde-toi… Tu ne ressembles à rien, grogna-t-elle entre ses dents.

— Merci, mémé ! Toi aussi, tu es en beauté, ce soir ! répondis-je en haussant la voix.

Ma grand-mère était singulière. Elle ne semblait trouver de plaisir qu'en débinant les gens. Elle n'avait jamais aucune parole bienveillante à mon égard, mais j'avais pourtant la faiblesse de croire qu'elle aimait m'avoir dans son environnement, à sa disposition, fière que je sois appréciée. Il devait bien y avoir, dans un recoin de cette vieille dame aigrie, la grand-mère qui éprouvait de l'affection pour ses trois petites-filles. Même si, jusqu'à présent, la Dame Revêche avait réussi à bâillonner et ligoter la Gentille Mémé, je ne désarmais pas… Il n'était pas interdit d'espérer.

— Alors, quoi de neuf ?

— Qu'est-ce que ça peut bien te faire ?

— Ça m'intéresse. Et je m'y intéresserais plus si tu étais un peu aimable avec moi de temps en temps.

— Que nenni ! Tu n'en veux qu'à mon argent, lâcha-t-elle, agitant dédaigneusement sa main marbrée de taches de vieillesse.

— Ne me dis pas qu'après deux cents ans d'une existence menée tambour battant, tu n'as pas dilapidé tout ton argent, répliquai-je.

— T'inquiète, ma petite. Il m'en reste ! J'ai enterré trois maris, mademoiselle ! Pourquoi me serais-je mariée si ce n'était pas pour être à l'abri ?

— Quel romantisme ! Vraiment. J'en ai presque les larmes aux yeux.

— Grandis un peu, Grace ! Une femme de ton âge n'a plus de temps à perdre. Et puis, montre-moi plus de respect, sinon je pourrais bien te rayer de mon testament.

— Tu sais quoi, mémé ? m'exclamai-je en lui tapotant sa maigre épaule. Tu devrais prendre ma part et la dépenser. Je ne sais pas, moi… Dans une croisière. Des diamants. Les services d'un gigolo.

Elle s'étouffa d'indignation, sans toutefois quitter des yeux les danseurs. Est-ce que je me faisais des idées, ou battait-elle la mesure avec le petit doigt sur « Papa Loves Mambo » ? Je sentis mon cœur se gonfler, gagnée malgré moi par l'émotion.

— Tu veux danser ? lui demandai-je doucement.

Car après tout, elle marchait très bien. Le fauteuil, c'était pour le folklore — et parce qu'avec un centre de gravité plus bas, elle avait un meilleur point d'impact, quand elle décidait de jouer aux quilles avec les gens.

— Danser ? bougonna-t-elle. Avec qui, grands dieux ?

— Eh bien, je…

— Et d'ailleurs où est-il, cet homme dont tu n'arrêtes pas de parler ? Tu l'as effrayé, c'est ça ? Ça ne me surprendrait pas. Ou peut-être est-il tombé amoureux de ta sœur, lui aussi ?

Je tressaillis.

— Bon sang, grand-mère ! balbutiai-je, la gorge serrée et sentant monter les larmes.

— Oh ! remets-toi ! Ce n'était qu'un bon mot.

Accusant difficilement le coup, je m'éloignai, et acceptai la valse un peu raide de M. Demming. Je n'avais d'autres grands parents qu'elle. Je n'avais pas connu mon grand-père biologique — le premier mari que ma grand-mère avait enterré —, mais, d'après tous les souvenirs et les anecdotes que nous racontait mon père, il ne faisait nul doute que je l'aurais adoré. Ses deux autres maris avaient été deux hommes charmants ; grand-père Jake, qui était mort quand j'avais douze ans, puis Poppa Frank quand j'étais en terminale. Quant aux parents de ma mère, deux êtres merveilleux, ils nous avaient quittés à quelques mois d'intervalle quand j'étais encore au lycée. Ainsi, par une cruelle ironie du sort, mon seul aïeul survivant était un vrai chameau qui crachait sa méchanceté avec une précision imparable.

A la fin du cours, Julian me colla une bise sur la joue pour me dire au revoir. Je sentais le regard de ma grand-mère posé sur moi. Elle ne perdait rien de la scène et m'attendait avec la vigilance d'un vautour. Je savais par expérience qu'il ne servait à rien de lui dire qu'elle m'avait blessée : cela n'aurait fait que lui donner plus de pouvoir. Elle m'accuserait de ne pas avoir le sens de l'humour, puis se ferait un malin plaisir d'appeler mon père pour se plaindre de moi. Résignée, je pris les poignées de son fauteuil et poussai lentement mon petit tyran dans le couloir pour la raccompagner jusqu'à son appartement.

Elle interpella une dame d'allure craintive, la forçant à s'arrêter.

— Edith, c'est ma petite-fille. Elle me rend visite. Grace, Edith est nouvelle, ici.

Je n'étais pas dupe de cet excès d'amabilité, et le sourire démoniaque que je vis se dessiner sur les lèvres de ma grand-mère me conforta dans mon idée.

— Et toi, est-ce que tu as reçu des visites, cette semaine ?

— En fait, mon fils et sa…

— Grace, elle, vient chaque semaine. Pas vrai, Gracie ? coupa-t-elle cavalièrement.

— Oui. J'anime le cours de danse de salon, répondis-je en souriant. Vous êtes la bienvenue.

— Oh ! j'adore danser ! s'exclama Edith. Vraiment ? Je peux venir ?

— De 19 h 30 à 21 heures. Je viendrai vous chercher.

Irritée de ne plus mener le jeu, ma grand-mère se mit à tousser sur commande pour ramener l'attention sur elle.

— Ravie d'avoir fait votre connaissance, dis-je à la vieille dame, soudain très pressée d'écourter ce moment.

La toux sèche de mon aïeule remplissait l'air et, avant qu'elle ne s'étouffe vraiment, je me remis en marche.

— Arrête-toi, m'ordonna-t-elle soudain alors que nous traversions le foyer.

— Hé vous, là-bas ! Qu'est-ce que vous cherchez ? l'entendis-je dire à un homme qui venait de déboucher d'un couloir.

C'était Callahan.

— Ne croyez pas que ce soit un endroit facile à cambrioler, je vous le dis, jeune homme. Nous avons des caméras de sécurité ! Des alarmes, aussi ! La police peut débarquer dans la seconde.

— Laissez-moi deviner : vous êtes de la même famille ?

Je souris et fis les présentations.

— Ma grand-mère, Eleanor Winfield. Mémé, je te présente mon voisin Callahan O'Shea.

— Ah, les Irlandais !

Elle ricana avant de poursuivre :

— Ne lui prête pas d'argent, Grace. Il le dilapidera dans la boisson. Et pour l'amour du ciel, ne le laisse pas entrer chez toi. Ce sont des voleurs, les Irlandais…

— Les clichés ont la vie dure, soupirai-je, avec une grimace.

Cal me fit un sourire complice qui réveilla en moi cette petite réaction physique, douce et chaude, au fond du ventre.

— Ma famille avait une bonne irlandaise quand j'étais enfant, poursuivit-elle sans le quitter des yeux, l'air de vouloir en découdre. Elle s'appelait Eileen. Ou Irène. Peut-être Colleen. Vous la connaissez ?

— C'était ma mère, lâcha-t-il sans se démonter.

Je me mis à glousser sans pouvoir m'en empêcher.

— Elle nous a volé sept cuillères avant que mon père ne découvre son petit jeu. Sept ! s'indigna ma grand-mère.

— Nous adorions ces cuillères. Qu'est-ce qu'on a pu s'amuser avec ! Pour manger, se donner des coups sur la tête. On les lançait aussi sur les cochons dans la cuisine. Ah, c'était le bon vieux temps !

— Ce n'est pas drôle, jeune homme, dit-elle en reniflant.

Moi, en revanche, je trouvais que ça l'était, et cela me fit même rire.

— Vous rendez visite à votre grand-père, Callahan ? parvins-je à articuler.

— Exact.

— Comment va-t-il ? Je suis sûre qu'il attend avec impatience de connaître la fin de l'histoire entre le duc et Clarissia !

Nous échangeâmes un coup d'œil complice.

— Sans aucun doute.

— J'ai cru un instant que vous étiez là à cause de votre pick-up, poursuivis-je sur ma lancée.

— Comment ça, mon pick-up ? demanda-t-il, le visage soudain sérieux.

Je me sentis rougir.

— Ce n'est rien, ça se voit à peine…

— Qu'est-ce qui se voit à peine ? répéta-t-il, la voix tendue.

— Juste un petit impact de rien du tout. Peut-être un feu arrière cassé…

Je le vis se rembrunir davantage.

— En fait, ça ne fait aucun doute… mais pas d'inquiétude, j'ai une assurance, ajoutai-je.

— Je suis heureux de l'entendre, grommela-t-il.

— Grace ! Ramène-moi dans mon appartement, déclara ma grand-mère.

— Une minute, petit despote, je parle avec mon voisin.

— Tu n'auras qu'à le faire demain matin.

Elle fusilla du regard Callahan. Ce dernier l'affronta sans sourciller et je me surpris à sourire de nouveau. Rares étaient les personnes qui n'étaient pas impressionnées par ma grand-mère. Il ne m'en parut que plus sympathique.

— Cal, vous êtes venu comment ?

— J'ai pris mon vélo.

— Vous voulez que je vous ramène ? Il fait nuit.

Il me dévisagea un instant, puis ébaucha un sourire. Sans manquer, une chaleur agréable se propagea en moi.

— D'accord. Je veux bien.

— Tu ne devrais pas le faire monter dans ta voiture, bougonna ma grand-mère. Il va t'étrangler et se débarrasser de ton corps dans le lac.

— C'est ce que vous avez l'intention de faire ?

— J'y réfléchis, répondit-il, pince-sans-rire.

— Bien. Maintenant que vos noirs desseins sont percés à jour, je sais à quoi m'en tenir !

— Vous permettez ? lança-t-il, en s'emparant d'autorité des poignées du fauteuil roulant. Dans quelle direction allons-nous, charmantes dames ?

— Est-ce que c'est l'Irlandais qui me pousse ? demanda ma grand-mère, en se tordant le cou pour tenter de voir par-dessus son épaule.

— Allez, mémé… Tu es entre les mains d'un grand, fort et séduisant garçon. Sois tranquille et profite de la balade.

— On dirait une coureuse qui parle, marmonna-t-elle.

Elle se mura dans le silence le temps du trajet. Arrivée devant sa porte, elle lâcha un « bonne nuit » sec, et, tel un dragon protégeant sa grotte et le tas d'or qui s'y trouvait, fixa ostensiblement Callahan jusqu'à ce que ce dernier, finissant par saisir l'allusion, recule de quelques pas dans le couloir.

— Bonne nuit, mémé.

— Ne lui fais pas confiance, me chuchota-t-elle. Je n'aime pas la façon dont cet homme te regarde.

Je jetai un œil vers le couloir, et je fus tentée de lui demander comment il me regardait.

— D'accord, mémé.

— Quelle gentille et douce vieille dame, ironisa-t-il quand je le rejoignis.

— Elle est horrible, admis-je.

— Vous lui rendez souvent visite ?

— Oui, et j'ai bien peur d'être trop faible avec elle.

— Pourquoi le faites-vous, alors ?

— Par sens du devoir, je suppose.

— Vous semblez donner sans compter pour votre famille ? En font-ils autant pour vous ?

Surprise par cette réaction, je marquai un imperceptible mouvement de recul.

— Oui, ils sont formidables. Nous sommes très proches les uns des autres.

Pour je ne sais quelle raison, son commentaire m'avait piquée au vif.

— Vous ne les connaissez pas. Vous ne devriez pas dire ça.

— Mmm… Sainte et martyre avec ça, énonça-t-il en haussant un sourcil.

— Je ne suis pas une martyre ! m'écriai-je.

— Votre sœur a emménagé chez vous et vous mène par le bout du nez, votre grand-mère vous parle mal, mais vous encaissez sans vous défendre, vous mentez à votre mère en prétendant que vous aimez ses sculptures… Pour moi, vous en montrez tous les symptômes.

— Vous ne savez pas de quoi vous parlez. Et c'est plutôt fort de café, venant de quelqu'un qui ne compte que deux personnes dans sa famille, l'une à qui vous ne parlez plus, et l'autre qui ne peut plus parler. Qu'est-ce que vous y connaissez, à la famille ?

— Eh bien, voilà… Moi qui me demandais si elle mordait…, ironisa-t-il.

Il semblait retirer une certaine satisfaction de cet échange.

— Je ne vous ai pas forcé à rentrer avec moi, vous pouviez refuser, Callahan O'Shea. Libre à vous de retourner chez vous à vélo, au risque de vous faire heurter par une voiture… Pour ce que j'en ai à faire.

— Vous sur la route, les risques sont multipliés, en effet !

— Oooh… taisez-vous donc et faites comme ça vous chante.

— Bon, bon. On se calme…

Rongeant mon frein, j'accélérai le pas, tandis que nous nous dirigions vers la réception pour y récupérer mon… fauve. Les talons de mes chaussures de danse battaient le carrelage, dans un cliquetis qui trahissait mon énervement.

— Est-ce qu'il a été sage ? demandai-je à Shirley.

— Oh ! un vrai petit ange ! répliqua-t-elle en bêtifiant.

— Quel sédatif lui avez-vous donné ? ironisa Cal.

— Il n'y a que vous qu'il n'aime pas, affirmai-je pendant qu'Angus montrait les dents en grognant. Et il a un excellent jugement.

Quand nous sortîmes, il pleuvait, et j'eus une pensée pour mes pivoines. Cela allait booster leur croissance. J'étais en revanche moins ravie de l'effet de l'humidité sur mes cheveux ! Cal retira l'antivol de son vélo attaché à un réverbère, et le fit rouler jusqu'à ma voiture. J'ouvris mon coffre, mais il resta immobile, sous la pluie, le regard fixé sur moi.

— Eh bien ? Allez-y, mettez-le.

— Ne vous sentez pas obligée de me ramener si vous n'en avez pas envie. Je vous ai fâchée. Je peux rentrer par mes propres moyens.

— Je ne suis pas fâchée, et ne dites pas de bêtises. Mettez ce vélo dans la voiture et allons-y. Angus et moi, on est trempés.

— Bien, m'dame.

Je le regardai le glisser dans le coffre, qu'il ne put fermer complètement. J'allais devoir rouler plus précautionneusement. Je pris place derrière le volant, Angus sur mes genoux. Ce serait le bouquet si je lui esquintais aussi son vélo ! Un coup d'œil dans mon rétroviseur amplifia ma contrariété : mes cheveux avaient définitivement fait sécession et menaient leur vie. Je soupirai.

— La colère vous va bien, dit-il en s'installant près de moi.

— Je ne suis pas en colère, répliquai-je.

— Oh ! mais vous avez le droit de l'être ! murmura-t-il en attachant sa ceinture de sécurité.

— Je vous dis que je ne le suis pas ! ripostai-je, en criant presque.

— Si vous le dites.

Son bras effleura le mien, et une décharge électrique me traversa de la tête aux pieds. Je regardai droit devant, le souffle court, attendant que cette sensation vertigineuse passe.

Cal se tourna vers moi.

— Ce chien est-il toujours assis sur vos genoux quand vous conduisez ?

— Comment peut-il apprendre, s'il ne s'entraîne pas ?

En le voyant sourire, je sentis mon énervement fondre comme neige au soleil. Je sortis lentement en marche arrière de ma place de parking. Il sentait bon l'odeur chaude de bois, qui se mélangeait d'une façon incroyable avec celle de la pluie qui imprégnait l'habitacle, et j'eus envie de glisser le visage dans son cou. Cela le gênerait-il si j'y cédais ? Après m'être garée, bien sûr.

— Comment allait votre grand-père, aujourd'hui ?

— Pareil, murmura-t-il, la tête tournée vers la vitre.

— Pensez-vous qu'il vous reconnaît ?

La question à peine prononcée, j'eus conscience que ce n'étaient pas mes affaires.

— Je ne crois pas, répondit-il après un long silence.

Tant de questions me brûlaient les lèvres. *Est-ce qu'il a su que vous aviez fait de la prison ? Que faisiez-vous dans la vie, avant ? Pourquoi votre frère ne vous parle-t-il plus ? Pourquoi avez-vous volé cet argent ?*

— Comment avancent les travaux chez vous ? me contentai-je de dire, tout en prenant à gauche sur Elm Street.

— Plutôt bien. Vous devriez passer pour voir.

Je coulai un regard vers lui.

— J'aimerais beaucoup.

Après une brève hésitation, je poursuivis :

— Callahan… Que faisiez-vous avant la prison ?

— J'étais comptable.

— Vraiment ?

J'aurais pensé à une activité plus en lien avec l'extérieur — un cow-boy, par exemple ! Non, je ne le voyais vraiment pas dans un bureau.

— Vous en aviez assez, de ce travail ? C'était barbant, c'est ça ?

— En enfreignant la loi, j'ai perdu le droit d'exercer ce métier.

Bien sûr... Qu'est-ce que j'avais dans la tête ?

— Pour quelles raisons l'avez-vous fait ?

— Pourquoi avez-vous tant envie de le savoir ?

— Parce que je n'ai jamais côtoyé de gens qui ont fait de la prison !

— Et si je n'avais pas envie que l'on pense à moi comme celui qui a fait de la prison ? Peut-être que j'attends qu'on me voie tel que je suis maintenant.

— J'enseigne l'histoire, monsieur O'Shea, et le passé a beaucoup d'importance pour moi.

— Je n'en doute pas.

Sa voix était calme.

— C'est dans le passé qu'il nous faut trouver le sens des comportements présents et à venir, déclarai-je.

— Qui a dit ça ? Abe Lincoln ?

— Non, c'est Dr Phil, psychologue et auteur de best-sellers sur la nutrition, plaisantai-je.

Cela m'amusa, mais pas lui.

— Qu'insinuez-vous, Grace ? Je l'ai fait une fois, et donc je le referai ? Vous vous attendez à ce que je détourne vos économies ?

— Oh, mon Dieu, non ! Juste... eh bien, vous avez enfreint la loi, alors qu'est-ce que ce passage à l'acte révèle ? Cela veut forcément dire quelque chose. Mais si vous refusez d'en parler...

— Et votre passé, que dit-il de vous ? persifla-t-il.

Mon passé, c'était Andrew. Qu'est-ce que ça disait de moi ? Que je ne savais pas juger les gens ? Que je n'étais pas de taille face à Natalie ? Que je n'étais pas assez bien ? Qu'Andrew était un pauvre type ?

— Si vous avez projeté de vous débarrasser de moi, c'est le moment ou jamais, lançai-je, tandis que nous longions le lac.

La commissure de ses lèvres se releva, mais il ne répondit pas.

— Pour votre pick-up, je suis vraiment désolée, repris-je, au moment où je me garais dans notre rue. Je vais appeler mon assureur dès demain.

— Je suis sûr que son numéro est dans vos favoris !

— Très drôle.

Il lâcha un rire rauque qui me fit chavirer.

— Merci pour la balade.

— Si un jour vous avez besoin d'en parler, je suis là, insistai-je.

— Sainte, martyre et, à l'occasion, bureau des pleurs. Bonne nuit, Grace.

18

— Elle est... euh... magnifique, balbutiai-je en regardant la bague de Natalie.

Elle rosit, déjà dans la posture de la jeune mariée.

Voilà... le moment tant redouté était arrivé. Le diamant — d'un carat, peut-être plus — était en forme de poire joufflue, joliment sertie. Je battis des paupières. Elle me plaisait beaucoup. C'était la mienne. Enfin, je voulais dire que j'avais sa jumelle dans ma boîte à bijoux, ne m'étant pas résignée à m'en séparer. Bon sang ! Andrew manquait-il à ce point d'originalité ? Etait-ce moi qui voyais le mal partout ou abusait-il vraiment ? Quand même ! Ce n'est pas parce qu'il s'était fiancé avec les deux sœurs qu'il devait leur offrir les deux mêmes bagues.

— Merci, murmura Nat, émue.

Elle était à mille lieues de ces considérations, et ne se doutait pas que nous avions reçu du même homme les mêmes bagues de fiançailles.

Nous nous étions discrètement éclipsées de la table familiale et étions venues nous asseoir, elle et moi, dans le jardin de mes parents, à l'arrière de la maison.

— Es-tu sûre qu'il n'y a aucun problème pour toi ? demanda ma sœur, en glissant sa main dans la mienne.

— S'il te plaît, Natalie, arrête de me poser constamment cette question, rétorquai-je un peu trop vivement.

Regrettant aussitôt cet accès d'impatience et d'irritation, je pressai sa main.

— Je ne veux que ton bonheur, et si tu es heureuse, je le suis aussi.

— Tu es juste fantastique, Grace. C'est toi qui as permis notre rapprochement. Sans toi… Rien ne t'y obligeait.

Ça, tu peux le dire ! J'émis un petit rire qui se voulut désinvolte, puis laissai le silence s'installer tandis que ma sœur, radieuse, contemplait sa bague. Un rayon de soleil éclairait ses cheveux.

— Alors, est-ce que vous avez fixé une date ?

— Eh bien, je voulais d'abord en parler avec toi, dit-elle en relevant la tête. Nous avons décidé de nous marier… Nous voulons le faire assez vite, mais rien d'extravagant ni de démesuré. Nous préférerions une cérémonie intime. Un dîner avec la famille et quelques amis. Qu'est-ce que tu en penses ?

— Ça me paraît bien.

— Grace, je me demandais si…, lança-t-elle, avant de marquer une brève hésitation. Voudrais-tu être mon témoin ? Je sais que les circonstances sont un peu particulières, mais depuis l'enfance, j'ai toujours pensé que ce serait toi. Si tu ne veux pas, je comprendrai, bien sûr. Margaret sera ma demoiselle d'honneur, évidemment.

Comment pouvais-je refuser ?

— Evidemment, murmurai-je. J'en serais fière.

Mon cœur battait au ralenti et fort, des coups sourds qui cognaient dans ma poitrine, résonnant jusque dans ma tête.

— Merci, murmura Nat en me serrant dans ses bras.

Un bref instant, nous étions redevenues des enfants. Son visage tiède et doux enfoui dans mon cou, et moi lui caressant les cheveux, respirant l'odeur de son shampooing.

— Je n'arrive pas à croire que tu vas te marier, chuchotai-je, prise par l'émotion. J'ai l'impression que je pourrais encore te porter sur mon dos et te faire des tresses.

— Je t'aime, Gracie.

— Je t'aime aussi, Nattie Bumppo.

J'avais la gorge nouée. C'était ma petite sœur. Combien de fois lui avais-je fait prendre son bain ? Changé ses couches ? Je lui avais lu des histoires, l'avais câlinée, et elle me quittait. Depuis vingt-sept ans, j'étais sa préférée, elle était à moi… C'était dans l'ordre des choses, et pourtant tout cela était sur le point de changer. Même lorsque j'étais en couple avec Andrew, et malgré l'amour que je portais à celui-ci, il n'avait jamais supplanté Natalie dans mon cœur. Elle faisait *partie* de moi, nous étions liées par le sang, nous étions des âmes jumelles.

Des images du passé flottèrent dans ma tête, aussi évanescentes que des bulles de savon. Comme ces dix-huit dessins de chevaux que Nat m'avait faits pour fêter mon retour à la maison, après mon opération des amygdales. J'avais dix ans. Elle les avait disposés un peu partout dans ma chambre ; sur le sol, sur ma chaise et sur mon bureau, pour être sûre que ce soit la première chose que je verrais en ouvrant les yeux, après un sommeil lourd et agité à cause des médicaments. Et la fois où j'avais frappé Kevin Nichols parce qu'il n'arrêtait pas de lui mettre du chewing-gum dans les cheveux. Je revis aussi son petit visage altéré par la tristesse, au moment où j'avais quitté la maison pour rejoindre le William & Mary College, et son sourire forcé pour me cacher ses larmes.

Je l'aimais tellement que c'en était presque douloureux. Andrew ne nous séparerait jamais. Je ne laisserais jamais une telle chose se produire.

Elle m'étreignit, puis se redressa.

— Je n'arrive pas à croire que je n'ai toujours pas rencontré Wyatt.

— Je sais bien, répondis-je, d'un ton faussement plaintif. Lui aussi est impatient de faire ta connaissance.

Cela ne coûtait rien de le dire ! Hélas, Wyatt était à une convention à San Francisco, nous privant ainsi une nouvelle fois de sa compagnie. J'avais pensé profiter de ce repas familial pour annoncer ma rupture, et puis je m'étais ravisée — ou ne m'y étais pas résolue. La vie était confortable, avec lui… et puis, il pouvait encore m'être utile. Alors, un jour de plus ou de moins… J'avais donc fait quelques petites recherches ce matin, sur Google, pour rendre crédible mon petit mensonge, et en tapant « conventions médicales » plus « chirurgiens », j'en avais trouvé une à Frisco. Les dieux étaient avec moi.

— Tout va bien entre vous ? demanda Nat.

— Oh, oui… C'est juste qu'il travaille beaucoup. Tout serait parfait sans ça…

Dès que c'était possible, je m'efforçais de préparer chacun à l'idée de la rupture à venir, en semant ici et là quelques petites allusions.

— Il est marié à son travail… toujours à l'hôpital… à Boston… Mais je suppose que c'est le lot de toute épouse de médecin.

Oups ! Venais-je vraiment de faire ce commentaire à haute voix ? Il ne faisait en tout cas aucun doute que ma sœur l'avait entendu, car son joli visage s'illumina.

— Non ? Es-tu en train d'insinuer qu'il y aurait du mariage dans l'air ? s'exclama-t-elle.

— Euh… enfin… Ne t'emballe pas…, poursuivis-je en mode rétropédalage. La question du travail reste un sujet que nous devons résoudre. Et puis, je te rappelle que j'ai été échaudée une fois.

Bon sang, j'aggravais mon cas… Natalie tressaillit.

— Je veux dire que je me suis déjà trompée, repris-je aussitôt. Alors, je veux être sûre de moi, cette fois… sûre que c'est le bon.

— Mais tu penses qu'il l'est ?

J'inclinai la tête, feignant de considérer la question. Wyatt et moi étions quand même sur le point de nous séparer, et cela demandait réflexion — même si je savais que ma mystification avait une date butoir !

— Il…

Je m'interrompis, gratifiant Natalie d'un sourire que j'espérais faussement modeste.

— Il est juste merveilleux, Nat. Je regrette seulement que nous ne puissions passer plus de temps ensemble.

Le claquement d'une porte contre un mur résonna dans l'air, et Margaret surgit devant nous.

— Grace, ton chien vient de casser une vulve. Et maman

veut savoir ce que vous fichez dehors. Vous n'avez pas fini de manger.

Les poings sur les hanches, elle reprit, avec indignation :

— Il ne viendrait à l'idée d'aucune de vous deux que je pourrais prendre ombrage de vos petits conciliabules ? Bonté divine, crénom de Dieu, nom d'une pipe, bordel de merde, les filles ! Est-ce que ça vous ferait mal de m'inclure dans votre petit club de temps en temps ?

— Ma parole, mais elle jure comme un charretier, chuchota Natalie à mon oreille.

— Ouais… c'est à se demander à quoi elle passe son temps libre, ironisai-je.

— Arrête de te plaindre, lui lança Nat. Vous vivez ensemble, alors, s'il y en a une qui devrait se sentir mise à l'écart, c'est plutôt moi !

Margaret marcha droit sur nous.

— Bouge ton derrière, la favorite ! dit-elle, faussement bougonne, à l'adresse de notre benjamine.

Elle me poussa d'un coup d'épaule et se retrouva assise au milieu.

— Alors, est-ce que tout va bien ? J'espionnais de la fenêtre et je n'ai pas perdu une miette de la scène.

— Nat m'a demandé d'être son témoin.

— Bon sang, Natalie ! Tu choisis l'ancienne fiancée d'Andrew pour être ton témoin ?

— Oui, répondit-elle calmement. Si Grace est d'accord, bien sûr.

— Et j'ai dit oui, confirmai-je en tirant la langue à ma sœur aînée.

— Et moi, je compte pour du beurre ou quoi ? Quel sort m'as-tu réservé pendant la réception ? Préposée à la plonge ? Du moment que je peux m'échapper de temps à autre pour venir te contempler… Sauf si tu penses que je pourrais être aveuglée par ta lumineuse beauté.

— Seigneur, écoutez-la, gloussa Natalie. Margaret chérie, voudrais-tu être ma demoiselle d'honneur ?

— Ah, quand même ! J'accepte, oui. J'ai hâte…

Elle me décocha un regard.

— Demoiselle d'honneur… Ça fait froid dans le dos, hein ?

— Et toi, Margs, est-ce que tu as déjà rencontré Wyatt ?

Je vis mon aînée, décontenancée par la question, marquer une hésitation, et coller sa langue contre sa joue.

— Sûr, lâcha-t-elle platement.

Je fermai les yeux.

— Alors, dis-moi ! insista Natalie. Développe… Comment est-il ?

Je remarquai ses yeux brillants. Elle avait toujours été très friande des discussions entre filles.

— Voyons voir, à part le sixième orteil sur son pied gauche, il est plutôt mignon.

— Très drôle… C'est à peine une petite bosse, ironisai-je à mon tour.

Natalie s'esclaffa.

— Quoi d'autre, Margs ?

— Il y a aussi cette façon qu'il a de suçoter l'oreille de Gracie. Surtout à l'église. Beurk !

— Allez, arrête, je suis sérieuse, gémit ma petite sœur.

— Il a des petits yeux inquisiteurs… qui me font flipper !

Sans nouvelles de sa fille aînée partie en éclaireur, ma mère finit par sortir pour voir ce qui nous retenait aussi longtemps à l'extérieur, et nous découvrit toutes les trois, écroulées de rire sur le banc.

Lorsque je rentrai finalement chez moi avec Angus, en empruntant le sentier forestier qui longeait la rivière, j'étais d'humeur joyeuse — d'une très bonne humeur que même les moustiques n'auraient pu entamer. Angus trottinait devant, au bout de sa laisse, s'arrêtant régulièrement pour uriner, renifler, et lever encore la patte arrière — s'assurant ainsi que toute la population canine du coin sache bien qu'Angus McFangus était passé par là.

Après un long remue-méninges, Natalie et Andrew, penchés sur le calendrier que ma mère avait posé sur la table, avaient fini par arrêter une date. Ce serait le 4 juin. Le mariage aurait donc lieu dans quatre semaines, le lendemain de la remise des diplômes à Manning. J'avais donc un mois pour rompre avec Wyatt et trouver un cavalier, car je ne me voyais pas y aller seule. En fait, aucune de ces deux perspectives ne me réjouissait. Et la deuxième me donnait même carrément des sueurs froides.

Angus, tout tremblant, se mit à grogner et à aboyer. Au loin, une silhouette masculine avec des cuissardes pêchait à la mouche à quelques mètres du bord. La longue canne à pêche tendue s'arquait sur le cours d'eau sinueux aux reflets irisés sous le soleil. Ses cheveux étaient en bataille et je souris, pas vraiment surprise de reconnaître mon voisin.

— Alors, ça mord ou on cherche juste à faire genre ? l'interpellai-je.

— Salut, voisine, répondit-il. Je n'ai encore rien attrapé.

— Ah, ces citadins…

Je passai avec précaution de rocher en rocher pour me rapprocher de lui.

— Et n'en profitez pas pour m'éborgner avec votre hameçon, hein ?

— Ne me tentez pas ! Ce ne serait après tout qu'un juste retour des choses, lâcha-t-il en pataugeant vers moi.

Angus se mit à aboyer.

— Silence, la terreur ! dit Cal, la mine sévère.

Les aboiements hystériques redoublèrent.

— Vous savez y faire, avec les animaux. Et les petits enfants… Est-ce qu'ils éclatent en sanglots en vous voyant ?

Il partit d'un grand rire.

— Qu'est-ce que vous faites par ici, Grace ?

— Je rentrais chez moi.

— Vous voulez vous asseoir une minute ? J'ai apporté de bons cookies.

— Ils sont faits maison ?

— Si par « faits maison », vous voulez savoir s'ils ont été « achetés à la pâtisserie du coin », alors oui, répondit-il. Ils sont bons, mais rien de comparable avec les vôtres, je dois l'avouer. Ça a été le parcours du combattant pour pouvoir les goûter, mais ils valaient bien toutes les douleurs physiques.

— Eh bien, c'est un joli compliment. Je vous en referai peut-être.

Je m'assis sur un large rocher qui émergeait de l'eau, mon chien sur les genoux, qui n'avait pas désarmé et continuait de grogner.

— Pourquoi ne détachez-vous pas Angus ?

— Oh, non, surtout pas. Il foncerait droit dans l'eau et le courant l'emporterait.

Je le serrai un peu plus fort contre moi pour conjurer l'image désagréable qui me passa devant les yeux.

— On ne veut pas que tu te noies, hein, mon gros nounours ? Oh ! ça non… Ce serait terrible.

— Pas sûr que cet avis soit unanime, dit Callahan, sur un ton ironique.

Les cookies venaient de Chez Lala — hélas pour moi, je ne savais pas résister aux bonnes viennoiseries —, et ceux-là étaient au beurre de cacahuètes, friables et délicieux, avec, sur le dessus, des cristaux de sucre en croisillons.

Cal en tendit un à Angus, qui se jeta dessus avec l'empressement d'un affamé, happant ses doigts dans son élan. Il eut un léger mouvement de recul et, avec un soupir, regarda la marque de dents et me la montra. Deux gouttes de sang perlaient.

— Est-ce que je dois appeler les secours ? demandai-je.

— Et pourquoi ne pas plutôt appeler un avocat ? répondit-il en levant un sourcil. Margaret pourrait être intéressée par ma défense. Votre chien est un vrai danger. Je ne sais pas comment je suis toujours en vie, entre vous deux. Ça tient du miracle !

— C'est tragique. Je me demandais d'ailleurs si vous comptiez déménager quand vous auriez fini de retaper la maison ?

— C'est possible. Je suis sûr que je vous manquerai.

Il ne croyait pas si bien dire — et cela me coûtait de l'avouer ! Même en cuissardes et chemise en flanelle, il restait sexy en diable. Il avait roulé ses manches, révélant des avant-bras bronzés et, dans le soleil, ses cheveux prenaient toutes les nuances de brun. Ce type était une publicité vivante pour « la vie en plein air », et il éveillait en moi un désir qui ne demandait qu'à être assouvi.

Je m'éclaircis la voix.

— Alors, Cal, comment vont vos amours ? C'est bien la jeune femme blonde du bar que j'ai aperçue chez vous ?

— Comme ça, on continue de m'espionner, Grace ? Je croyais que c'était réglé.

Je laissai échapper un soupir d'exaspération.

— J'étais dans mon jardin, en train de désherber, quand elle est sortie sur votre terrasse.

Je m'interrompis.

— Vous l'avez embrassée.

— Sur la joue.

— Mmm… Cela peut être très romantique.

Il ne répondit pas.

— Alors ? Est-ce que vous avez toujours envie de passer la tondeuse ? repris-je.

— Dois-je entendre un double sens dans votre question ? Une allusion ?

Je clignai des yeux et éclatai de rire.

— Je faisais référence à ce que vous aviez dit la dernière fois. Vous vouliez une femme, des enfants… un gazon à tondre.

— Et c'est le cas.

Il moulina, ramenant sa ligne, sans me regarder.

— Et la recherche se passe comme vous voulez ? insistai-je.

— Pas mal, répondit-il après de longues secondes.

Angus grogna.

Pas mal… pas mal… Qu'entendait-il par là ?

Je me levai et époussetai mon jean.

— Merci pour le cookie, cher voisin. Je vous souhaite bonne chance pour votre partie de pêche. Pour l'épouse… *et* la truite.

— Bonne journée, Grace.

— A vous aussi.

Tout en marchant, j'essayai de me raisonner, me répétant qu'il n'était pas du bois dont on fait les maris ; il n'était en tout cas pas pour moi. Je devais arrêter de fantasmer sur Callahan O'Shea. Nous n'étions pas compatibles. Parce que… euh… voyons, parce que…

Certes, il avait un charme fou, c'était indéniable. J'osais penser qu'il m'appréciait. Il flirtait même un peu. Quelquefois. En fait, il flirtait davantage avec Margaret. Je les avais d'ailleurs surpris, l'autre jour, en train de parler et de rire comme de vieux copains, près de la haie à l'arrière de la maison. Coincée au téléphone, je n'avais pas pu entendre ce qu'ils se disaient.

La voix de la raison me hurlait de garder mes distances. Je ne craignais pas qu'il me vole, non, cela n'avait rien à voir avec ça. Mais si Andrew m'avait brisé le cœur, je n'osais imaginer ce qui se passerait avec Callahan. Il le réduirait en miettes en sautant dessus ! Je n'étais pas de taille — moi, la petite prof qui dansait avec des personnes âgées, qui aimait les films sur la guerre de Sécession et s'adonnait aux joies de la reconstitution historique — face à cet homme si sexy. Ce n'était pas permis de dégager tant de sex-appeal. Tous mes clignotants étaient au rouge. Il était une menace pour mon équilibre — cela ne pouvait être qu'une mauvaise idée. Chronique d'un désastre annoncé.

Si seulement je pouvais arrêter de penser à lui !

19

C'était bon de reprendre nos bonnes vieilles habitudes, avec Julian, et de le voir de nouveau chez moi pour une soirée *Projet haute couture*, avec ce cher Tim Gunn, toujours aussi débonnaire et charmant. Margaret avait daigné se joindre à nous et j'avais fait du pop-corn et des brownies. Je ne m'étais pas sentie aussi heureuse depuis longtemps.

Un moment de détente plus que bienvenu, après une semaine de cours particulièrement difficile. Les élèves s'étaient montrés agités et indisciplinés, surtout les dernière année qui se considéraient déjà en vacances — même s'il restait encore quelques semaines — maintenant qu'ils avaient reçu la réponse des grandes universités. Je n'avais pas cherché à être plus royaliste que le roi, et j'avais trouvé un compromis en les mettant devant le film *Glory*. J'aurais tout aussi bien pu décider de ne rien leur faire faire du tout — cela aurait été du pareil au même —, à l'instar d'Ava, qui avait laissé carte blanche à ses élèves pour bavarder et envoyer des SMS.

En parlant de cette dernière… elle clamait partout, à qui voulait l'entendre, que sa présentation devant le conseil d'administration avait été éblouissante. Je soupçonnais sa liaison avec le président (un bruit que je tenais de Kiki, confirmé par Paul et sous-entendu par l'intéressée elle-même) de ne pas être étrangère à cet excès de confiance. Ma date de passage devant le conseil d'administration approchait et je peaufinais mon dossier avec fébrilité, me demandant si je devais faire preuve d'audace et développer les changements que je prévoyais dans le programme d'histoire, ou assurer

mes arrières en m'en tenant à une certaine forme de conti-
nuité et de conservatisme.

Pour ce qui était des rencontres en ligne, ça n'avait guère
évolué… J'avais discuté avec un entrepreneur de pompes
funèbres passionné de taxidermie (rien de rédhibitoire,
m'étais-je dit, mais de là à le rencontrer, il y avait un pas que
je n'avais pas franchi) et un chômeur qui vivait dans la cave
de ses parents et collectionnait encore des cartes Pokémon.
En fait, j'en avais marre de chercher.

Certes, je ne l'avais fait très longtemps, mais j'avais
besoin d'une pause… D'autant que ma rupture avec Wyatt
se rapprochait ! J'allais annoncer à ma famille ma séparation
avec lui pour « points de vue inconciliables » portant sur son
travail, point ! Je pourrais alors me détendre et me contenter
d'apprécier la vie. Je trouvais ce plan parfait.

— C'est qui, celui-là, déjà ? demanda Margaret, tout en
mettant une poignée de pop-corn dans sa bouche.

Censée travailler sur un dossier, elle avait pris avec elle un
bloc-notes jaune, qu'elle avait totalement oublié, succombant
aux sirènes de mon émission de télé-réalité préférée.

— C'est lui qui a fabriqué une robe à sa mère alors qu'il
n'avait que six ans, répondit Julian, tout en caressant Angus.
C'est le prodige de cette saison. Il est mignon, en plus. Je
pense qu'il est gay.

— Vraiment ? dit Margaret. Mouais… Un type qui crée
des vêtements pour filles. Un gay ? Quoique…

— Minute, papillon… je dis : halte aux clichés et sté-
réotypes de tous poils ! gronda Julian.

— Et c'est le prof de danse qui le dit, répliqua Margaret,
avec un sourire en coin.

— Et c'est l'avocate de la défense, furie déterminée et
hétérosexuelle qui répond, rétorqua Julian.

— Et c'est l'homme qui peut passer chaque jour une
demi-heure devant la glace pour se coiffer et qui tricote
des pulls à ses trois chats qui l'affirme, rétorqua ma sœur.

— Et c'est la droguée du travail, splendide mais frustrée,

qui vient de castrer son mari en le quittant, qui parle en ce moment, répliqua Julian.

Ils se sourirent avec tendresse.

— Tu gagnes, admit-elle. L'hétéro en colère que je suis reconnaît la victoire par K.-O. du danseur homo.

Julian battit des paupières, jouant de ses longs cils.

— Bon, ça y est, vous avez fini, tous les deux ? Si vous n'arrêtez pas votre ping-pong d'amabilités, je vous prive de glace, dis-je, sifflant ainsi la fin de la récré.

Karma de l'enfant du milieu oblige !

— Oh ! chut ! Ecoutez… Ça y est, Tim leur lance le défi.

Nous nous tûmes, suspendus aux lèvres de l'animateur, quand la sonnerie du téléphone retentit, déchirant le silence quasi religieux.

— Ne réponds pas, murmura Julian en plongeant sur la télécommande pour augmenter le son.

Je jetai malgré tout un coup d'œil au numéro d'appel.

— Salut, Nat, dis-je en décrochant.

— Salut, Gissy ! Comment ça va ?

— Super, répondis-je, machinalement, l'attention et l'oreille tournées vers la télévision.

Oh ! oh ! Les candidats apprentis couturiers devaient concevoir et confectionner des robes à partir de matériaux recyclés ou récupérés dans des dépôts.

— Qu'est-ce que tu fais ? me demanda ma petite sœur, au bout du fil.

— Euh… on est devant la télé, on regarde *Projet haute couture*…

— Il est là ? Tu es avec Wyatt ? demanda-t-elle d'une voix vibrante.

— Non, Wyatt est à… euh… il est à Boston. Non, là, je suis avec Margaret et Julian.

Ce dernier tourna la tête vivement vers moi et, profitant de la pause publicitaire, colla son oreille à l'appareil pour écouter la conversation.

— En fait, je t'appelais pour te demander une faveur. Andrew et moi organisons un repas, ce vendredi. Avec ses

parents et vous, la famille, et je voulais être sûre que tu
serais là. Avec Wyatt.

Je ne pus réprimer une grimace d'inquiétude.

— Il peut bien se libérer de ses responsabilités profes-
sionnelles, reprit-elle, au moins une soirée. Tu ne penses
pas, Gracie ? Je veux dire, ce n'est pas comme s'il était le
seul médecin sur Boston…

— Euh… un repas, tu dis ? Avec les Carson ?

Margaret se laissa retomber contre les coussins du canapé
en entendant le nom, et Julian, lui, prit un air désolé. Qui
aurait pu oublier les Carson ? Tout un programme… Je leur
fis le geste du revolver contre ma tempe.

— Euh… vendredi ? balbutiai-je, en leur faisant des
appels au secours. Mince, nous… euh… nous avions prévu
autre chose.

— Grace, s'il te plaît ! s'exclama Natalie. Ça devient
ridicule.

Tu n'as pas idée à quel point !

Margaret se leva d'un bond et m'arracha d'autorité le
téléphone des mains.

— Ici Margs.

Elle se tut un instant, à l'écoute de son interlocutrice.

— Bon, Nat, finit-elle par dire, est-ce que ça ne t'est
jamais venu à l'esprit que Grace pouvait avoir peur que
Wyatt ne tombe aussi amoureux de toi ?

— Arrête, Margaret ! Ce n'est pas gentil. Rends-moi ce
téléphone.

Je me jetai sur ma sœur aînée pour le récupérer.

— C'est moi, Nattie.

— Gracie, ce n'est pas vrai ce que dit Margs… si ?
Dis-moi ? chuchota-t-elle.

— Mais non ! Bien sûr que non !

Je fusillai Margaret du regard.

— Très bien, je vais être honnête…

Je m'interrompis un bref instant, en ignorant le soupir
appuyé de mon aînée.

— Nat, repris-je, en baissant instinctivement la voix pour

créer le mode de la confidence. Tu sais que Wyatt et moi n'avons pas réussi à avoir du temps rien que pour nous, ces derniers temps, et je lui ai fait comprendre que j'en souffrais. Alors, il a prévu quelque chose de spécial…

Il y eut un silence sur la ligne.

— Oui, je suppose que vous avez besoin de temps pour vous…

— C'est exactement ça. Je savais que tu comprendrais. Mais donne le bonjour aux Carson de ma part. Et puis, on se verra très vite, avec le mariage.

— D'accord. Je t'aime.

— Je t'aime aussi, ma puce.

Je raccrochai et me tournai vers Margaret et Julian.

— C'est décidé, Wyatt et moi allons avoir une grande dispute, annonçai-je.

— Le pauvre. Il était pris par tous ces petits enfants si malades ! gémit ma sœur.

— Ça va lui briser le cœur, renchérit Julian dans mon dos, tandis que j'allais dans la cuisine pour me servir un verre d'eau fraîche.

Angus trottina sur mes talons, s'attendant à ce que je lui donne un cookie. Je m'agenouillai de bonne grâce, puis, après l'avoir fait asseoir, lui donnai ce qu'il attendait, tout en lui flattant la tête.

Une vague de lassitude glissa sur moi. J'en avais ma claque de Wyatt, ma claque de Margaret, ma claque des disputes de mes parents, des petites phrases acides de ma grand-mère, du couple Natalie-Andrew. Un bref instant, je me souvins des paroles de Callahan. Ma famille en faisait-elle autant pour moi ? Oh ! et puis j'en avais aussi assez de penser à lui, et d'être ballottée sur des vagues de désir et d'excitation. Cela finissait invariablement par des nuits d'insomnie, qui me laissaient au matin plus fatiguée que jamais.

Une fois le mariage de Natalie passé, j'allais prendre de longues et belles vacances bien méritées. J'irais peut-être jusque dans le Tennessee pour visiter certains champs de bataille. Je pouvais aller en Angleterre. Paris m'attirait bien, aussi. Peut-être y rencontrerais-je un Jean-Philippe en chair et en os.

Angus posa sa petite tête ronde sur mon pied.

— Je t'aime, McFangus, dis-je. C'est le grand garçon à sa maman.

Je me redressai et ne pus m'empêcher de jeter un coup d'œil à la maison de Callahan. Rien ne bougeait. Elle était plongée dans l'obscurité, à l'exception d'une fenêtre à l'étage, faiblement éclairée. Peut-être celle de la chambre. Etait-il en train de faire l'amour avec celle qu'il allait demander en mariage ? Si j'allais dans le grenier, peut-être pourrais-je avoir une meilleure vue… J'aurais dû acheter des jumelles… En grimpant par le lilas, puis en suivant la gouttière, j'aurais une vue directe sur la chambre… Bon sang, j'étais pathétique !

— Grace…

Je me tournai vers la porte de la cuisine. Margaret se tenait dans l'encadrement.

— Hé, est-ce que ça va ?

— Oui, bien sûr. Pourquoi ça n'irait pas ?

— Ecoute, je vous offre un restau, à toi et Julian, demain. C'est ma façon de te remercier de me laisser crécher chez toi et d'être une emmerdeuse.

Sa voix était particulièrement douce, ce qui ne lui ressemblait pas.

— C'est gentil.

— Je dirai à Junie de s'occuper de la réservation, d'accord ? Un endroit vraiment chicos. Commandez ce que vous voulez, boissons, desserts… tout est pour moi.

Elle posa son bras autour de mes épaules, un geste étonnamment tendre, qui me surprit de la part de ma sœur aînée, qui n'était pas du genre à montrer ses sentiments. Plutôt même porc-épic sur les bords.

— Prends bien ton pied quand tu penseras à nous, à table, avec les Carson.

*
* *

Le lendemain soir, nous franchîmes donc, Julian et moi, les portes du Soleil, un restaurant branché de Glastonbury, avec vue magnifique surplombant la rivière Connecticut et décoration ultramoderne. Comme l'avait promis Margaret, Junie s'était occupée de tout par Internet, et nous découvrions les lieux comme deux gosses, nous extasiant discrètement sur l'impressionnante cave à vins vitrée, ou sur la collection de bouteilles de vodka signées par des créateurs reconnus, exposées et mises en valeur derrière une vitrine réfrigérée, le large comptoir avec ses lampes suspendues, la cuisine ouverte où évoluaient des chefs qui parlaient français. Notre serveur, prénommé Cambry, nous tendit plusieurs cartes reliées cuir et imprimées dans une police élégante — celle des vins, des spécialités du jour, des cocktails, celle des menus et des propositions du chef.

— Bonne soirée, dit-il en dévisageant Julian.

Celui-ci, comme à son habitude, feignit de ne pas s'en apercevoir.

— Cet endroit, tu vois, Grace, me fit-il remarquer alors que nous nous plongions dans la carte des apéritifs, c'est exactement le genre d'endroit où Wyatt t'emmènerait.

— Tu crois ? C'est tellement impressionnant pour moi…

— Mais il veut t'impressionner. Il t'adore.

— Ce n'est pas assez, Wyatt, lançai-je avec force théâtralité et fausse gravité. Je comprends combien ton travail est important pour toi, mais… je veux plus. Tu es un homme charmant. Bonne chance. Tu compteras toujours pour moi, mais adieu.

Julian plaça ses deux mains sur son cœur.

— Oh ! Grace, je suis tellement désolé… Je t'aimerai toujours et je regrette que mon travail constitue un obstacle entre nous. Mais comment abandonner ces enfants si éprouvés par le destin, alors que moi seul peux les…

Julian s'interrompit, tournant la tête au passage d'un serveur portant des assiettes.

— Oh ! ça semble succulent. Qu'est-ce que c'est ? Du saumon ? Je crois que je vais commander ça.

Il me regarda de nouveau.

— Où est-ce qu'on en était ?

— On s'en fout. C'est fini, c'est tout. Et crois-moi, ma famille va être effondrée en apprenant la nouvelle.

Mon ami s'esclaffa.

— Julian, repris-je plus doucement, tu sais, quand tu as dit qu'on devait arrêter notre recherche sur Internet…

— Oui ?

— Eh bien, n'empêche que j'ai toujours envie de rencontrer quelqu'un.

Il se laissa aller contre le dossier de son siège et soupira.

— Je comprends. Moi aussi. C'est juste si difficile…

Je me laissai aller en arrière à mon tour.

— Je fantasme sur mon voisin. Le repris de justice.

— Qui ne fantasmerait pas sur lui ? marmonna Julian.

— Il est juste un peu…

— Un peu… « trop » ? suggéra-t-il.

— Exactement. Je crois qu'il m'aime bien, mais je suis trop…

— Trouillarde ?

— Voilà, c'est ça, admis-je.

Il hocha la tête en signe de compréhension.

— Et toi ? Toujours aussi sollicité, toujours l'embarras du choix ? Tu as une touche avec notre serveur, il n'arrête pas de te mater. Il est mignon. Tu devrais lui parler.

— Oui, peut-être que je le ferai.

Je tournai la tête vers la baie, laissant mon regard glisser sur la rivière. Le soleil couchant venait de disparaître derrière une masse de nuages d'un camaïeu de tons rose abricot. Un magnifique paysage, d'une douceur incroyable, aux vertus apaisantes. Toute la nervosité que j'avais ressentie ces derniers jours disparut tout à coup.

— O.K., refaisons un essai, dit Julian en sirotant son Martini.

Nous venions de passer commande auprès du mignon petit serveur (qu'il avait bien sûr évité de regarder).

— As-tu oublié Lou et ses conseils avisés ? Redis-moi la technique numéro un…

— Je suis la femme la plus séduisante ici, répondis-je, obéissante.

— Il ne suffit pas de le dire, Grace, mais il faut que tu le ressentes. Tiens-toi droite.

— Oui, maman, dis-je en prenant une autre gorgée.

— Technique numéro deux : laisse promener ton regard sur la salle, l'air de rien, et souris. Il n'y a pas un homme présent ici qui ne se sentirait pas chanceux de t'avoir à ses côtés. Et tu peux avoir tous les hommes que tu veux.

Je m'exécutai de bonne grâce. Mon regard s'arrêta sur un vieil homme, qui affichait les quatre-vingts ans au compteur. Sûr qu'il serait heureux de m'avoir. Comme me l'avait fait savoir Dave, l'homme à la poche urinaire. Pas de doute : j'avais un ticket auprès des hommes du troisième âge. Mais aurais-je le même succès auprès du barman, qui avait une certaine ressemblance avec Clark Gable jeune — un Clark Gable sans moustache ?

— Crois en toi, répéta-t-il. Non, Grace, tu ne le fais pas bien. Regarde. Quel est le problème ?

Je levai les yeux au ciel.

— Le problème, c'est que c'est stupide, Julian. Mets-moi à côté de… je ne sais pas… tiens, à côté de Natalie, par exemple, ou de Margaret, si tu en veux un deuxième, et je ne suis plus la plus jolie fille de la salle. Demande à Andrew s'il se sentait chanceux de m'avoir… il te répondra sûrement oui. Après tout, c'est grâce à moi qu'il a rencontré sa future femme.

— Oooh ! Tu as tes règles ou quoi ? Ne bouge pas et prends des notes, chérie, lâcha Julian, ignorant ma diatribe.

Je le regardai, la mine boudeuse, tandis que mon ami, se reculant sur son siège, laissait son regard balayer la salle. Bing-bang, boom ! Trois femmes à des tables différentes s'arrêtèrent de parler au beau milieu de leur phrase, légèrement rougissantes.

— Il n'y a pas à dire, tu as l'art et la manière… avec les

femmes. Mais quel intérêt ? Je ne pense pas que ce soient elles qui t'intéressent, si ? Tu crois que je ne t'ai pas vu quand notre gentil serveur s'occupait de nous ? Si tu avais pu te cacher sous la table… Montre-moi de quoi tu es capable avec la gent masculine…

Il plissa ses beaux yeux.

— Très bien.

Son visage prit une teinte légèrement rosée, mais je dus reconnaître qu'il se lança.

Il chercha à croiser le regard de notre serveur, qui se saisit d'une assiette posée sur le large comptoir éclairé, sautant pratiquement par-dessus une table pour venir jusqu'à nous.

— Voilà. Huîtres Rockfeller. Bon appétit, dit-il.

— Merci, répondit Julian en levant la tête vers lui.

Les lèvres du serveur s'entrouvrirent. Mon ami ne détourna pas les yeux.

Bien. Bien. Julian allait-il passer le pas et mettre un terme à la période d'abstinence qu'il s'était imposée, et trouver son M. Parfait ? En souriant, je mangeai une huître — un délice ! — et décidai de vérifier mes messages pendant que les deux beaux gosses se faisaient les yeux doux. Alléluia ! Julian venait d'engager la conversation ! Un miracle !

J'avais éteint mon portable lors de mon dernier cours, quand je faisais passer un test à mes première année, et ne l'avais pas rallumé depuis. Je n'étais pas une accro du téléphone, pour être honnête. Il m'arrivait même très souvent d'oublier que je l'avais éteint. Minute… C'était étrange. J'avais six messages.

Que se passait-il ? Un mauvais pressentiment m'envahit. Etait-il arrivé malheur à ma grand-mère ? A cette idée, une bouffée inattendue de tristesse me traversa. Je consultai mon répondeur, la tête tournée vers la fenêtre, pendant que Julian et Cambry le serveur flirtaient.

« Vous avez six nouveaux messages. Message numéro un. »

La voix de ma sœur aînée résonna dans mon oreille.

« Grace, c'est Margaret. Ecoute, changement de programme…
N'allez pas au Soleil avec Julian, ce soir, d'accord ? Désolée,
mais maman a appelé mon bureau dans l'aprèm et, en
parlant à Junie, elle a appris où tu étais censée dîner. Elle
est au taquet… elle compte bien rencontrer Wyatt et elle
a fait une réservation pour ce soir. Avec les Carson. Tu
as compris ? Je vous inviterai ailleurs. Ce n'est que partie
remise. Rappelle-moi. »

Elle avait laissé ce message à 15 h 45.

Oh… mon… Dieu.

Message numéro deux.

« Grace, c'est encore moi. Maman vient de m'appeler. Le
repas se tiendra définitivement au Soleil, alors allez ailleurs,
d'accord ? Rappelle-moi. »

Elle l'avait laissé à 16 h 15.

Les messages trois, quatre et cinq étaient de la même
teneur, notai-je distraitement, mais le registre de langue de
Margaret se détériorait nettement de message en message.
Toute l'horreur de la situation me heurta comme une vague
glacée. Message six : « Grace, bon sang, mais qu'est-ce que
tu fous et où es-tu ? Tu n'allumes jamais ce putain de téléphone ? Nous partons à l'instant pour ce satané restaurant. Les
Carson, Andrew, Nat, les parents et grand-mère. Je répète :
alerte rouge ! Appelle-moi ! On a réservé pour 19 heures. »

Je regardai ma montre. Il était 18 h 53.

Julian et Cambry étaient en train de rire pendant que ce
dernier notait son numéro de téléphone sur un bout de papier.

— Julian ? dis-je dans un souffle.

— Une seconde, Grace, répondit-il. Cambry et moi…

Il s'interrompit net en voyant mon expression.

— Qu'est-ce qu'il y a ?

— Ma famille est en route. Ils viennent ici.

Les yeux lui sortirent de la tête.

— Oh ! Merde !

Le jeune serveur nous regarda, troublé.

— Est-ce qu'il y a un problème ? demanda-t-il.

— Il faut qu'on parte immédiatement, dis-je. Sur-le-champ. Crise familiale. Ici.

Je cherchai dans mon sac le chèque-cadeau que la secrétaire de ma sœur avait imprimé sur le Net. L'angoisse se diffusait dans mes veines. Ils ne pouvaient pas me trouver là. Et je n'y serais pas ! Demain, je leur dirais à tous que nous avions choisi d'aller ailleurs. Voilà, c'était réglé.

Nous étions déjà debout quand un rire en salve familier résonna à mon oreille. *Ahahaha ! Ahahaha ! Oooh… ahahaha !* Grandiloquent, légèrement tendu, le rire que ma mère prenait en société était reconnaissable entre mille. Je regardai Julian.

— Cours, chuchotai-je.

— Il y a une autre sortie ? demanda-t-il à Cambry.

— Par la cuisine, répondit aussitôt ce dernier.

Je vis mes deux beaux gosses filer en tête, et leur emboîtai le pas, quand je me sentis tirée en arrière. Je me retournai. La bride de mon sac à main s'était accrochée au dossier de la chaise voisine de notre table.

— Oups, vous êtes prise, trésor, dit l'homme en levant les yeux vers moi.

Vous ne croyez pas si bien dire… Et de plus d'une façon, cher monsieur ! Je lui lançai un sourire contraint, voire effrayé, et tirai. La bride ne céda pas.

Je jetai un regard de bête traquée en direction de Julian. Des années de danse l'avaient rendu aussi ondoyant et rapide qu'un serpent. Il zigzaguait entre les tables, fonçant vers la cuisine ouverte, sans même se rendre compte que je n'étais pas sur ses talons.

— Et voilà, dit l'homme, en parvenant à libérer ma bride du dossier de sa chaise.

J'allais galoper derrière mon ami, lorsque la voix de ma mère me cueillit dans mon élan.

— Grace ! Tu es là !

Toute ma famille venait de pénétrer dans le restaurant. Margaret, les yeux grands comme des soucoupes, Andrew et Nat, main dans la main, mon père qui poussait ma grand-mère dans son fauteuil roulant, ma mère sur ses talons. Sans oublier Letitia et Ted Carson.

Mon esprit se vida instantanément de toute pensée. Fuir ? Se planquer ? Affronter ? Je restai pétrifiée.

— Salut tout le monde ! m'entendis-je dire d'une voix sans timbre. Qu'est-ce que vous faites là ?

Nat me serra dans ses bras.

— Nous nous incrustons… Maman a insisté, juste pour dire bonjour, pas pour gâcher ta soirée romantique.

Elle se recula pour me regarder.

— Je suis vraiment désolée. J'ai cherché à l'en dissuader, mais tu la connais…

Margaret croisa mon regard et haussa les épaules en signe d'impuissance. Je ne pouvais pas lui en vouloir. Ce n'était pas faute d'avoir essayé de me prévenir. Je sentais les coups douloureux et déferlants de mon cœur, et un rire hystérique enflait dangereusement dans mon ventre. Je le sentais bondir comme une truite hors de l'eau, prêt à jaillir.

— Ma chérie, tu es si secrète ! s'exclama ma mère d'une voix joyeuse.

Elle posa son regard sur les deux Martini et les huîtres Rockfeller abandonnés sur notre table.

— Je parlais justement à Letitia de ton merveilleux petit ami médecin, et comme elle m'a dit qu'elle était impatiente de le rencontrer, et que nous-mêmes ne le connaissions pas, je me suis dit qu'on pouvait faire d'une pierre deux coups. Tu te souviens des Carson, ma chérie ?

Quelle question ! J'avais été à trois semaines de devenir leur belle-fille, pour l'amour du ciel ! Un jour, peut-être pardonnerais-je à ma mère de m'avoir mise dans cette situation, mais pas avant très longtemps. Et puis, non, finalement. Du haut de mon expérience, les parents d'Andrew étaient des gens distants et coincés, complètement dépourvus d'humour. Ils ne m'avaient toujours manifesté qu'une politesse froide.

— Bonsoir, madame Carson, monsieur Carson. Contente de vous revoir.

Ils me gratifièrent d'un sourire qui manquait singulièrement de sincérité. Je le leur rendis avec une égale affectation.

— Qu'est-ce que vous mangez ? Des huîtres ? Les crustacés, très peu pour moi, merci ! s'exclama ma grand-mère. C'est dégoûtant, gluant, infesté de bactéries. J'ai les intestins fragiles : syndrome du côlon irritable.

— Chaton, désolé de débouler comme ça, murmura mon père en m'embrassant. Ta mère a perdu tout sens de la mesure quand elle a su que tu ne venais pas. Que tu es belle ! Alors, où est-il ? Puisque nous sommes là…

Andrew croisa mon regard. Il me connaissait bien. Il pencha la tête et me sourit curieusement.

— Il est… euh… aux toilettes, répondis-je.

Un coup d'œil sur Margaret, qui ferma les yeux.

— D'accord… euh… il ne se sentait pas très bien, en fait. Je ferais mieux d'aller voir. Lui dire que vous êtes là.

Mes joues brûlaient tandis que je traversais le restaurant — Dieu que cette salle paraissait interminable ! Je crus ne jamais en voir le bout. Cambry, qui m'attendait, me fit un geste vers le couloir menant aux toilettes. Julian s'y était réfugié, guettant à travers les interstices des portes battantes.

— Qu'est-ce qu'on fait ? chuchota-t-il. J'ai raconté à Cambry de quoi il retournait. Il peut nous aider.

— Je viens de leur dire que Wyatt ne se sentait pas bien. Tu vas devoir tenir son rôle.

Je jetai un coup d'œil par-dessus mon épaule vers la salle de restaurant.

— Oh, zut, zut, zut, mon père arrive ! Rentre dans un box. Dépêche !

Le battant se referma et j'entendis le bruit d'une porte se refermer dans un claquement, tandis que mon père avançait d'un pas lourd.

— Chaton ? Comment va-t-il ?

— Eh bien, pas si bien que ça, papa. Euh… il a dû manger quelque chose qui n'est pas passé.

— Pauvre garçon… Drôle de façon de rencontrer la famille de sa petite amie.

Mon père s'appuya gentiment contre le mur.

— Tu veux que j'aille le voir ?

— Non ! Non, non…

Je poussai le battant des toilettes, l'entrouvrant légèrement.

— Ça va ? appelai-je.

— Uhhnnhuh…, laissa échapper Julian, faiblement.

— Je suis là si tu as besoin de moi, dis-je en laissant le battant se refermer.

— Papa, je regrette vraiment que vous soyez tous venus. C'est notre soirée.

Et une farce ridicule.

Il parut gêné.

— Oui, mais ta mère… tu sais comment elle est… elle a pensé que toute la famille devrait être là pour montrer aux Carson… que tout va bien pour toi.

Je me serais donné des claques ! Je n'avais à m'en prendre qu'à moi-même. J'aurais simplement dû aller à ce stupide dîner, dire que Wyatt avait été appelé en urgence à l'hôpital. Au lieu de ça, je me retrouvais à mentir à mon père. A cet homme qui m'aimait, passait son temps avec moi sur les champs de bataille et payait pour mes nouvelles fenêtres.

— Papa ? dis-je en hésitant. Au sujet de Wyatt…

Il me tapota l'épaule.

— Ne t'inquiète pas, chaton. C'est embarrassant, sûrement, mais personne ne lui tiendra rigueur de ses coliques.

— En fait, papa…

— Nous sommes juste contents que tu fréquentes quelqu'un. Je n'ai pas honte d'admettre que je me faisais du souci pour toi. Ta rupture avec Andrew, d'accord, c'était une chose… On a tous connu une ou deux peines de cœur. Mais je savais que ce n'était pas toi qui l'avais voulue.

J'en restai bouche bée.

— Vraiment ?

Je m'étais donné tant de peine pour convaincre tout le monde que c'était une décision prise en accord avec Andrew, que nous doutions l'un et l'autre de notre choix…

— Bien sûr, chaton. C'était évident que tu l'aimais. Laisser ta sœur le fréquenter…

Mon père soupira.

— Enfin, au moins, tu as repris le dessus. Tout le temps du trajet, Natalie n'a cessé de répéter combien ton nouvel amoureux était merveilleux. Je crois qu'elle se sent encore très coupable.

Voilà. Il venait en une phrase de me faire passer l'envie de me confesser. Un homme longea le couloir et s'arrêta, en nous regardant.

— Le petit ami de ma fille a des coliques, lâcha mon père.

Je fermai les yeux.

— Oh ! murmura l'homme. Euh… merci. Je pense que je peux attendre.

Il tourna les talons et rejoignit la salle de restaurant.

Mon père poussa légèrement le battant des toilettes.

— Wyatt ? C'est Jim Emerson.

— Bonjour, monsieur, marmonna Julian, sur un ton plus bas que sa voix normale.

— Est-ce que je peux faire quelque chose pour vous ?

— Non, merci.

Julian laissa échapper un grognement pour faire plus vrai.

Mon père fit la grimace et laissa le battant se refermer.

— Pourquoi ne retournerions-nous pas nous aussi dans la salle ? suggérai-je.

J'entrouvris encore la porte.

— Chéri ? Je reviens dans une seconde.

— D'accord, dit Julian, la voix éraillée, avant de lâcher une toux à faire peur.

En toute honnêteté, je trouvai qu'il en faisait un peu trop, mais je l'aimais tellement, en cet instant… Je lui devais une fière chandelle. Mon père me prit la main pour retourner dans la salle de restaurant et je la serrai, submergée par une bouffée de gratitude en approchant de ma famille, installée maintenant autour d'une grande table. Les Carson fronçaient les sourcils en découvrant la carte. Ma grand-mère inspectait l'argenterie, ma mère semblait comme en lévitation sur les ondes d'énervement qui bourdonnaient autour d'elle, et avec le plus grand naturel. Andrew, Nat et Margaret avaient les yeux posés sur moi.

— Comment va-t-il ? demanda ma benjamine.

— Pas si bien que ça, dis-je. Une huître est sans doute mal passée.

— Je vous l'ai dit, vous n'écoutez jamais ! Des morceaux répugnants de mucosités caoutchouteuses, déclara ma grand-mère, provoquant un haut-le-cœur notable à la table voisine.

— Tu sembles en pleine forme, Grace, dit Mme Carson, s'arrachant à la contemplation du menu.

Elle pencha la tête comme si elle était impressionnée. Que croyait-elle ? Que j'allais me trancher les veines parce que son fils m'avait quittée ?

— Merci, madame Carson.

Pendant presque un mois, je l'avais appelée Letty. Nous avions même déjeuné toutes les deux, une fois, pour parler du mariage.

— J'ai de l'Imodium, ici, quelque part ! s'exclama ma mère en fouillant dans son sac.

— Non, non, ça va. C'est plus… enfin… Nous allons rentrer. Je suis désolée. Wyatt aurait beaucoup aimé vous rencontrer tous, mais vous comprenez…

J'étouffai un soupir. Non seulement je sortais avec un homme imaginaire, mais encore il fallait qu'il ait un désordre gastrique. Définitivement le genre d'homme à rendre jaloux mon ex.

Minute, papillon… Je n'avais pas inventé Wyatt Dunn pour rendre qui que ce soit jaloux. Je coulai un regard vers Andrew. Il me fixait, tenant toujours la main de Natalie, et je vis glisser une lueur dans ses yeux que je ne sus analyser. De l'affection ? Il eut un petit sourire et je détournai les yeux.

— Je vous raccompagne jusqu'à la voiture, dit Natalie.

— Non, ne bouge pas, dit vivement Margaret. Il n'a sûrement pas envie de te rencontrer dans ces circonstances. Ne sois pas bête.

Ma petite sœur se renfonça sur son siège, visiblement blessée.

Je plantai une bise sur la joue de ma mère, fit un signe à ma grand-mère et finis par quitter la table. Cambry le serveur attendait à l'extérieur des toilettes.

— Vous pouvez passer par la porte arrière, murmura-t-il en ouvrant le battant. Julian, la voie est libre.

— Je suis désolée, lançai-je à mon ami. Et merci, ajoutai-je à l'intention de Cambry, lui filant un pourboire dans la main. Vous nous avez vraiment été d'un grand secours.

— De rien. C'était plutôt amusant, répondit-il en nous conduisant vers la sortie de secours.

Il serra la main de Julian, la retenant un peu plus longuement.

— Eh bien, j'ai passé un très bon moment, déclara-t-il alors que nous sortions du parking. Et tu sais quoi ? J'ai un rendez-vous ! A quelque chose malheur est bon !

— Tu as été génial, dans ces toilettes, dis-je pendant que nous roulions.

— C'est ma spécialité de simuler les coliques.

Le fou rire nous prit. Nous rîmes si fort que je dus me garer sur le bas-côté.

20

— Pourquoi vouloir enseigner la guerre de Sécession en même temps que la guerre du Viêtnam ? me demanda Stanton, le principal de Manning, l'air surpris.

Assise à la vaste table en noyer de la salle de conférences du Bigby Hall, le bâtiment administratif de Manning — celui qui figurait sur toutes les brochures promotionnelles —, je venais d'exposer ma vision de ce que serait le département d'histoire sous ma présidence devant le principal, le professeur Eckhart, et les sept membres du conseil d'administration, dont Theo Eisenbraun, le Theo d'Ava selon la rumeur. Ma présentation touchait à sa fin, et j'avais le cœur au bord des lèvres. Je m'étais couchée aux environs de 2 heures du matin, après avoir répété mon argumentation, jusqu'à la connaître par cœur. Après un sommeil entrecoupé et agité, j'avais enfilé une des dernières tenues que j'avais achetées en pensant à Wyatt, qui me paraissait allier conservatisme et créativité, m'étais attaché les cheveux, sans faire l'impasse sur le petit déjeuner, malgré mon estomac noué.

A voir le trouble qui se peignait sur les visages qui me faisaient face, je me demandai pourquoi je m'étais donné autant de mal. Je n'avais manifestement pas réussi à convaincre mes juges. Il m'avait même semblé voir, dans un accès de panique, le professeur Eckhart piquer du nez à plusieurs reprises.

— C'est une excellente question, dis-je avec la voix que je prenais quand j'étais face à mes élèves. La conception des programmes d'histoire s'appuie sur une approche chronologique, et nous pourrions apporter une touche de modernité en introduisant un enseignement thématique. C'est ainsi que nous pouvons trouver des points communs entre la guerre de Sécession et la guerre du Viêtnam : le fait, par exemple, qu'une population au début désorganisée se lève « comme un seul homme » pour résister à ce qu'elle considère comme l'invasion de ses terres par une armée étrangère, et que, en définitive, elle l'emporte par la ruse, la tactique militaire et l'utilisation stratégique du terrain.

— Sauf que ça ne s'est pas passé dans le même siècle, précisa Adelaide Compton.

— Evidemment, répliquai-je un peu vivement. Je dis juste qu'enseigner par thème, plutôt qu'en suivant les événements dans leur ordre chronologique est une direction à creuser, et peut donner un autre éclairage aux événements. Pour certains faits, en tout cas.

— Si je vous suis bien, vous feriez par exemple un cours intitulé « l'abus de pouvoir » ? demanda Randall Withington.

Je regardai l'homme qui venait de m'interroger. Son visage rubicond en temps normal apparaissait, en cet instant, encore plus marbré. Ce dernier avait été sénateur de notre bel Etat quelques années plus tôt. Se sentait-il visé ? Il avait été contraint de démissionner sous le coup d'accusations de corruption et d'abus de pouvoir.

— Je pense en effet que c'est un aspect important de l'histoire, oui, répondis-je, sur la défensive.

— Bien, tout cela est très intéressant, déclara Hunter Graystone III, père de Hunter quatrième du nom, et lui-même ancien élève de Manning.

Il fit un geste vers mon dossier de cinquante-quatre pages soigneusement relié chez l'imprimeur Kinko — avec le programme que je déclinais sur les quatre ans à venir : les cours obligatoires, les options facultatives, les crédits, le budget, les sorties éducatives, le recrutement, les stratégies pédagogiques, le rôle des parents, mais aussi l'enseignement transversal de l'histoire dans d'autres matières. Tout était développé avec des codes de couleur, incluant photos, graphiques, tableaux. Encore fallait-il qu'il l'ouvre et le feuillette. Bon sang ! Le B que j'avais donné à son fils pour sa note de milieu de trimestre (une note ma foi plus qu'honnête, je trouvais) semblait flotter entre nous comme un point de désaccord majeur… La pomme de discorde… Parano, moi ? En tout cas, M. Graystone n'avait pas manqué de me rappeler ce fait quand je m'étais présentée une demi-heure plus tôt.

— Pourquoi ne nous résumeriez-vous pas tout ça, mademoiselle Emerson ?

Le Pr Eckhart leva les yeux vers moi — Dieu merci, il ne s'était pas endormi, comme je l'avais craint un instant ! — et m'adressa un petit hochement d'encouragement de la tête.

— Bien sûr, dis-je, avec un sourire quelque peu forcé. Disons que…

Je pris une profonde inspiration et me lançai, faisant abstraction des regards vides et des mines peu engageantes que j'avais en face de moi.

— Je veux faire sentir aux élèves de Manning le poids de l'histoire sur notre monde actuel, leur faire prendre conscience des sacrifices qui nous ont amenés à l'époque qui est la nôtre. Il faut que le passé soit pour eux une réalité.

Je pris le temps de regarder chacun de mes interlocuteurs dans les yeux, pour créer un lien, marquer mon engagement, mon enthousiasme.

— Il y a une autre façon d'appréhender l'histoire que par la seule mémorisation de dates. Je veux qu'ils sentent que les décisions d'une seule personne peuvent influer sur le devenir du monde, que ce soit Henri VIII qui fit basculer l'Angleterre dans l'anglicanisme suite à la rupture avec Rome et l'Eglise catholique, ou Dr King et son discours sur l'égalité entre les hommes, prononcé sur les marches du Lincoln Memorial.

— Et qui est ce Dr King ? m'interrompit Adelaide, en fronçant les sourcils.

Je déglutis, abasourdie.

— L'activiste Martin Luther King… Les droits civiques…

— Bien, allez-y, continuez.

Je repris mon souffle et poursuivis :

— Nombreux sont les jeunes qui ne connaissent pas les dates, pas plus qu'ils ne maîtrisent la profondeur temporelle. Ils sont déconnectés du passé, même récent, de la politique de leur pays. Entre les SMS, les jeux vidéo, les forums et les réseaux sociaux... Autant de distractions qui parasitent la réflexion et l'analyse critique. Ces jeunes doivent voir d'où nous venons et comment nous sommes arrivés là. C'est une nécessité parce que c'est le passé qui conditionne l'avenir — des individus, des nations, du *monde*. C'est une discipline indispensable pour faire de nos jeunes les citoyens avertis de demain. Ils sont notre futur...

Je sentais les battements désordonnés de mon cœur emplir ma poitrine, la chaleur envahir mon visage. Je croisais mes mains moites pour dissimuler leurs tremblements.

Je terminai le souffle court et dans un silence pesant. Ça n'augurait rien de bon. Jamais l'expression « entendre une mouche voler » ne m'avait paru aussi appropriée.

— Donc... vous pensez que les enfants sont notre futur, conclut Theo, le visage impénétrable.

Je fermai brièvement les yeux.

— Oui, tout à fait, dis-je. Et avec une réflexion sur le passé, nous leur donnons les outils pour agir face aux événements quand viendra le moment.

Je me levai et rassemblai mes papiers.

— Je vous remercie de m'avoir écoutée.

— C'était... très intéressant, dit Adelaide. Euh... bonne chance.

J'eus droit aux banalités d'usage et au « dès que nous aurons étudié les candidatures extérieures » ou au « nous vous ferons connaître très vite notre décision », patati et patata... bla-bla-bla et bla-bla-bla... Je ne me faisais néanmoins guère d'illusions : ma candidature avait peu de chances de passer la première phase des sélections, si j'en jugeais par leurs têtes.

Quand je croisai Ava, un peu plus tard, dans la salle des professeurs, je sus à son sourire retenu qu'elle avait eu vent de ma prestation devant les administrateurs, et que cela avait dû faire l'objet des derniers ragots.

— Salut, Grace, lança-t-elle.

Battement de cils… battement de cils… eh oui, troisième battement de cils.

— Comment s'est passée ta présentation devant le conseil d'administration ?

— Très bien, rétorquai-je. Très positif.

— Tant mieux pour toi, murmura-t-elle, tout en lavant sa tasse de café. « *I believe the children are our future… teach them well and let them lead the way* »…

Je grinçai des dents en l'entendant fredonner les paroles de « Greatest Love of All ». La plaie ! Elle était en train de réduire tout mon travail à une chanson de Whitney Houston.

— Et la tienne, Ava ? Ton soutien-gorge push-up va-t-il faire pencher le conseil en ta faveur ?

— Oh, Grace, je suis navrée pour toi, dit-elle en se versant une nouvelle tasse de café, mais mon décolleté n'y est pour rien. Qu'est-ce que tu veux, j'ai toujours eu un bon contact avec les gens, c'est inné. En tout cas, bonne chance à toi pour la suite.

A cet instant, Kiki passa la tête par la porte.

— Grace, tu as une minute ? Oh ! Salut, Ava, comment ça va ? ajouta-t-elle en apercevant cette dernière.

— Merveilleusement bien, merci, répondit ma collègue, d'une petite voix affectée.

Battement de cils. Battement de cils. Et battement de cils.

— Ça va, toi ? me demanda Kiki quand je la suivis dans le couloir.

— En fait, je suis au trente-sixième dessous, répliquai-je, en fermant la porte de la salle des profs derrière moi.

— Pourquoi ? Qu'est-ce qu'il y a ?

— Je suis passée devant le comité pour défendre mon projet et ça ne s'est pas déroulé aussi bien que je l'espérais, admis-je.

Je sentis ma gorge se serrer, les paupières me brûler, ce qui ne fit que m'irriter davantage.

— Je suis désolée pour toi, chuchota Kiki en me tapotant l'épaule. Ecoute, est-ce que tu veux venir à la soirée de danse

« spécial célibataires » que Julian organise, ce vendredi ?
Ça te changera les idées ! Tu te rends compte que je n'ai pas
fait une seule touche depuis… Dieu seul sait pourquoi, en
tout cas, moi, ça m'échappe. Ce n'est pas faute de faire tout
ce qu'il faut. J'ai suivi à la lettre la méthode de Lou… je ne
l'aurais pas fait avec davantage de sérieux s'il s'était agi des
commandements gravés dans le marbre sur le mont Sinaï,
tu vois ce que je veux dire ?

— Kiki, tu ne trouves pas que ce cours était franchement nul ? En te faisant passer pour quelqu'un que tu n'es
pas, comment veux-tu que ça marche avec un homme, si
tu mens dès le début ?

— C'est le résultat qui compte ! Tu as d'autres idées,
peut-être ? Tu vois une autre façon ?

Je soupirai.

— D'accord, d'accord, tu as sans doute raison, reprit-elle.
Mais viens quand même à cette soirée, s'il te plaît… On va
s'amuser…

— Bof, je ne sais pas.

Kiki baissa la voix.

— Tu pourrais y trouver un cavalier pour le mariage de
ta sœur, qui sait…

Je fis la grimace. Oh ! la rouée qui utilisait l'argument
imparable !

— Ça vaut le coup d'essayer, insista-t-elle, me sentant
prête à céder.

— Satan, sors du corps de cette femme, plaisantai-je.
Peut-être, Kiki. Je ne te promets rien, mais peut-être.

— O.K., super !

Elle jeta un coup d'œil à sa montre.

— Zut, il faut que je file. M. Lucky a besoin de son
insuline et je suis déjà en retard ; tu vas voir que je vais le
retrouver en pleine crise d'épilepsie et qu'il aura fait une
diarrhée. On s'appelle !

Elle tourna les talons, et s'élança dans le couloir vers la
catastrophe médicale qu'était son chat.

— Salut, Grace.

Je me retournai vers la voix qui venait de m'interpeller.

— Salut, Stuart ! Ça va ? Du nouveau ?

Il soupira.

— J'espérais que tu me le dirais.

Sans vraiment me l'expliquer, je sentis la moutarde me monter au nez.

— Stuart, euh… écoute, c'est à toi de trouver une solution. Je ne peux pas être ton intermédiaire, tu comprends ? Personne ne veut plus que moi que ça s'arrange entre vous deux, mais c'est à toi de passer à l'action. Tu ne crois pas ?

— Oui, mais qu'est-ce que je dois faire ? protesta-t-il, en ôtant ses lunettes pour se frotter les yeux.

— Cela fait sept ans que tu es marié avec elle, Stuart ! Tu la connais mieux que personne !

La porte de la salle des profs s'ouvrit.

— C'est quoi tout ce raffut ? Est-ce qu'il y a un problème ? s'enquit Ava d'une voix de gorge.

Enfin, les mots étaient peut-être sortis de sa bouche, mais son décolleté retenant toute l'attention, il pouvait y avoir hallucination ou confusion, auditive et visuelle.

— Non, non, aucun problème, Ava, dis-je sèchement. C'est une conversation privée.

— Comment vas-tu, Stu ? susurra-t-elle. J'ai entendu dire que ton épouse t'avait quitté. Certaines femmes ne se rendent pas compte de la perle qu'elles ont à la maison.

Elle prit la peine d'appuyer ces mots d'un mouvement de tête navré, battit des cils, battit des cils, et battit une fois encore des cils, puis s'éloigna dans le couloir, la démarche chaloupée.

— Stuart ! lançai-je.

Pour un peu, les yeux lui seraient sortis des orbites façon loup de Tex Avery. Manquait plus que le bruit de Klaxon en arrière-fond !

— Va voir ta femme, s'il te plaît, et parle-lui.

— Très bien, marmonna-t-il en reportant son attention sur moi. C'est ce que je vais faire, Grace.

Plus tard, dans la soirée, alors que Margaret jouait au Scrabble sur mon PC, dans mon minuscule bureau, je m'étais repliée dans ma chambre pour y corriger des copies. Installée sur mon lit, je surlignais en rouge, entre deux soupirs d'agacement, les erreurs grammaticales sur le devoir de Kerry Blake. Elle était loin d'être bête, mais ces fautes… A dix-sept ans, Kerry n'avait jamais eu à travailler pour gagner sa vie. Sa mère, diplômée de Harvard, était la directrice générale d'une boîte de consultants à Boston, et son père possédait une entreprise de logiciels avec des filiales dans quatre pays où il se rendait en jet privé. Je ne m'inquiétais pas pour elle ! Kerry serait admise dans l'une des huit plus anciennes et prestigieuses universités du pays, quelles que soient ses notes. Et si, par miracle, elle décidait de travailler au lieu de suivre le chemin de Paris Hilton, elle aurait probablement un boulot gratifiant et bien payé avec un super-bureau, des repas d'affaires interminables, un jet pour se rendre à des réunions d'affaires et une armée de sous-fifres abattant une somme considérable de travail dont elle s'attribuerait le mérite. Alors, quelle importance si Kerry ne savait pas faire la différence entre un infinitif et un participe passé ?

Peut-être que personne ne s'en souciait… Ce n'était pas mon cas. Je voulais qu'elle utilise son cerveau plutôt que de se reposer sur les acquis familiaux ou de se laisser porter par les vents. Je ne me faisais néanmoins pas d'illusions : Kerry se fichait pas mal de ce que je pensais. A l'instar, d'ailleurs, du conseil d'administration qui ne m'avait pas caché son ennui.

— Grace !

La voix de Margaret résonna à travers la maison, faisant sursauter Angus. Ma parole, en vieillissant, ma sœur aînée virait de plus en plus mémé !

— Je fais des pâtes au blé complet et des brocolis pour le dîner. Tu en veux ?

Je fis la grimace.

— Non merci. Je me ferai un truc plus tard, répondis-je en haussant la voix.

Quelque chose avec du fromage. Ou du chocolat. Et plus probablement avec les deux.

— Compris ! Oh, non… Stuart est là.

Alléluia ! Je sautai vers la fenêtre de ma chambre, Angus bondissant joyeusement derrière moi. Effectivement, mon beau-frère remontait l'allée. Il faisait sombre, mais son pull blanc d'Oxford ressortait dans la pénombre. Je me glissai discrètement dans le couloir, prenant soin de fermer la porte derrière moi. Angus n'aurait pas manqué de trahir ma présence. Il y eut un léger coup à la porte. Je perçus les pas lourds de Margaret allant ouvrir. Je la voyais de dos.

— Qu'est-ce que tu veux ? l'entendis-je demander sans ménagement.

Le ton était rude, mais je détectai une note de satisfaction. Stuart s'était finalement décidé à agir, et mon aînée était loin d'être insensible à cette initiative.

— Margaret, reviens à la maison.

La voix de Stuart était basse, et je dus tendre l'oreille pour l'entendre.

— C'est tout ? s'exclama celle-ci, faisant écho à ma propre pensée. Tu es venu jusqu'ici juste pour me dire ça ?

— Qu'attends-tu de moi ? demanda-t-il avec lassitude. Tu me manques, je t'aime. Ta place est chez nous, avec moi.

Je sentis soudain les larmes me monter aux yeux.

— Pourquoi ? Pour qu'on continue à se regarder dans le blanc des yeux soir après soir, à se faire chi… à s'ennuyer comme des rats morts ?

— Je n'ai jamais ressenti ça. J'étais très heureux, affirmat-il. Si tu ne veux pas de bébé, c'est d'accord, mais arrête avec tous ces reproches… Je ne sais pas ce que tu cherches. Je n'ai pas changé.

— C'est peut-être ça, le problème, rétorqua durement ma sœur.

Il soupira.

— S'il y a quelque chose que tu veux que je fasse, je le ferai, mais tu dois me le dire. Ce n'est pas juste.

— Si j'ai besoin de te le dire, c'est que tu n'as rien compris à rien ! Ça n'aurait aucun sens. Tu me demandes de planifier la spontanéité, Stuart. C'est un oxymore.

— Tu parles d'inattendu, de surprises ! s'emporta soudain mon beau-frère. Tu n'as que ces mots à la bouche ! Tu veux quoi ? Que je coure à poil dans Main Street ? Que je me fasse un shoot d'héroïne ? Que je couche avec la patronne du pressing ? Est-ce que ce serait assez inattendu et surprenant pour toi ?

— Tu fais exprès de ne pas comprendre ou quoi, Stuart ? Je n'ai rien à te dire, dans ces conditions. Au revoir.

Elle ferma la porte et s'adossa contre le battant. Une seconde plus tard, je la vis jeter un coup d'œil par la fenêtre de porte. Elle marmonnait.

Le bruit d'un moteur emplit l'air, avant de décroître. Stuart était parti.

Levant les yeux vers l'escalier, ma sœur m'aperçut, accroupie en haut des marches.

— Quoi ?

— Il t'aime, déclarai-je avec précaution, et il ne veut que ton bonheur. Ça ne compte pas ?

— Ce n'est pas aussi simple, Grace ! Bien sûr qu'il aimerait que chaque nuit de notre vie ressemble à la précédente. Que rien ne bouge : dîner, conversations polies sur la littérature et les événements du jour, sexe au jour prévu, et à l'occasion une sortie… Quand on pense qu'il lui faut une demi-heure pour choisir une bouteille de vin ! Je crève tellement d'ennui que j'en hurlerais !

— Bon, à mon tour, voilà ce que j'en dis, très chère coloc, déclarai-je d'une voix ferme. C'est un homme bien, travailleur, intelligent, et il t'adore. Je trouve que tu agis comme une gamine gâtée pourrie.

— Grace, lâcha-t-elle, les dents serrées, quand tu seras mariée, on te demandera ton avis ! En attendant, occupe-toi de tes oignons, d'accord ?

— Oh! absolument, Margs. Au fait, combien de temps penses-tu rester chez moi?

Je le reconnais, ce n'était pas très fair-play, et même plutôt mesquin, mais ça faisait du bien.

— Pourquoi? rétorqua-t-elle. Ça gêne ta relation avec Wyatt?

Et sur ces mots, elle partit d'un pas rageur vers la cuisine.

Dix minutes plus tard, je descendis de ma chambre, bien décidée à reprendre le contrôle de ma maison. Je n'allais quand même pas rester terrée dans ma chambre! Je trouvai Margaret devant la cuisinière, en train de remuer des pâtes. Les larmes coulaient sur son menton.

— Je suis désolée…, dit-elle d'une toute petite voix.

— Je sais, répondis-je en soupirant, ma colère s'évanouissant aussitôt.

Margaret ne pleurait jamais. Jamais.

— Je l'aime, cet idiot. Je crois… Mais quelquefois, j'ai l'impression d'étouffer. Tiens, si je me mettais à hurler, il ne le remarquerait même pas. Je ne veux pas divorcer, mais je ne peux pas non plus rester mariée à un homme aussi expressif qu'un portemanteau. C'est inextricable. C'est comme si, en théorie, nous étions faits l'un pour l'autre, sauf que, dans les faits, ça ne marche pas. Je suis en train de m'étioler et je ne sais pas quoi faire. Si seulement il pouvait fendre l'armure! Etre moins coincé… Quant à cette idée de bébé…

Elle se mit à sangloter.

— Pourquoi veut-il un bébé? Je ne lui suffis plus? Il disait pourtant m'adorer.

— Mais c'est le cas, Margs!

Elle n'écouta pas.

— En plus, franchement, tu me vois avec un enfant? Quelle blague! Je suis insupportable, je plains le pauvre gamin qui m'aurait comme mère!

— Ne dis pas de bêtises, tu serais une merveilleuse maman. Et tu n'es pas insupportable… Enfin, pas tout le temps, rectifiai-je. Si Angus t'aime, c'est un bon signe, non?

— Tu veux que je déménage? Que j'aille à l'hôtel?

— Non, bien sûr que non. Tu sais très bien que tu peux rester ici aussi longtemps que tu le souhaites. Allez, viens dans mes bras. Câlin !

Elle passa les bras autour de moi et me serra très fort.

— Pardonne-moi pour ma réflexion sur Wyatt, murmura-t-elle.

Je me contentai de la serrer à mon tour. Angus bondissait tout autour de nous, en poussant de petits gémissements, jaloux de ne pas être au centre de cet échange d'amour.

Margaret la première finit par se reculer, mettant ainsi un terme à ces effusions, puis elle attrapa une serviette pour s'essuyer les yeux.

— Tu veux un peu de mon repas de fête ? demanda-t-elle. Il y en a assez pour deux.

Je jetai un coup d'œil sur ce qu'elle appelait un dîner.

— Ça m'a l'air aussi goûteux que du carton, dis-je avec un petit sourire. En fait, je n'ai pas très faim. Je crois que je vais aller m'asseoir un peu dehors.

Je me versai un verre de vin, lui tapotai l'épaule pour lui montrer que je n'étais pas triste, et sortis sur la terrasse avec mon animal.

Assise sur ma chaise pliable Adirondack en chêne rouge, je promenai mon regard sur le jardin. Angus reniflait la clôture, en bon chien de garde qu'il était. Toutes les fleurs que j'avais plantées l'année dernière étaient sur le point d'éclore. Les pivoines ployaient sous le poids de leurs boutons, et exhaleraient bientôt leur parfum sucré. Une monarde fistuleuse, près du pin qui me cachait du 32 Maple, ondulait sous un souffle d'air. Les iris blancs, bordeaux, couleur vanille et indigo, que j'avais plantés du côté de la maison de Callahan, se dressaient sur leurs longues tiges gracieuses. Le lilas sur la façade est de la maison s'était fané, mais un fond de senteur flottait encore, léger, indescriptible. J'entendais le grondement de la rivière Farmington, qui avait monté, à cette période de l'année, ses courants rapides battant les rochers. Le sifflet d'un train résonna quelque part au loin ;

la mélancolie qui s'en dégageait aggravait la sensation de solitude qui plombait mon cœur.

Tout serait plus simple, si on pouvait vivre seul… libéré des contraintes de l'amour qui vous prenait le cœur en otage. J'aurais vendu mon âme pour Margaret et Natalie, pour mes parents, pour Julian, et même pour mon petit Angus. J'étais prête à presque tout pour trouver l'amour, le vrai, l'inconditionnel. Ce n'étaient pas mes dernières initiatives qui me démentiraient. Ma liaison avec Andrew me semblait si loin, à croire même qu'elle n'avait pas existé. Et puis, si on le trouvait, cet amour inconditionnel, rien ne garantissait qu'il dure pour la vie. Les couples modèles, autour de moi, n'étaient pas légion… Kiki, Julian et moi galérions.

Je songeai soudain à Margaret, qui était prête à envoyer balader sept années de vie commune avec Stuart. Je sentis des larmes rouler sur mes joues et m'essuyai les yeux avec ma manche, agacée par cet assaut inattendu de sentimentalité. J'avalai une gorgée de vin. Pleurer à cause de l'amour, quelle stupidité ! Margaret avait raison : l'amour, ça craignait — tout autant que le célibat.

— Grace ?

Je relevai la tête. Callahan O'Shea était sur son toit, et me regardait, tel un *deus ex machina*.

— Salut.

— Tout va bien ? demanda-t-il.

— Oh… oui.

J'avais parlé d'une voix à peine audible et me demandai si j'avais bien prononcé ces mots.

— Vous voulez monter ?

— D'accord, me surpris-je à répondre.

Je laissai Angus qui examinait de près une touffe de fougères, et me dirigeai vers la terrasse de Cal. Les lattes luisaient faiblement dans la pénombre et sentaient bon le propre et le neuf ; les barreaux métalliques de l'échelle étaient frais sous mes mains.

— Salut, dit-il, en se penchant pour me prendre la main et m'aider à monter.

— Salut.

Pas très rassurée avec les échelles, je glissai ma main dans la sienne avec reconnaissance. Sa poigne était chaude et ferme. Ce simple contact me faisait déjà un effet monstre. Je la lâchai à regret.

Je distinguai la couverture sombre disposée sur les bardeaux de bois.

— Bienvenue sur mon toit, dit-il simplement.

— Merci, murmurai-je en m'asseyant, soudain prise de timidité.

Cal s'assit à côté de moi.

— Que faites-vous ici ? demandai-je, pour engager la conversation.

Ma voix résonna, étrangement forte et vibrante dans l'air calme et frais.

— J'aime être là… Sous les étoiles.

Mais il ne regardait pas le ciel. Il me regardait, moi.

— J'en ai été privé en prison.

— C'est beau.

Très intelligent, Grace. Oui, vraiment, quel trait d'esprit ! La conscience aiguë de sa présence, de la chaleur que dégageait son corps, me paralysait complètement.

— Donc…

— Donc ? lâcha-t-il avec un léger sourire.

J'eus la sensation que mon estomac faisait un tour sur lui-même. Il se laissa tomber en arrière sur la couverture, les mains derrière la tête. Après une légère hésitation, je fis de même.

C'était effectivement très beau. Un essaim d'étoiles scintillant dans un ciel de velours sombre. Le trille délicat d'un oiseau de nuit venait par intermittence trouer le murmure régulier de la rivière. Et là, à quelques centimètres, il y avait Cal, son épaule contre la mienne.

— Est-ce que vous pleuriez ?

Sa voix était douce.

— Un peu, admis-je.

— Quelque chose ne va pas ?

Je ne répondis pas tout de suite.

— En fait, Margaret et Stuart traversent une mauvaise passe. Et mon autre sœur, Nat — vous vous souvenez d'elle ?

Il hocha la tête.

— Elle va se marier dans quelques semaines. Je pense que ça m'a rendue un peu sentimentale et mélancolique à la fois.

— On en revient toujours à la famille, dit-il doucement. Ils prennent une grande place dans votre vie.

— Oui, ils sont importants, acquiesçai-je, songeuse, le regard toujours fixé sur les étoiles.

Au loin, le trille de l'oiseau résonna de nouveau. Suivi d'un bref jappement d'Angus.

— Avez-vous été mariée ? me demanda-t-il.

— Non, mais j'ai été fiancée, il y a un peu plus d'un an.

Bonté divine ! Cela ne faisait que quinze mois et ça semblait si loin… Une autre vie.

— Pourquoi avez-vous rompu ?

Je tournai la tête vers lui, surprise qu'il pense que c'était moi qui avais pris la décision de rompre. C'était flatteur et adorable, mais faux.

— En fait, ce n'est pas moi. C'est lui. Il est tombé amoureux de quelqu'un d'autre.

Ces mots, simples, résonnèrent étrangement en moi. Bizarre… Dit de cette façon désinvolte, ça ne semblait pas si dramatique. *Il est tombé amoureux de quelqu'un d'autre.* Ce sont des choses qui arrivent, et c'est arrivé…

Il tourna la tête vers moi.

— C'était un idiot.

Il semblait pouvoir déclencher en moi, à distance et à volonté, des réactions physiques en chaîne : série de contractions dans mes endroits les plus intimes, vagues de picotements et de chaleur… Je déglutis.

— Il n'était pas si idiot. Et vous ? Etes-vous allé jusqu'à l'autel ?

— Je fréquentais quelqu'un avant la prison. C'était plutôt sérieux.

Sa voix était neutre, sans émotion.

— Pourquoi avez-vous rompu ?

— Tout n'était pas rose entre nous, mais mon arrestation a sonné le glas de notre relation.

— Elle vous manque ? ne pus-je m'empêcher de demander.

— Un peu. Quelquefois. Mais c'est si loin, tout ça… Même les moments heureux s'effacent petit à petit. Ils font partie d'une autre vie.

Il venait d'exprimer ce que j'avais ressenti un peu plus tôt en pensant à Andrew, et ses paroles eurent une telle résonance en moi que j'en restai stupéfaite.

— Quoi ? demanda-t-il en souriant.

— Rien. C'est juste que je… je comprends exactement ce que vous voulez dire.

Le silence flotta quelques minutes, que je finis par rompre pour lui poser une question qui me brûlait les lèvres, plus qu'aucune autre.

— J'ai lu que vous aviez plaidé coupable. Vous ne vouliez pas aller au procès ?

Il garda son regard fixé sur le ciel.

— Il y avait beaucoup de preuves contre moi, lâcha-t-il après quelques secondes de réflexion.

Pourquoi avais-je la sensation qu'il restait sur la réserve, refusant de me dire le principal ? Mais, après tout, c'était son *délit*, son *passé*, et en cet instant, j'étais si bien sur son toit, avec lui, que je n'eus pas envie d'insister. C'était un moment de grâce — mon moment, donc !

— Grace ?

Mon corps tout entier frémit. Dieu que j'aimais la façon dont il prononçait mon prénom ! Sa voix était profonde, avec une nuance rauque, comme un coup de tonnerre sec, une chaude nuit d'été.

Je tournai la tête vers lui. Il regardait toujours le ciel.

— Oui ?

— Est-ce que c'est fini avec le dresseur de chats ? demanda-t-il.

Mon cœur fit un bond dans ma poitrine et j'arrêtai de respirer. L'espace d'un instant, je me vis lui avouer la vérité

sur Wyatt Dunn. Comment réagirait-il ? L'espace d'un battement de cœur, je l'imaginai me regarder avec une expression
d'incrédulité sur le visage, marmonner quelque chose de
peu flatteur sur mon état émotionnel. Ce n'était pas ce que
je voulais. Il me demandait si j'avais rompu avec Wyatt,
car il… oui, il n'y avait pas à le nier… il s'intéressait à moi.

Je me mordillai la lèvre.

— Euh… Wyatt… disons que sur le papier rien à redire,
mais dans la vraie vie…

Ce n'était pas vraiment un mensonge.

— Alors, nous avons décidé d'arrêter, avouai-je, la
gorge serrée.

— Bien.

Il tourna enfin la tête vers moi. Son visage était sérieux, le
regard impénétrable. Les battements de mon cœur ralentirent
et la tête me tourna. Sans doute le parfum enivrant des fleurs
qui flottait dans l'air ou, plus probablement, sa présence à
lui, un concentré ensorcelant de virilité. Il pouvait me briser
le cœur, songeai-je soudain, avec appréhension.

Très lentement, il avança la main pour effleurer ma
joue. Juste une caresse, d'une infinie légèreté. Je retins ma
respiration. Il allait m'embrasser. Oh ! mon Dieu ! Mon cœur
cognait avec force, douloureusement. Il me souriait.

— Grace ? Grace ! Où est-ce que tu es ? Nat est au téléphone, elle veut te parler !

La voix de Margaret monta jusqu'à nous, brisant la magie
de l'instant.

— J'arrive ! criai-je, sautant vivement sur mes pieds.

Comprenant que j'étais sur le toit, Angus se mit à aboyer.

— Je suis désolée, Cal. Je dois y aller.

— C'est lâche, dit-il, amusé.

Au moment de descendre par l'échelle, je m'immobilisai.

— Peut-être que je pourrais revenir ici un de ces jours…

— Vous pourriez en effet, acquiesça-t-il, en s'asseyant
dans un mouvement souple. J'espère que vous le ferez.

Le rire grave de Callahan me poursuivit tandis que je
me dirigeais vers mon jardin, où m'attendait Angus qui

avait cessé d'aboyer. Mon cœur battait la chamade comme si j'avais couru un cent mètres.

— Qu'est-ce que tu faisais? s'étonna ma sœur en me voyant surgir sur la terrasse. Tu étais avec le voisin?

— Salut, Margaret, lança ce dernier de son toit.

— Qu'est-ce que vous faisiez, tous les deux, perchés là-haut? reprit-elle.

— Fornication, lâcha-t-il. Ça vous dit?

— Vous, le prisonnier d'Alcatraz, ne me tentez pas, répondit-elle en me passant le téléphone.

— Allô? lançai-je, essoufflée.

— Salut, Grace. Je suis désolée. Est-ce que j'interromps quelque chose?

La voix de ma sœur était basse au bout du fil.

— Oh, non! J'étais juste…

Je m'éclaircis la voix.

— Je parlais à Callahan, repris-je. Quoi de neuf?

— En fait, je voulais savoir si tu étais libre, ce samedi. Rien de prévu à l'école? Pas de batailles?

J'entrai dans la cuisine par la baie vitrée et jetai un coup d'œil à mon calendrier.

— Non. Rien de prévu.

— J'aurais aimé que tu sois avec moi pour choisir ma robe de mariée.

Prise au dépourvu, j'accusai le coup et enchaînai :

— Bien sûr! Quelle heure?

— Euh… on dit 15 heures?

Ma sœur semblait sur la réserve. J'aurais parié que quelque chose n'allait pas.

— 15 heures. Génial.

— Tu es sûre?

— Oui, Nattie Bumppo. Qu'est-ce qu'il y a? Tu es bizarre, ce soir…

— Margaret m'a dit que je devrais te laisser un peu d'air et me débrouiller sans toi.

Cette bonne vieille Margs… Ma grande sœur avait raison :

un instant, je m'imaginai dire non, soulevée à cette idée par une vague terriblement jubilatoire et libératrice.

— J'ai très envie de venir, Nat, affirmai-je, la réalité reprenant ses droits.

Et au fond, une partie de moi était ravie.

— On dit : 15 heures, samedi.

— Pourquoi est-ce que tu la protèges autant ? me lança mon aînée à la seconde où j'eus raccroché.

Angus s'engouffra au même instant dans la cuisine, manquant la faire trébucher. Elle ne parut pas s'en apercevoir.

— Dis-lui de grandir et d'arrêter de se regarder le nombril... ça nous changerait. Elle ne gît plus sur un lit d'hôpital, Gracie.

— Je le sais bien, mais sois indulgente, il s'agit de sa robe de mariée. Je ne ressens plus rien pour Andrew, et ça ne me fait ni chaud ni froid qu'elle l'épouse. C'est notre petite sœur, et on doit être auprès d'elle dans un moment pareil.

Margaret se laissa tomber sur une chaise de cuisine et attrapa Angus, qui lui lécha le menton avec enthousiasme.

— Princesse Natalie ! N'empêche, ça ferait du bien si elle pensait un peu aux autres et si elle cessait de croire que le monde tourne autour d'elle.

— Elle n'est pas comme ça ! Seigneur, pourquoi te montres-tu aussi dure avec elle ?

Elle haussa les épaules.

— Ça ne lui ferait pas de mal qu'on lui dise ses quatre vérités, parce qu'à mon avis, on l'a un peu trop surprotégée. Elle a vécu dans une bulle. Belle, intelligente, adorée. Elle a toujours tout eu.

— Contrairement à toi, pauvre petit Calimero ? ironisai-je.

— Exact, je ne suis qu'une incomprise.

Elle soupira.

— Tu sais bien ce que je veux dire, Grace, admets-le. Nat a traversé la vie sur un nuage doux et blanc, avec un putain d'arc-en-ciel au-dessus de sa tête, pendant que les oiseaux du paradis chantaient tout autour d'elle. Moi, j'ai dû me battre et toi... toi, tu...

Sa voix se brisa.

— Moi quoi ? demandai-je, sur la défensive.

Elle resta silencieuse quelques instants.

— Tu t'es pris quelques murs.

— Tu penses à Andrew ?

— Oui, bien sûr. Mais aussi quand nous avons emménagé dans le Connecticut. Tu étais perdue à cette époque…

Bien sûr que je m'en souvenais. C'était la période de Jack « le petit ami laissé derrière moi », Jack dont le père possédait le restaurant Le Cirque.

— Et quand tu es revenue vivre chez les parents, poursuivit-elle, après la fac, et que tu as dû faire la serveuse pendant un an…

— J'ai ressenti le besoin de prendre un peu de recul pour réfléchir à ce que je voulais vraiment faire de ma vie. Et puis, j'ai appris sur le tas quantité de choses qui me servent dans la vie de tous les jours.

— D'accord… Je dis juste que Nat n'a jamais eu à s'interroger, qu'elle n'a jamais eu à se remettre en question… S'est-elle même demandé si la vie pouvait ne pas tourner comme elle le souhaitait ? Jusqu'à ce qu'elle croise Andrew et se casse les dents puisqu'il était fiancé avec toi — mais tu as fini par le lui abandonner. Donc, si je la trouve « un peu » égocentrique, j'ai mes raisons.

— Je pense que tu es jalouse d'elle, dis-je, piquée au vif.

— Mais bien sûr, je crève d'envie d'être à sa place, espèce de folle ! s'exclama-t-elle affectueusement.

En toute honnêteté, le mode de fonctionnement de Margaret m'échappait.

— Au fait, ajouta-t-elle, qu'est-ce que tu faisais là-haut sur ce toit avec le beau gosse d'à côté ?

Je pris une inspiration.

— Nous parlions en regardant le ciel.

Elle me coula un regard de biais.

— Il t'intéresse, Gracie ?

Je sentis une rougeur envahir mes joues.

— Peut-être. C'est possible. En fait, oui, il m'intéresse.

— Mmm, mmm…

Elle me décocha son sourire de pirate, dents visibles et œil droit fermé.

— Alors quoi ? demandai-je.

— Alors rien. Y a du progrès, comparé au pâle Andrew. Seigneur ! Imagine ce que ça doit être, de s'envoyer en l'air avec Callahan O'Shea. Rien que son prénom me file un orgasme.

Elle éclata de rire en voyant ma tête offusquée et se leva en me tapotant l'épaule.

— Assure-toi juste que tu ne le fais pas pour prouver à Andrew qu'un homme s'intéresse sexuellement à toi.

— Waouh ! Quel romantisme ! Je crois que je vais verser ma petite larme.

Elle sourit de nouveau. Elle avait vraiment dû être pirate, dans une autre vie.

— Je te laisse, je suis claquée. J'ai encore un compte rendu à boucler, et après, je vais me coucher. Bonne nuit, Gracie.

Elle me tendit mon petit chien, qui posa la tête sur mon épaule.

— Encore une petite chose, et après, je remballe mon numéro de sœur aînée. Il est normal que tu veuilles tourner la page et avancer, dit-elle dans un soupir, et je le comprends. Mais si séduisant qu'il soit torse nu, il aura toujours un casier judiciaire, et c'est le genre de choses dont on ne se débarrasse jamais tout à fait.

— J'en ai bien conscience.

Contre toute attente, j'avais passé le premier stade des sélections — tout comme Ava, d'ailleurs —, et Margs avait raison. Que je le veuille ou non, le passé de Callahan O'Shea pouvait jouer en ma défaveur, si les administrateurs de Manning venaient à l'apprendre.

— Pèse bien le pour et le contre, sœurette, c'est tout ce que je dis. Je crois qu'il ferait un excellent interlude, et ça ne te ferait pas de mal de t'amuser un peu, mais n'oublie pas que tu enseignes dans un établissement préparatoire privé, et que ça risque de coincer chez tous ces bien-pensants de Manning. Et je ne te parle pas des parents…

Je ne répondis pas. Comme toujours, Margaret avait raison.

21

Le lendemain, alors que Margaret, ma grand-mère et moi déjeunions chez mes parents, ma mère déclara soudain au beau milieu du repas :

— L'hôpital pour enfants de Yale New Haven vient de me commander la sculpture d'un bébé *in utero*.

— C'est une super nouvelle, maman, lui dis-je chaleureusement, en avalant une bouchée de son excellent rôti cuit à la cocotte.

— Ce n'est pas pour me vanter, mais ça s'annonce très, très bien…

— Pourtant, tu ne t'en prives pas… Tu ne fais qu'en parler, bougonna mon père.

— J'ai failli mourir en couches, lâcha ma grand-mère. On a dû me plonger dans un coma artificiel, et à mon réveil, trois jours plus tard, on m'a dit que j'avais un fils magnifique.

— Ça, c'est un accouchement comme je l'entends, ironisa Margaret, en descendant d'une traite son verre de vin.

— Je n'ai plus qu'à régler le problème de la tête du bébé qui, pour l'instant, se casse encore…

— C'est clair, ça la ficherait mal auprès des femmes enceintes, coupa ma sœur.

Ma mère ne releva pas, se contentant de lui lancer un regard noir, avant de poursuivre :

— Je ne parviens pas à trouver la façon de la maintenir en place.

— Et pourquoi pas de l'adhésif pour canalisations ? suggéra mon père.

Je réprimai un rire.

— Es-tu obligé d'être sans cesse désagréable quand on parle de mon travail, Jim ? Dis-moi ? Et toi, Grace, ne ris pas derrière ta main, trésor. Tu es belle, pourquoi est-ce que tu te caches toujours ?

— Se tenir droite est le signe d'une bonne éducation, renchérit distraitement ma grand-mère, occupée à crocheter avec son doigt l'oignon de son Martini tombé au fond de son verre.

Elle finit par l'attraper et l'avala tout rond.

— Une femme du monde ne se recroqueville pas. Et qu'est-ce que tu as fait à tes cheveux, aujourd'hui ? reprit-elle. On dirait que tu viens juste de descendre de la chaise électrique.

— C'est le style « branché », mémé. Ravie que tu l'aies remarqué, merci !

— Maman, demanda mon père, qu'est-ce qui te ferait plaisir pour ton anniversaire, cette année ?

Ma grand-mère leva un sourcil dégarni.

— Tu n'as donc pas oublié… Je l'aurais pourtant parié, vu que personne n'en parlait.

— Bien sûr que non, dit-il d'un ton résigné où perçait aussi la lassitude.

— Lui est-il arrivé d'oublier une seule fois, Eleanor ? demanda vivement ma mère, faisant preuve d'un rare mouvement de solidarité envers son mari.

— Si, il a oublié une fois.

— J'avais six ans, soupira mon père.

— Quand il avait six ans, poursuivit-elle, complètement sourde. Je pensais qu'il m'aurait au moins écrit une carte, mais non. Rien.

— En fait, je pensais t'emmener au restaurant vendredi. Toi, ainsi que Nancy, les filles et leurs compagnons. Qu'est-ce que tu en dis ? Ça semble bien, non ?

— Où irions-nous ?

— Un endroit horriblement cher où tu pourras te plaindre toute la soirée, répondit Margaret. Ton idée du paradis, hein, mémé ?

— En fait, je ne vais pas pouvoir venir, lâchai-je, sans réfléchir. Wyatt doit présenter un article à New York et je l'accompagne. Vraiment désolée, mémé. Je te souhaite une très belle soirée et je suis sûre qu'elle le sera.

Certes, j'avais prévu de dire à ma famille que Wyatt et moi étions séparés — mariage de Natalie oblige, je ne pouvais faire durer plus longtemps ce jeu du chat et de la souris —, mais, à l'idée de passer un vendredi soir coincée entre ma grand-mère qui n'allait parler que de ses polypes dans le nez, mes parents qui passeraient le repas à se chamailler, Margaret de mauvaise humeur, Natalie et Andrew avec leur bonheur dégoulinant, je réalisai que c'était au-dessus de mes forces ! Callahan avait raison. J'en faisais déjà beaucoup pour ma famille — qui ne m'en demandait d'ailleurs pas autant. Wyatt Dunn pouvait bien me venir en aide une toute dernière fois, avant la rupture définitive.

— Mais c'est mon anniversaire, protesta ma grand-mère, le visage chafouin. Annule tes plans !

— Non, répondis-je, avec un sourire pour arrondir ma réponse.

— A mon époque, on montrait du respect envers les anciens…

— C'est quoi, déjà, cette histoire sur les Inuits ? demanda Margaret, sur le ton de l'ironie. Ils abandonnent leurs vieux sur un morceau de banquise… C'est ça, non ? Un morceau de banquise… Ça laisse songeur, pas vrai, mémé ?

Je ris, ce qui me valut un regard noir de mon aïeule.

— Ecoutez, il faut que j'y aille. J'ai un tas de copies à corriger. On se voit à la maison, Margs, ajoutai-je à l'adresse de ma sœur.

— Tchin-tchin, répliqua cette dernière en levant son verre vers moi, avec un sourire entendu. Au fait, Wyatt n'aurait-il pas un frère, par hasard ?

Je lui tapotai l'épaule en souriant avant de filer à l'anglaise.

Quand je me garai dans mon allée, dix minutes plus tard, je jetai un coup d'œil vers la maison de Callahan. S'il était chez lui, peut-être me demanderait-il de lui tenir compagnie ? Et cette fois, il n'y aurait personne pour nous interrompre.

— Je n'ai rien à perdre, m'encourageai-je en sortant de la voiture.

La mignonne petite tête d'Angus apparut à la fenêtre. Son jappement de bienvenue me parvint étouffé.

— Encore une minute, ma puce ! criai-je en continuant jusqu'au 36 Maple.

J'avançai dans l'allée. Frappai à la porte. Energiquement.

Pas de réponse. Je frappai une nouvelle fois, l'assurance vacillante. Je jetai distraitement un coup d'œil à la rue, et remarquai alors l'absence du pick-up. Je lâchai un soupir de déception et me résignai à rentrer chez moi.

Toujours pas de pick-up en vue le lendemain… ni le jour suivant. Non que j'espionnasse, évidemment… juste un coup d'œil, de temps à autre, par la fenêtre — toutes les dix minutes environ. Force était de reconnaître qu'il me manquait. Ses traits d'humour, ses regards de complicité… Même la vue de ses bras musclés me manquait. Comme le frisson de plaisir et d'excitation qui courait sur ma peau dès qu'il posait son regard sur moi. Et quel séisme émotionnel, quand il m'avait effleuré le visage, sur le toit ! Je m'étais sentie la plus belle créature sur terre.

Bon sang, mais où était-il passé ? Et pourquoi son absence me contrariait-elle autant ? Sa conditionnelle avait-elle été suspendue ? L'image quelque peu caricaturale du prisonnier en uniforme orange, sur le bord de la route, en train de ramasser des détritus, passa devant mes yeux. Et s'il était en réalité une taupe de la CIA, et qu'il venait de partir en mission, comme le personnage assassin de Clive Owen dans *La Mémoire dans la peau* ?

La réplique « Dois aller tuer quelqu'un, très chère… Je serai un peu en retard pour le dîner ! » me venait tout naturellement à l'esprit quand je pensais à Callahan. Ça collait mieux que l'image du comptable.

Peut-être avait-il une petite amie. Je ne le pensais pas, mais qu'est-ce que j'en savais, au fond ?

Le vendredi soir, trouvant que je m'étais assez torturé l'esprit au sujet de l'absence inexpliquée de mon voisin, je me décidai finalement à accompagner Kiki à la soirée des célibataires. Autant passer le temps d'une façon agréable. Au diable Callahan O'Shea ! Je laissai Margaret assise à la table de la cuisine, une pile de dossiers et une bouteille de vin ouverte à côté d'elle. Elle était d'humeur massacrante, à l'idée du dîner d'anniversaire avec la famille.

A 21 heures, je me trouvais au Lindy Hop, bien loin en pensée de ma famille — et de New York où j'étais censée être —, dansant sur du Gloria Estefan avec Julian, Kiki et Cambry le serveur, m'amusant comme une petite folle.

Je ne repérai aucun homme intéressant. Kiki avait accaparé le seul hétéro séduisant, et le courant semblait passer entre eux. Apparemment, Cambry avait fait venir beaucoup de ses amis. Ainsi, à part une poignée de femmes d'âge moyen (le public habituel qui constituait les cours de Julian), la soirée avait définitivement pris une ambiance gay-friendly.

Dans les faits, cela signifiait juste que les hommes sur la piste étaient d'excellents danseurs, bien habillés et qui flirtaient ouvertement. Voilà encore une injustice criante : les gays faisaient généralement de bien meilleurs petits amis que les hétéros, si l'on faisait abstraction de la sexualité, bien sûr. En tout cas, un gay, lui, m'aurait avertie qu'il quittait la ville pour quelques jours. Il est vrai que Callahan n'était pas non plus mon petit ami…

Je me laissai envahir par la musique et, chassant toutes ces pensées, j'enchaînai les pas de salsa, virevoltai sur la piste, passant de bras en bras, riant aux compliments des potes de Cambry qui me disaient combien j'étais *fabuleuse*.

C'était bon d'être loin de la famille, de ne pas chercher l'amour, de profiter de l'instant présent, sans arrière-pensée. Ce bon vieux Wyatt ! Ce dernier rendez-vous était sans conteste le meilleur.

Lorsque j'aperçus Julian qui se dirigeait vers la sono au fond de la salle, je le suivis.

— C'est génial ! m'exclamai-je. Regarde le monde qu'il y a ! Tu devrais le refaire, cela pourrait même devenir un rendez-vous régulier, incontournable. La « Nuit des gays et célibataires ».

— Pourquoi pas ? répondit-il avec un sourire, en survolant sa liste de titres. Qu'est-ce qu'on passe, maintenant ? Il est déjà 22 heures. Je n'ai pas vu le temps passer. Peut-être un truc lent, qu'est-ce que tu en dis ?

— Ça me paraît bien. Je suis épuisée et j'ai mal aux pieds. C'est un peu plus dynamique que notre soirée « Danse avec les anciens ».

Julian me sourit. Il était aussi beau que d'habitude, mais il avait quelque chose de changé. Il semblait plus… heureux. C'était ça : il n'avait plus ce côté sombre, ténébreux, qui lui valait tant de succès.

— Comment ça se passe avec Cambry ? demandai-je.

Une rougeur envahit les joues de Julian.

— Merveilleusement bien, admit-il timidement. Nous avons eu deux rendez-vous. Je pense que nous allons bientôt nous embrasser.

Je lui serrai le bras.

— Je suis contente.

— Tu ne te sens pas… négligée, au moins ?

— Non ! Je suis heureuse pour toi. Il t'a fallu du temps.

— Je sais. Et, Grace, tu…

Il s'interrompit soudain en levant les yeux, une expression horrifiée sur le visage.

— Oh, non, Grace ! Ta mère est là.

— Quoi ? m'exclamai-je, en imaginant aussitôt le pire.

Me cherchait-elle pour m'annoncer une mauvaise nouvelle ? Ma grand-mère venait-elle de mourir ? Mon père venait-il d'avoir une crise cardiaque ? *Seigneur, faites que ce ne soit pas Nat ou Margs !*

— Elle est en train de danser, ajouta Julian, en se tordant

le cou pour mieux voir. Avec un des potes de Cambry. Tom, je crois.

— Elle danse ? Mon père est où ?

Je me dissimulai derrière Julian, jetant des coups d'œil par-dessus son épaule.

— Je ne le vois pas. Peut-être qu'elle avait juste… envie de danser. Oh ! bon sang ! Elle vient dans notre direction. Planque-toi, Grace ! Tu n'es pas censée te trouver là !

Je me faufilai dans le bureau de mon ami, avant de me faire griller. Pas très mature ? Non… mais pourquoi risquer de gâcher une belle et joyeuse soirée avec une scène embarrassante, quand il me suffisait de m'éclipser ? Je pressai une oreille contre la porte pour pouvoir entendre.

— Nancy, quelle bonne surprise ! Que c'est bon de vous voir ! entendis-je Julian s'exclamer, presque à tue-tête.

— Bonsoir, Julian, répondit ma mère. Tu vas trouver ça drôle, mais j'ai soudain eu envie de danser… Je sais bien que je ne suis pas célibataire, mais ça m'a prise comme ça…

— Vous êtes la bienvenue ! répliqua-t-il chaleureusement. Vous allez laisser quelques cœurs brisés derrière vous, c'est tout ! Vous m'accordez cette danse ?

— En fait, mon chou, je voudrais utiliser ton téléphone… je peux ?

— Mon téléphone ? Dans mon bureau ?

Julian criait presque, maintenant.

— Oui. Ça ne te gêne pas, au moins ?

— Non, non, bien sûr que non. Bien sûr que vous pouvez utiliser mon téléphone !

Je m'écartai d'un bond de la porte et ouvris vivement le placard, sautai dedans et refermai la porte sur moi. Juste à temps.

— Merci, Julian chéri… Allez, file ! Ouste, je t'ai déjà retenu trop longtemps loin de tes amis.

— Sûr, Nancy. Euh… prenez tout le temps que vous voulez.

J'entendis la porte se refermer, puis un bruit de touches. Ma mère était en train de composer un numéro. J'attendis, le cœur battant sourdement contre mes côtes, l'odeur du cuir de la veste de Julian flottant dans mes narines.

— La voie est dégagée, murmura-t-elle, en raccrochant aussitôt.

« La voie est dégagée » ? Dégagée pour quoi ? Pour qui ? Je réprimai mon envie d'entrouvrir la porte du placard, de peur de me trahir. Non seulement je n'étais pas à New York avec mon petit ami médecin, mais encore je me cachais dans un placard d'où j'espionnais ma mère. La voie était dégagée... Ça n'augurait rien de bon. Ça sentait même les ennuis !

Bon sang ! J'avais bien conscience que la vie de couple de mes parents n'avait pas été de tout repos, mais de là à supposer... Ma mère avait-elle quelqu'un ? Trompait-elle mon père ? Pauvre papa ! Et lui, s'en doutait-il ?

L'indécision me figea sur place, la gorge serrée, le cœur caracolant. Je me tenais cramponnée, sans même m'en rendre compte, à la manche de la veste de Julian. *Calme-toi, Grace. Tu as l'esprit mal tourné...* Peut-être que ce « la voie est dégagée » n'avait pas le sens clandestin que je lui prêtais. Peut-être ma mère parlait-elle d'autre chose...

Tu parles... La porte du bureau s'ouvrit de nouveau, et se referma.

— Je vous ai aperçue en train de danser, fit une voix masculine, un peu bourrue. C'est vous, la sculptrice, n'est-ce pas ? Tous les hommes vous regardaient, vous désiraient...

Je fronçai les sourcils. Bon, là, c'était carrément un gag. Tous les hommes présents ce soir, à l'exception peut-être de deux, étaient gay.

— Fermez la porte.

La voix de ma mère était basse, à peine audible.

J'écarquillai les yeux dans la pénombre de mon placard. Par tous les saints ! Je me cramponnai plus fort à la manche, mes ongles s'enfonçant dans le cuir souple.

— Vous êtes si belle...

Cette voix masculine et rauque me semblait familière.

— Arrêtez de parler et embrassez-moi, grand fou, ordonna ma mère.

Il y eut un silence.

En sueur, j'entrouvris d'un chouïa la porte pour jeter un coup d'œil. Et réprimai l'envie de hurler.

Mes parents étaient là devant moi, en train de se rouler des pelles dans le bureau de Julian.

— Comment vous appelez-vous ? demanda-t-il, fixant amoureusement ma mère.

— Qu'importe ! répondit cette dernière. Embrassez-moi. Faites-moi vibrer !

Ma stupéfaction vira à l'horreur quand je vis mon père s'exécuter, l'empoignant et l'embrassant longuement… Oh, Seigneur, avec la langue ! J'eus un mouvement de recul, parcourue par un frisson — rectification : je n'étais plus qu'un énorme frisson —, et fermai la porte aussi doucement que possible… Ce qui n'avait que peu d'importance, vu les bruits qu'ils faisaient. Je m'enfonçai la manche de veste dans la bouche pour contenir le cri que je sentais monter. Mes parents. Mes parents étaient en plein jeu sexuel. Et moi, j'étais coincée dans un placard.

— Oh, oui… Encore. Oui, gémissait ma mère.

— J'ai envie de vous. A la toute première minute où je suis entré dans cette petite salle de danse, j'ai eu envie de vous.

J'enfonçai les doigts dans mes oreilles. *Seigneur, Seigneur… S'il vous plaît, rendez-moi sourde. Pitié ! Pitié…* J'aurais bien sûr pu mettre un terme à ce supplice en jaillissant de ma cachette, et les prendre par surprise. Mais il m'aurait fallu alors expliquer ce que je faisais dans ce placard. Pourquoi je m'y cachais. Pourquoi je ne m'étais pas montrée plus tôt. Et puis, j'aurais à écouter les justifications de mes parents.

— Oh, oui, là ! susurrait ma mère.

Les doigts dans les oreilles ne fonctionnant pas, je plaquai la paume de mes mains. Quelques mots émergeaient. « Plus fort… Plus haut… »

— Aïe ! Ma sciatique ! Pas si vite, Nancy !

— Arrêtez de parler et faites-le, bel étranger.

Oh ! S'il vous plaît, mon Dieu, je rentrerai dans les ordres,

promis… une nonne de plus dans vos rangs, ce n'est pas
négligeable… mais faites-les arrêter, pitié.

En percevant un nouveau grognement, j'essayai la visualisation… une prairie recouverte de petites fleurs sauvages,
le bruit des détonations déchirant l'air, l'odeur grisante de
la poudre, les cris des soldats confédérés et de l'Union
tombant au sol…

— Oh ! chéri…, murmurait ma mère.

Non, ça ne fonctionnait pas davantage. Même par l'esprit,
je ne parvenais pas à m'échapper.

N'y tenant plus, j'étais sur le point de bondir hors de ma
cachette et de les arrêter au nom de la décence, quand ma
mère intervint.

— Pas ici, grand fou. Prenons une chambre.

Merci, mon Dieu ! Oh… et pour ce qui est de mon entrée
dans les ordres, une très grosse donation ne serait pas plus
utile ?

J'attendis de longues minutes, m'appliquant à retrouver
mon souffle, puis je risquai un coup d'œil. Ils étaient partis.

Je tressaillis en entendant la porte du bureau s'ouvrir, et
me détendis aussitôt en voyant Julian.

— Est-ce que tout va bien ? demanda-t-il. Est-ce qu'elle t'a
vue ? Elle ne m'a pas dit un mot, elle a juste filé vers la sortie.

Julian me regarda plus attentivement.

— Grace, tu es blanche comme un linge ! Que s'est-il
passé ?

J'émis une sorte de râle.

— Euh… tu ne regarderas plus ce bureau de la même
manière, si je te le dis.

Je passai furtivement devant lui, pressée de sortir de cet
espace, me faisant la promesse silencieuse de ne jamais plus y
remettre les pieds. Je fis un signe à Kiki, qui dansait toujours
avec son hétéro, et rentrai chez moi sans demander mon
reste. Tandis que je roulais, tremblante, avec la sensation que
Satan venait d'éteindre sa clope sur mon âme, je me sentis…
heureuse de savoir que mes parents… s'entendaient encore
à merveille et avaient une vie intime des plus riche. Mais

grand Dieu… je ne demandais cependant pas à en être un témoin privilégié ! Je descendis ma vitre et inspirai quelques bouffées d'air frais. Peut-être que des séances d'hypnose pourraient effacer pour toujours cette nuit de mon esprit.

Mais c'était bon, malgré tout, de savoir que mes parents s'aimaient toujours.

Un nouveau frisson me parcourut, tandis que je me garais dans mon allée.

La maison de Callahan était encore plongée dans le noir.

22

Le lendemain, je retrouvai donc, comme convenu, mes sœurs et ma… mère, chez Birdie's Bridal, la boutique de robes de mariée.

Pour tout dire, nous étions assises, Margaret et moi, sur l'un des canapés du salon d'essayage — le mot « salle » aurait mieux convenu, vu la grandeur de l'espace et le nombre de sofas, chauffeuses et tables basses —, buvant de la margarita aromatisée à la fraise qu'elle avait eu la riche idée de préparer et d'apporter dans un Thermos, attendant que Natalie sorte de derrière le rideau en robe de mariée. Au paradis du mariage, tout était fait pour mettre en valeur la future mariée, créer l'effet de surprise, susciter les « oh ! » et les « ah ! ».

— Ce qui est pris n'est plus à prendre, chuchota Margaret, en buvant ostensiblement une rasade de margarita à même le Thermos.

— Je suis bien d'accord, acquiesçai-je.

Ma mère — devrais-je l'appeler, maintenant, la femme fatale ? — avait rejoint ma sœur derrière le rideau pour l'aider, et sa voix nous parvenait par intermittence au gré d'un « attends, il y a un petit pli ici », ou d'un « bouge ton bras, ma chérie, là, voilà… ».

Rien de sa folle soirée ne transparaissait dans son attitude. Elle semblait si normale… Difficile de croire que c'était la même personne que j'avais surprise en plein jeu sexuel, la nuit dernière. A quoi pensait-elle ? Est-ce que les images d'un autre essayage, le mien en l'occurrence, lui revenaient à l'esprit tandis qu'elle s'occupait de sa petite dernière ? La vie, après tout, n'était qu'un éternel recommencement… Margaret, au tribunal ce jour-là, n'avait pas pu m'accompagner, et Nat était encore à Stanford. Nous n'étions donc que toutes les deux, ma mère et moi, mais nous avions passé un très bon moment. Certes, ç'avait été rapide, car la première robe avait été la bonne. Elle ne correspondait pas vraiment à la robe crinoline avec les jupons à cerceaux, comme celle de Scarlett décrite par Margaret Mitchell, dont je rêvais secrètement. L'air dubitatif, voire incrédule, de ma mère avait eu tôt fait de doucher la moindre velléité que j'aurais pu avoir. Mais après tout, rien ne ressemblait plus à une robe de mariée qu'une autre robe de mariée. En fait, je ne me souvenais plus vraiment de la mienne… blanche, simple. J'aurais dû la mettre depuis longtemps en vente sur eBay. « Robe de mariée, neuve, n'a jamais servi. »

— Ooh, celle-là aussi est jolie ! m'exclamai-je en voyant Nat, qui venait de tirer le rideau.

Ma sœur m'apparut comme l'incarnation de la mariée, une image d'Epinal… rayonnante, les yeux brillants, une légère rougeur sur les joues, presque recueillie.

— Je préfère la première, lâcha Margaret. Je n'aime pas ces froufrous sur le décolleté.

— Les froufrous, c'est un peu démodé, ajoutai-je en prenant une autre gorgée de margarita.

— Je ne sais pas, murmura Natalie en se regardant dans le miroir. Je crois que ça me plaît bien, les froufrous.

— Tu me diras, c'est joli aussi, les froufrous, m'empressai-je de rectifier, sans états d'âme.

— Tu es magnifique, déclara fermement ma mère. Même avec un sac-poubelle sur le dos, tu serais toujours magnifique.

— N'est pas princesse qui veut, gloussa mon aînée en levant les yeux au ciel. Même avec une peau de bête sur le dos, tu serais magnifique.

— Même en robe de bure, comme les moines, renchéris-je, tirant à ma grande satisfaction un rire de ma sœur aînée.

Nat sourit, mais elle semblait ailleurs.

304

— Je me fiche de ce que je porte. Je veux juste me marier, murmura-t-elle.

Margaret fit une petite moue désabusée.

— Bien sûr, dit ma mère en lui effleurant l'épaule. J'ai ressenti la même chose. Et Margaret aussi, n'est-ce pas, Margaret ?

— Si tu le dis…, répondit cette dernière, l'air songeur.

Réalisant qu'il y avait d'autres sentiments que ceux de Natalie à prendre en compte, ma mère me regarda d'un air inquiet. Je savais moi aussi ce que ressentait ma sœur : je l'avais vécu. Fut un temps où tout ce que je voulais, moi aussi, c'était me marier avec Andrew. Je me représentais alors ma vie avec lui comme une longue suite de soirées, passées à visionner des films et à jouer au Scrabble, de week-ends à courir les antiquaires ou sur les champs de bataille, à lire le *New York Times* au lit et à faire l'amour. Avant les deux enfants et les longues vacances d'été à Cape Cod ou à sillonner le pays.

Une autre vie, pensai-je dans un éclair, assise sur ce canapé, en train de contempler ma sœur. Je mesurai soudain à quel point je m'étais abandonnée au rêve, me nourrissant d'images purement romanesques. Des constructions de l'esprit un peu minces. Cela aurait dû me mettre la puce à l'oreille, bien avant qu'Andrew ne rompe nos fiançailles. C'était un tableau un peu trop idyllique pour être vrai.

— Au fait, comment s'est passée ta nuit à New York, Grace ? me demanda soudain Natalie.

— Je suis désolée de dire que Wyatt et moi…

Je m'interrompis pour donner un effet de regret à ce que j'allais annoncer.

— Nous avons décidé de faire une pause.

— Quoi ? s'exclamèrent Natalie et ma mère en chœur.

Je soupirai, coulant un regard vers Margaret, que j'avais mise au parfum de mes intentions.

— C'est un garçon vraiment super, mais son travail prend vraiment trop de place. Quand on pense que vous ne l'avez pas rencontré… C'est assez parlant…

— Nul, déclara ma sœur aînée. Moi, je n'ai jamais pensé qu'il était aussi parfait que ça…

— Tais-toi, lui dit ma mère, en venant s'asseoir près de moi pour me prendre dans ses bras.

— Oh ! Grace, murmura Natalie, en se mordillant la lèvre. Il semblait si merveilleux. Je… tu semblais amoureuse. Tu parlais mariage, il y a quelques jours encore !

Margaret s'étouffa sur une gorgée de margarita.

— Je ne veux pas d'un mari que je ne verrais qu'entre deux portes, qui ne pourrait pas… euh… consacrer du temps à ses enfants, à moi. Vous comprenez… Courir à l'hôpital à tout instant, ça va bien un moment, mais bon…

— Mais il sauve des vies, Gracie, protesta Nat.

— Mmm, dis-je en sirotant mon verre. C'est vrai, mais un bon médecin ne fait pas nécessairement un bon mari.

— Tu as peut-être raison, ma chérie. Ce n'est pas simple, le mariage, approuva ma mère.

L'image de mes parents en pleine étreinte m'assaillit, à mon grand désarroi. Je battis des paupières, m'efforçant de la chasser, mais elle était comme inscrite sur ma rétine.

— Et toi, Gracie, comment te sens-tu ? demanda Margaret, comme je lui en avais donné la consigne dans la voiture.

— En fait, je crois que j'ai pris la bonne décision.

— Tu n'as pas le cœur brisé ? dit Natalie en s'agenouillant devant moi.

Quelle vision, dans sa robe blanche !

— Non. Vraiment pas. C'était préférable. Nous resterons amis, dis-je.

Margaret me donna un coup de coude dans les côtes.

— Ou pas, me repris-je. En fait, il se pourrait qu'il parte à Chicago. Alors, on verra bien. Et toi, maman, ça se passe comme tu veux, pour ta dernière sculpture ? Tu as trouvé une solution pour la tête ?

Changer de sujet était encore la façon la plus efficace de détourner l'attention générale de ma vie sentimentale.

— J'éprouve un peu de lassitude ; je crois que j'arrive à la fin d'une période ; j'ai fait le tour des lèvres et des ovaires…, lâcha ma mère. Je crois que je vais me pencher sur l'homme et ses fondamentaux... le bon vieux pénis.

— Pourquoi pas des fleurs, maman ? s'exclama Margs. Ou des petits lapins, des papillons ? Faut-il que ce soit chaque fois lié aux organes génitaux ?

— Alors, comment ça se passe ici ? interrompit la Birdie de Birdie's Bridal, en surgissant, une robe dans les mains. Oh ! Natalie, mon chou, vous êtes éblouissante ! Une vraie gravure de mode ! Une star de cinéma ! Une princesse ! s'exclama-t-elle, maniant l'outrance avec un art consommé.

— Et n'oubliez pas les déesses grecques, ironisa Margaret.

— Aphrodite sortant des eaux, s'empressa d'affirmer Birdie, dans la surenchère.

— C'est Vénus sortant des eaux, murmurai-je.

— Ah, Faith, vous êtes là, je pense qu'on a trouvé votre robe, déclara Birdie, en me tendant la longue robe rose qu'elle avait dans les mains.

— Moi, c'est Grace. Je m'appelle Grace.

— Essaie-la, essaie-la ! s'écria Nat. Cette couleur va être superbe sur toi, Gracie !

— C'est bien beau de vouloir être témoin... Mais il faut prendre tout le package, ironisa Margaret.

— Remets-toi, dis-je en me levant du canapé. Essaie plutôt la tienne, et tiens-toi bien.

— C'est celle-ci, Margaret, lui dit Natalie en lui tapotant la tête.

Sans broncher, ma sœur et moi nous dirigeâmes vers des cabines d'essayage distinctes avec nos robes respectives.

Je tirai le rideau sur moi et suspendis la robe à la patère. Tout en ôtant mon jean et mon chemisier, je me félicitai de mon choix judicieux de sous-vêtements, très avantageux pour la silhouette. Je passai la robe par la tête, et étouffai un juron en sentant mes cheveux se prendre dans la fermeture. Je tirai, et parvins après force gesticulations à me libérer, avant de me battre avec le bustier pour l'ajuster à ma poitrine. Voilà. Une dernière petite poussée par-ci, un dernier petit « tirage » par-là, et je fus prête.

— Allez, sors, montre-nous ! s'écria Natalie.

— Ta-dam ! lançai-je vaillamment en tirant le rideau.

— Oh ! superbe ! Cette couleur te va à ravir ! s'écria-t-elle.

Cette dernière avait enfilé une autre robe de mariée, une création de soie blanche irisée avec un décolleté sage, un haut très ajusté orné de broderie de perles, et de larges jupons bouffants. Margaret, efficace et rapide comme toujours, attendait déjà, boudeuse, et magnifique dans sa robe d'un rose plus pâle que le mien.

— Allez, Grace, dit ma mère. Va avec tes sœurs que je vous voie ensemble.

J'obtempérai, rejoignant sur un genre de petit podium Natalie, blonde, à la grâce innée, et Margaret, les cheveux d'un roux chaud, lisses et brillants, mis en valeur par une coupe au carré élégante, d'une beauté tranchante et racée, et des pommettes… J'aurais tué pour les avoir. Mes sœurs, pour le dire simplement, étaient belles. Eblouissantes, même.

Et puis, il y avait moi, brune, les cheveux longs, frisés et indisciplinés, avec en plus, aujourd'hui, des cernes sous les yeux (mais comment trouver le sommeil après avoir failli voir ses parents en plein coït ?). J'avais pris, ces derniers mois, un peu de poids, qui semblait s'être concentré sur le haut du corps. Pourquoi avais-je si souvent cédé, au cours des derniers mois, à tous ces tête-à-tête — de qualité, il fallait bien le dire — avec Ben & Jerry ? La chair était faible, voilà tout… D'après les photos de famille, je me trouvais une ressemblance avec l'arrière-grand-mère maternelle, immigrée de Kiev.

— Ne suis-je pas le portrait craché de Zladova ?

Ma mère marqua un léger mouvement de recul.

— Je me demandais d'où tu tenais ces cheveux, murmura-t-elle comme pour elle-même.

— Alors là, absolument pas, protesta fermement Natalie.

— Ce n'était pas une blanchisseuse ? s'enquit Margaret.

Je roulai les yeux et pinçai la bouche.

— Super. Natalie est Cendrillon, Margaret est Nicole

Kidman, et moi, Zladova, l'arrière-grand-mère, blanchisseuse du tsar.

Dix minutes plus tard, Birdie terminait les derniers détails et faisait les comptes. Ma mère se tracassait encore à voix haute au sujet d'un serre-tête. Margaret, elle, était aux abonnés absents, absorbée par son Smartphone.

— On se retrouve dehors, soufflai-je à Natalie.

J'avais la sensation d'étouffer, et le besoin urgent d'un bol d'air.

— Gracie ? me lança-t-elle en posant la main sur mon bras. Je suis désolée, pour Wyatt.

— Ah, c'est gentil…

— Tu trouveras quelqu'un, me glissa-t-elle. Le bon va se présenter. Bientôt, ce sera ton tour.

Ces mots me firent l'effet d'une claque. Ce n'étaient pas tant les mots, que… (merde, mes yeux me piquaient !) la pitié qui affleurait, ou quelque chose qui s'apparentait à de la condescendance. Après ma rupture avec Andrew, Natalie avait témoigné de la sympathie, puis de la culpabilité, et tout un tas d'autres sentiments, sans aucun doute, mais elle ne m'avait jamais prise en pitié. Non. Ma petite sœur m'avait toujours, *toujours* admirée, même dans les moments difficiles. Jamais, auparavant, elle ne m'avait regardée de la façon dont elle me regardait à l'instant : « Cette pauvre Grace… »

— Ou peut-être pas, répliquai-je aigrement. Mais… toi et Andrew pourrez me prendre comme nounou, hein ?

Elle pâlit.

— Grace… Ce n'est pas ce que je voulais dire.

— Bien sûr, dis-je rapidement, je sais. Mais, Nat, ce ne serait pas non plus la fin du monde si je ne me mariais pas. Il y a pire. On ne m'a pas, non plus, amputée d'une jambe ou d'un bras !

— Oh, non ! Bien sûr que non. Je sais bien.

Déstabilisée, elle eut un petit sourire.

J'inspirai profondément.

— Je serai dehors.

— D'accord. On se retrouve à la voiture.

Je la laissai retourner auprès de notre mère et de sa robe de mariée.

J'étais exténuée en rentrant chez moi. Trop de franche rigolade. L'après-midi d'essayage s'était prolongé par un apéritif dînatoire, avec applaudissements, force félicitations et discussions sur le mariage de la part de mes tantes maternelles qui nous avaient rejointes, avec — ô misère ! — cette chère cousine Kitty, reine d'entre les reines de la tribu des Jeunes Mariées, qui s'était épanchée sur les joies du mariage, nous éclaboussant de son bonheur tout neuf. Enfin, du troisième — mais les mariages numéro un et deux appartenaient au passé. C'était bien connu, Kitty était une experte du « ils furent heureux pour toujours ».

Dans quelques semaines à peine, Andrew et Natalie seraient mari et femme. J'avais hâte, je désirais en finir avec ça, pour pouvoir passer à autre chose, enfin prête à ouvrir un nouveau chapitre de ma vie.

Angus grognait, jappait, griffait la porte de la cuisine, réclamant de sortir. La pluie s'était mise à tomber, et le grondement du tonnerre résonnait au loin. Il ne craignait pas l'orage — il avait le cœur d'un lion, mon chien —, mais il n'aimait pas être mouillé.

— Pas longtemps, d'accord, bébé ?

Au moment où j'ouvris la porte, je crus distinguer une forme sombre contre la haie au fond de mon jardin. Un éclair déchira l'obscurité. Une moufette… Bon sang, je n'étais pas seule à l'avoir vue !

— Non, Angus ! Reviens, viens ici, bébé ! criai-je, affolée.

Mais c'était trop tard. Mon chien, petite forme blanche sous la pluie, fonça comme une flèche au fond du jardin, en aboyant, toutes dents dehors. A la faveur d'un nouvel éclair, je vis qu'en fait de moufette, il s'agissait d'un raton laveur. L'animal releva la tête, en alerte, puis disparut sous la haie, dans un trou qu'Angus avait probablement creusé.

Un raton laveur pouvait facilement blesser mon petit chien, qui ne se méfiait pas.

— Angus ! Viens ici ! Allez, Angus, bébé !

Pas la peine d'insister. Vu qu'il n'obéissait que très rarement en temps normal, il ne fallait pas s'attendre à ce qu'il m'écoute quand il poursuivait un autre animal.

— Bon sang ! jurai-je en le voyant disparaître à son tour, sous la haie.

Je retournai en courant vers la maison, attrapai une lampe torche puis ressortis, et me précipitai vers le jardin de Callahan pour éviter d'avoir à sauter par-dessus la haie.

— Grace ? Est-ce que tout va bien ?

La terrasse s'alluma. Il était de retour.

— Angus est en train de courser un raton laveur, lâchai-je sans m'arrêter.

Je me dirigeai vers les bois, déjà essoufflée, assaillie d'images toutes plus terribles les unes que les autres… Mon chien avec un œil crevé, des lacérations sur le dos, des taches de sang sur sa fourrure blanche… Les ratons laveurs étaient sauvages, souvent agressifs, et celui-là m'avait semblé bien plus gros qu'Angus. Il pouvait le mettre en pièces, avec ses griffes acérées.

— Angus ! criai-je, la voix montant dans les aigus sous le coup de la peur. Cookie, Angus ! Cookie !

Je pointai ma lampe torche sur l'obscurité, éclairant la masse sombre des arbres, le rideau de pluie. Tandis que je m'enfonçais plus avant, égratignée par des branchages, un nouvel assaut de peur me faucha debout. La rivière. Elle n'était qu'à une centaine de mètres. Avec les pluies de printemps et la fonte des neiges, le niveau avait monté, et les eaux sombres et puissantes emporteraient un petit chien pas très malin.

Je perçus une source de lumière tout près de moi. Callahan en ciré et casquette des Yankees m'avait rattrapée.

— Dans quelle direction est-il parti ?

— Oh ! Callahan, merci… Je ne sais pas. Il est passé sous la haie. Il n'arrête pas de creuser des tunnels. Je fais attention à les reboucher, mais cette fois… Je… je…

Tenaillée par la peur, j'avais le souffle court et ma voix se brisa dans un sanglot.

— Hé, ne vous inquiétez pas, Grace, on va le retrouver.

Il glissa un bras autour de moi et me serra brièvement, puis dirigea sa lumière au-dessus de ma tête, sur les branches épaisses et denses qui formaient comme une voûte.

— Je ne crois pas qu'il puisse grimper, Cal, dis-je, la voix chevrotante.

Je sentis la pluie et les larmes couler sur mon visage tandis que je levais les yeux.

Il sourit.

— Mais les ratons laveurs, si. Ce sont même de très bons grimpeurs. Trouvons le raton et nous trouverons votre chien.

Cela me parut une bonne idée… mais je fus très vite déçue. Après cinq minutes à braquer nos faisceaux lumineux sur les arbres et les épais amas branchus, nous n'aperçûmes aucun des deux animaux. Il n'y avait trace ni de l'un ni de l'autre, mais je n'étais pas non plus une pisteuse professionnelle ! Nous étions tout proches de la rivière, maintenant.

— Où étiez-vous passé ces derniers jours ? demandai-je, en dirigeant ma torche sous une branche qui était tombée.

Pas d'Angus.

— Becky m'a demandé de faire un petit travail à Stamford, répliqua-t-il.

— Becky ?

— La jeune femme blonde que vous avez vue au bar. Nous étions au lycée ensemble. Elle travaille dans l'immobilier. C'est par elle que j'ai trouvé cette maison.

— Vous auriez pu me signaler que vous partiez quelques jours, dis-je en lui jetant un coup d'œil. Je me suis inquiétée.

Il sourit.

— Je le ferai la prochaine fois, c'est promis.

J'appelai une nouvelle fois Angus, sifflai, tapai dans mes mains. Rien.

Puis j'entendis une sorte d'aboiement bref, étouffé, suivi d'un jappement de douleur, me sembla-t-il, qui me glaça d'effroi.

— Angus ! Angus, où es-tu ? criai-je en m'avançant dans la direction d'où le bruit m'avait semblé provenir.

En amont de la rivière ? Dans la rivière ? Je n'aurais su le dire.

Il était difficile d'entendre, avec le bruit de la pluie et de la rivière Farmington. Surgirent des images d'Angus le jour où je l'avais ramené à la maison, une petite boule de fourrure tremblante, blanche comme du coton… Ses petits yeux brillants quand il me fixait le matin, quand il me réveillait pour me forcer à me lever… Sa pose de Superchien, si drôle… Sa façon de dormir sur le dos, les pattes en l'air, ses petites dents du bas visibles.

— Angus ! continuai-je à appeler, la voix blanche.

Nous nous approchâmes de la rivière. Ce soir, je n'entendais pas le bruissement doux, ronronnant, qui d'ordinaire me berçait et me consolait, mais un grondement épais et menaçant. Les eaux ne se brisaient pas mollement dans une écume mousseuse sur les rochers ou sur une branche. Non, elles étaient sombres et sinistres, me faisant penser à un serpent noir s'enroulant autour de sa proie pour l'étouffer. Je pointai ma torche sur les flots, redoutant d'y apercevoir un petit corps blanc sans vie.

— Oh ! Non, non, sanglotai-je.

— Il n'a certainement pas sauté dedans, murmura Cal doucement, en me prenant la main. Il est impulsif, mais pas bête.

— Vous ne connaissez pas Angus, dis-je en pleurant. Il est obstiné. Quand il est lancé, il ne s'arrête plus.

— Peut-être, mais le raton laveur qu'il chasse a de l'instinct. Continuons à le chercher.

Nous marchâmes le long de la rivière, nous enfonçant un peu plus dans les bois, en criant le nom de mon chien. Il n'y eut pas d'autres jappements, juste le bruit de la pluie martelant le feuillage autour de nous. J'étais partie avec les chaussures en plastique que je mettais pour jardiner, et elles étaient couvertes de boue et pesantes. Mes pieds étaient gelés. C'était ma faute. Angus creusait tout le temps. Je n'étais pas sans le savoir et j'y faisais attention. Je profitais toujours du week-end pour vérifier tout autour de la clôture pour éviter ce qui venait justement d'arriver ce soir. Je ne l'avais pas fait aujourd'hui. Parce que j'étais allée regarder Natalie essayer des robes de mariée.

Un accès de panique me traversa en pensant à la vie sans lui. Il dormait sur mon lit depuis qu'Andrew m'avait quittée. Il attendait chaque soir mon retour à la maison. Le souvenir de sa petite tête qui surgissait à la fenêtre de la salle à manger chaque fois qu'il m'entendait arriver me tira un sourire. Il avait besoin de moi et je l'avais perdu. J'aurais dû reboucher ce stupide trou, je ne l'avais pas fait, et maintenant, voilà qu'il avait disparu.

La respiration difficile, je tentai d'inspirer une bouffée d'air. Les larmes chaudes que je ne pouvais retenir ruisselaient sur mon visage.

— Le voilà ! s'exclama Cal en éclairant devant lui.

Il avait raison. A environ trois mètres à l'ouest de la rivière, j'aperçus une tache blanche près d'une petite maison qui, comme la mienne, s'adossait à la forêt. Il reniflait tout autour d'une poubelle à moitié renversée. Il releva la tête au son de ma voix, agita la queue, lâcha un aboiement, puis reprit son inspection des détritus.

— Angus ! criai-je.

Je m'élançai sur le terrain en légère pente, en trébuchant à plusieurs reprises tandis que je franchissais l'espace qui me séparait de mon animal.

— Bon chien ! Bon garçon ! Tu as fait peur à maman ! Oh que oui ! m'exclamai-je en me jetant littéralement sur lui.

Il remua la queue, aboya de nouveau en me voyant approcher. J'étais enfin sur lui et le pris dans mes bras, embrassant sa petite tête trempée, encore et encore. Je pleurais dans sa fourrure tandis qu'il gigotait dans mes bras et me mordillait de joie.

— Eh bien, le voilà, dit Cal en arrivant derrière moi.

Il souriait. Je voulus sourire, mais ma bouche se tordit en une sorte de rictus tremblant.

— Merci, parvins-je à articuler.

Il tendit la main pour caresser Angus et, comme à son habitude, celui-ci tenta de le mordre. Ses dents claquèrent dans le vide.

— Petit ingrat.

Il se baissa et replaça les détritus dans la poubelle, qu'il finit par redresser.

— Vous avez été vraiment génial, dis-je d'une voix tremblante, m'agrippant à mon chien, serré contre ma poitrine.

— Vous semblez surprise.

Nous descendîmes l'allée de la maison pour rejoindre la rue. Je reconnus le quartier cossu — à moins d'un kilomètre de Maple Street. La pluie était moins forte et Angus s'était blotti contre mon épaule, faisant le bébé, sa tête contre mon cou. Je tirai sur ma veste pour envelopper son petit corps et remerciai silencieusement le ciel et toutes les forces de l'univers d'avoir protégé mon chien, que j'aimais plus qu'il n'était raisonnable.

Les forces de l'univers… et Callahan O'Shea. Il m'avait accompagnée dans cette nuit froide et pluvieuse, et ne m'avait pas lâchée avant que nous n'ayons retrouvé Angus. Il n'avait fait aucun commentaire à l'emporte-pièce, du genre : « Oh ! il finira bien par revenir tout seul. » Non. Cal était resté avec moi, m'avait rassurée et réconfortée, sans aucun mouvement d'humeur. Il avait aussi spontanément réparé les bêtises d'Angus en ramassant la poubelle. Je coulai un regard vers lui. Il était si solide, si rassurant. J'aurais voulu lui expliquer… lui dire… Mon visage s'empourpra.

Nous nous engageâmes sur Maple Street. Ma maison éclairée nous apparut enfin. Je baissai les yeux sur ma tenue. J'étais couverte de boue des pieds jusqu'aux genoux et mouillée jusqu'aux os. Angus ressemblait à une éponge, avec sa fourrure détrempée et emmêlée.

Cal surprit mon regard.

— Pourquoi ne passeriez-vous pas par chez moi pour vous sécher ? suggéra-t-il. Pour ne pas salir votre maison… un peu modèle d'exposition sur les bords…

— Vous trouvez ? Non, non, elle est juste rangée.

— Rangée… C'est ça. Alors, vous voulez faire étape chez moi ? Ce ne sera pas très grave si on salit ma cuisine. Elle est encore en travaux.

— Je veux bien, merci. Comment se passent les travaux ? Il est bien dans votre intention de la revendre ?

— Ça avance bien. Entrez. Je vous ferai visiter, dit-il, lisant sans doute dans mes pensées.

Cal me fit passer par la porte de derrière.

— Je vais aller chercher des serviettes, reprit-il, ôtant ses bottes de travail.

Il disparut dans une autre pièce. Un petit ronflement s'échappa de mon chien, toujours sur mon épaule, me tirant un nouveau sourire. J'enlevai mes chaussures croûteuses, repoussai mes cheveux de ma main libre puis regardai autour de moi, notant la table sur tréteaux, les trois chaises dépareillées et la nouvelle baie vitrée.

La cuisine était pratiquement finie. Les placards étaient en bois d'érable, avec des portes de verre, et les plans de travail en stéatite de couleur grise. Je remarquai les trous béants à l'emplacement des appareils électroménagers, les deux plaques de cuisson et le petit réfrigérateur. Il fallait vraiment l'inviter à dîner, me dis-je. Il s'était montré si gentil avec moi. Il m'avait tenu la main. Je lui devais bien ça, et aussi pour me faire pardonner d'avoir pensé qu'il n'était pas un homme fait pour moi. J'en pinçais sacrément pour lui.

Il revint dans la pièce.

— Voilà, dit-il en attrapant Angus toujours endormi sur mon épaule.

Il l'enveloppa dans une grande serviette et le frictionna. Désorienté, mon chien ouvrit mollement les yeux.

— On ne mord pas, ordonna-t-il.

Angus remua la queue.

Avec un sourire, il lui embrassa le sommet de la tête.

Et alors, avant même de réaliser que j'avais bougé, j'avais

les bras autour de son cou, enlevé sa casquette des Yankees, plongé les doigts dans ses cheveux mouillés, posé mes lèvres sur les siennes. Enfin !

— Il était temps, marmonna-t-il contre ma bouche.

Avant de m'embrasser à son tour.

23

Ses lèvres étaient brûlantes, douces et exigeantes à la fois, son étreinte rassurante, puissante, et il… me léchait le menton tout en m'embrassant… Ah, non, minute. Ça, c'était Angus. Callahan lâcha un petit rire rauque.

— D'accord, d'accord, murmura-t-il en s'écartant.

Il tenait toujours Angus dans une main, l'autre était dans mes cheveux — ou prisonnière. Oh ! oh ! Le triangle des Bermudes capillaire. Il pouvait y perdre un doigt. Mais il se désemmêla délicatement, et reposa par terre mon petit chien mouillé. Quand il se redressa, nos regards se croisèrent. Le décor alentour se brouilla et s'estompa. Il me sembla qu'Angus aboya une fois, puis il dut s'éloigner, car j'entendis vaguement ses griffes cliqueter sur le sol, mais plus rien n'existait, à l'exception de l'homme qui se tenait devant moi. Sa bouche bien dessinée, magnifique, que je mourais d'envie d'embrasser, sa barbe de trois jours, ses yeux bleu marine, légèrement tombants.

Dans lesquels il me serait si facile de me perdre, pensai-je. La chaleur qu'il dégageait me faisait vibrer, m'attirait irrésistiblement, et mes lèvres s'entrouvrirent.

— Je te garde avec moi cette nuit ? demanda-t-il, la respiration courte.

Je hochai la tête, plus en état d'articuler le moindre son.

Nous nous embrassâmes de nouveau. Je nouai les bras autour de son cou, enfonçai les mains dans ses cheveux, me fondant dans la chaleur de ses bras. Il m'attira contre lui, et Seigneur, c'était si bon… Je me sentais protégée et intimidée à la fois par la virilité qu'il dégageait. Et sa bouche ! Il embrassait comme un dieu… Il m'embrassait avec la même impatience que si j'étais le seul point d'eau dans le désert.

Je sentais le mur dans mon dos et Cal qui se pressait contre moi, ses mains glissant sous mon chemisier mouillé, effleurant ma taille, mes côtes, embrasant ma peau. Je remontai son pull dans son dos, laissant mes doigts courir sur sa peau, suivre le tracé de ses muscles durs et tendus. Mes genoux faiblirent quand ses lèvres s'aventurèrent dans mon cou, se dérobant quand sa main remonta sur mes seins. Il me maintint contre le mur tout en continuant à m'embrasser, le cou, la bouche. Avec une fougue — que je mis sur le compte du temps qu'il avait passé en prison — qui me fit tourner la tête. C'était avec moi qu'il était, moi qu'il embrassait. C'était une sensation vertigineuse, un saut dans l'inconnu.

Il s'écarta légèrement, la respiration courte, le regard assombri par le désir sous ses paupières mi-closes.

— Tu es sûre ? me demanda-t-il.

Je fis oui de la tête et ses mains glissèrent sous mes fesses. Il me souleva, tout en continuant à m'embrasser. J'enroulai mes jambes autour de lui, et il me porta jusque dans une pièce. Avec un lit… grâce à Dieu ! Ce fut le moment que choisit Angus pour surgir en aboyant et en nous sautant dessus. Je sentis Cal rire dans mon cou et, sans me lâcher, il le repoussa gentiment du pied et referma la porte d'un coup d'épaule.

Il n'y avait plus que nous. A l'extérieur de la chambre, Angus se mit à gémir tout en grattant frénétiquement à la porte. Cal ne parut pas le remarquer ; il me reposa, mit les mains autour de mon visage, puis il m'enlaça, effaçant toute distance entre nous.

— Il va esquinter la porte, murmurai-je alors qu'il frottait son nez contre mon cou.

— Pas grave.

Il fit passer mon pull par-dessus ma tête, et je cessai de m'inquiéter pour mon chien — et la porte.

L'urgence qui avait marqué chacun de ses gestes quelques

minutes plus tôt fit place à une lenteur délicieusement torturante. Il se pencha pour embrasser mon épaule, fit glisser la bretelle de mon soutien-gorge. Je frissonnai au contact de sa barbe naissante, puis de ses lèvres douces et chaudes courant sur ma peau.

Sans que je m'en rende compte, il m'avait entraînée vers le lit, avec ce sourire qui me faisait craquer et qui provoquait une série de contractions familières et délicieuses au plus profond de moi. Puis sa main joua un instant avec le bouton de mon jean avant de le défaire avec adresse. Son baiser s'approfondit tandis qu'il me faisait rouler sur lui, ses bras musclés se refermant sur moi. Je l'embrassai, glissai ma langue et jouai avec la sienne. Mon Dieu, c'était si bon ! Comment avais-je pu vivre juste à côté, toutes ces longues et solitaires semaines, et me priver de ce genre de baiser ? Il plongea les doigts dans mes cheveux mouillés, et j'entendis un son grave monter de sa gorge. Je m'écartai juste un peu pour chercher son regard.

— Enfin…, murmura-t-il.

Il n'y eut plus d'autres mots.

Plus tard, envahie par une douce et quasi extatique langueur, je me retrouvai, la tête sur l'épaule de Callahan, ses bras autour de moi. Je coulai un regard vers son visage. Il avait les yeux fermés, un sourire sur les lèvres…

— Qu'est-ce que tu regardes ? dit-il sans ouvrir les yeux.

— Tu es sacrément séduisant, l'Irlandais.

— Est-ce que cela te briserait le cœur d'apprendre que je suis plutôt écossais ?

— Ça ouvrirait plein d'autres perspectives… comme celle de te voir en kilt.

Je souris.

— Et puis, d'une certaine façon, te voilà lié à Angus.

— Formidable !

Mon cœur se gonfla, presque douloureusement. J'étais nue

dans un lit avec Callahan O'Shea. Délicieuse et enivrante sensation !

— Tu dis écossais, hmm ? répétai-je en laissant courir un doigt sur son épaule.

— Oui, grand-père Pop est écossais. Je suppose que mon père devait avoir un aïeul irlandais, d'où le patronyme.

Il ouvrit les yeux, paresseusement, et l'image du dragon, incarnation majestueuse des forces de la nature et de la puissance, me traversa l'esprit.

— D'autres questions ?

— Euh… Où sont les toilettes, Cal ?

Je reconnais que ça cassait un peu le romantisme du moment, mais la nature avait ses impératifs.

— Seconde porte sur ta gauche. Ne sois pas trop longue.

J'attrapai le plaid soigneusement plié au pied du lit et m'y enveloppai tout en sortant dans le couloir. De la lumière filtrait de la cuisine et, dans le salon plongé dans un clair-obscur, je distinguai Angus endormi sur le dos devant la cheminée. Je souris en l'entendant ronfler. Bon chien.

Je pénétrai dans la salle de bains, et clignai des yeux en allumant. Un bref regard dans le miroir me tira une grimace. Jésus, Marie ! Une trace de boue barrait mon menton, et je vis une égratignure sur mon front, sans doute due à la branche que j'avais reçue en plein visage. Quant à mes cheveux… Un mélange serré de boucles et de frisottis épais, denses… Toute mon histoire ! J'étouffai un soupir et tentai de les discipliner avec les doigts. Je me lavai les mains, m'aspergeai le visage et pris le temps de laver mes pieds, qui gardaient les traces de mon expédition dans les bois.

— Qu'est-ce que tu fais ? appela Cal. Arrête de fouiller dans mon armoire à pharmacie et reviens ici !

Je souris à mon reflet. Mes joues avaient repris des couleurs. Je m'enveloppai dans le plaid — ah, pudeur, quand tu nous tiens ! — et retournai vers lui. En me voyant, il se redressa.

— C'est la pluie, fis-je remarquer d'une voix désolée, en passant la main dans mes cheveux.

Il me regarda.

— Tu es belle, Grace.

Cette déclaration scella mon sort. J'étais mordue de cet homme.

Quand j'ouvris les yeux, le lendemain matin, le radio-réveil sur la table de chevet affichait 6 h 37. Cal était endormi à côté de moi.

Je me laissai flotter dans un demi-sommeil encore quelques minutes, quand, tout à coup, la réalité s'imposa à moi, dans un grand mouvement de vague qui me submergea : Callahan O'Shea était endormi à côté de moi. Après m'avoir fait l'amour. Trois fois. Et comme un dieu, devrais-je ajouter. Il m'avait rendue très heureuse. La deuxième fois, j'avais même réveillé Angus, qui avait tenté de creuser un tunnel sous la porte de la chambre pour venir au secours de sa maîtresse.

Des étreintes torrides, chargées de sensualité et d'érotisme, comme je pouvais m'y attendre avec un homme comme lui. Mais il n'y avait pas seulement ça. Je ne m'étais pas attendue à ce qu'il me fasse rire ni qu'il soit si tendre, s'émerveillant à maintes reprises de la douceur de ma peau. Quand je m'étais réveillée, au milieu de la nuit, je l'avais surpris en train de me contempler, un sourire béat plaqué sur les lèvres comme un gamin venant de découvrir ses cadeaux au pied du sapin de Noël.

— Hé, Cal ? murmurai-je.

Il ne bougea pas.

— Callahan ?

Je lui embrassai l'épaule. J'aimais son odeur. Une flambée de désir me traversa. Bon sang, trois fois la nuit dernière, et ce n'était pas encore assez !

— Salut, beau gosse. Il faut que j'y aille…

Je faillis dire « chéri », mais c'était un peu trop… tendre. « Mon chou », peut-être. Mais pas « chéri ». Pas encore.

— Debout ! Tu es réveillé ?

Il ne bougea pas, profondément endormi. Je l'avais épuisé, pensai-je, amusée, tout en me rendant compte que je souriais béatement. N'étais-je pas, même, en train de ronronner ? Il ne manquait plus qu'une mélodie de Cole Porter en musique d'ambiance. Je m'y serais presque attendue. Sur un dernier baiser, je m'arrachai à la tiédeur du lit et sortis de la chambre sur la pointe des pieds, collectant au passage mes vêtements tachés de boue. Angus se mit à faire des bonds dans le salon dès qu'il me vit.

— Chuut…, murmurai-je. Oncle Cal dort encore.

Un rapide coup d'œil autour de moi me confirma qu'il avait travaillé d'arrache-pied. Sols en résine polyuréthane, murs peints dans une teinte gris pâle. Deux des quatre fenêtres du salon étaient habillées de moulures de bois biseauté. Des planches étaient entreposées dans un recoin.

Même en travaux, la maison laissait entrevoir beaucoup de charme. Les briques de l'âtre étaient peintes en bleu, l'escalier large et accueillant menant à l'étage n'avait pas encore de rampe. La maison avait été pensée et rénovée avec soin, réservant quelques petites surprises ici et là : fenêtres avec de larges appuis, corniches et motifs insérés dans les sols en chêne. Atypique et charmant.

Angus gémit.

— D'accord, garçon, je me dépêche, chuchotai-je.

Dans la cuisine, je trouvai un stylo et un morceau de papier près du téléphone. J'écrivis :

Cher monsieur O'Shea,

Merci pour votre aimable assistance, la nuit dernière, qui m'a permis de retrouver mon petit chien bien-aimé. Vous dormiez profondément et je n'ai pas eu le cœur de vous réveiller. J'ai le devoir, hélas, d'aller combattre des hordes de yankees, ce matin à Chancellorsville (autrement dit à Haddam Meadows, sur la route 154, juste à la sortie de la 9, si l'idée vous venait de voir de très près une défaite de l'Union). Si je devais en sortir vivante, j'espère de

tout cœur que nos chemins se recroiseront dans un
futur proche. Bien à vous,

Grace Emerson.

Je relus mon mot. Idiot ou mignon ? Mignon, décidai-je en le déposant près du téléphone. Je ne résistai pas à la tentation d'aller jeter un dernier coup d'œil dans la chambre, avant d'attraper Angus et de sortir. Mon chien avait besoin d'un bain. Tout comme moi.

24

— En avant, premier corps d'armée de Virginie ! criai-je, du haut de ma monture.

Certes, Snowlight, mon cheval blanc sujet à l'embonpoint, tenait plus du canasson que du fier destrier, mais il ne fallait pas se plaindre : c'était mieux que rien.

A mes côtés, Margaret, bien campée sur le sien, bougonnait, égale à elle-même.

— Il faut vraiment que j'arrête de faire ça, lâcha-t-elle en tirant sur le coin de son uniforme en laine. Je meurs, là-dedans.

— En fait, tu es censée mourir là-bas, près de la rivière, fis-je distraitement remarquer.

— Quand je pense que cette activité constitue l'essentiel de ta vie sociale…

— Si tu détestes autant ces rassemblements, pourquoi est-ce que tu t'obstines à me coller aux basques ?

Je me tournai vers mes hommes.

— « Qui ne pourrait vaincre avec de telles troupes ? » leur lançai-je d'une voix forte.

Force applaudissements et acclamations saluèrent ma citation.

— Tu t'es couchée tôt, la nuit dernière, commenta Margs. Il n'était que 21 h 30 quand maman m'a déposée chez toi, mais la maison était silencieuse… même Angus, c'est dire.

— Coucher tôt, réveil aux aurores, répliquai-je en piquant mon fard.

Margaret m'avait trouvée ce matin dans la cuisine, en

peignoir, les cheveux enveloppés dans une serviette — nettoyée de toutes les traces de ma nuit dans les bois et entre les bras de Cal. Comme elle devait plaider à Middletown à 14 heures, chacune avait pris sa voiture pour se rendre sur le lieu du rassemblement. Je n'avais donc pas eu l'occasion de lui parler des récents développements avec Cal.

— Je connais un gars au tribunal et j'ai pensé à toi… Tu veux son numéro ? s'enquit Margaret, en pointant son fusil en direction d'un nordiste.

— Oh ! attends ! Ne tire pas. Si Snowlight a peur, il va perdre connaissance. Il souffre de narcolepsie, le pauvre.

Je flattai doucement l'encolure du cheval.

— Par tous les saints, Grace…, grommela ma sœur.

Elle dirigea son arme vers le soldat et lança avec un manque de conviction appuyé :

— Bang !

Le soldat, au courant des déboires de ma monture, se laissa tomber au sol, y mettant toute l'intensité dramatique qu'exigeait l'instant. Il feignit de ramper, secoué de spasmes, puis arrêta de bouger, faisant le mort.

— Tu veux que je lui demande de t'appeler ?

— Eh bien… en fait, ce ne sera pas nécessaire. Je ne cherche plus.

— Pourquoi ? Tu as trouvé quelqu'un ?

Je la regardai, avec un large sourire.

— Callahan.

— Quoi ? s'exclama-t-elle avec incrédulité.

A cet instant, Grady Jones, pharmacienne de son état, tira un coup de canon à plus de quarante-cinq mètres, signal qui sonnait la fin de la figuration pour Margaret. Elle se laissa tomber docilement au sol, tout en s'exclamant :

— Tu as couché avec lui ! Avec Callahan O'Shea, c'est ça ?

— Parle plus bas, s'il te plaît, Margaret, je te rappelle que tu es morte !

Je descendis de mon cheval et sortis une carotte de ma poche pour le faire patienter et pouvoir parler à ma sœur.

— La nuit dernière.

— Oh! non…

— Quoi? Ce n'est pas toi qui me disais : « Grace, ça ne te ferait pas de mal de t'amuser un peu! »

Margaret se mit à gigoter sur le sol, se battant contre son arme coincée sous elle, puis finit par l'écarter.

— Grace, écoute… Je te l'ai dit et je le pensais : c'est bien que tu prennes du bon temps, et avec ton voisin, bon sang, je ne doute pas que ç'a été le cas… C'est un fantasme ambulant !

— Ça l'a été. Alors, quel est le problème ?

— Toi, évidemment. C'est du sérieux que tu recherches, du « Ils se marièrent et eurent beaucoup d'enfants » et pas simplement une aventure sans lendemain.

— Silence ! Vous êtes morte ! aboya un soldat de l'Union en passant devant nous.

— C'est une conversation privée, riposta ma sœur.

— C'est une bataille ! rétorqua-t-il entre ses dents.

— Non, mon chou, ça s'appelle une reconstitution. Désolée de briser vos illusions, mais tout ça, ce n'est pas réel… Il faut se réveiller, c'est pour de faux… du cinéma… un décor de carton-pâte ! Mais si vous voulez de l'authenticité, je me ferai une joie de vous enfoncer cette baïonnette là où je pense.

— Margaret ! Arrête. Il a raison. Excusez-nous, balbutiai-je au soldat de l'Union.

Mortifiée, je fus soulagée de ne pas le connaître. Il secoua la tête et poursuivit son chemin, avant de s'effondrer quelques mètres plus loin, fauché par une balle.

Je me penchai vers ma sœur, qui avait mis un bras sur ses yeux pour se protéger de la lumière du soleil.

— Justement, il se trouve qu'il cherche tout ça aussi. Le mariage, les deux enfants, la pelouse à tondre. Il me l'a dit.

Margaret hocha la tête.

— Bravo… Grand bien lui fasse.

Elle resta silencieuse une minute. Des déflagrations déchiraient l'air, des cris nous parvenaient au loin. Il me fallait remonter en selle et tenir mon rôle : Stonewall Jackson devait explorer les lignes ennemies, où il allait être blessé au bras par ses propres soldats. Amputation épouvantable, complications et pneumonie, puis la mort… Mais je ne parvenais pas à bouger et restais plantée là. Etait-ce le soleil qui cognait fort sur ma tête ? L'odeur entêtante de l'herbe ?

— Autre chose, Gracie…

Elle s'interrompit.

— Est-ce que Callahan t'a expliqué les circonstances du détournement ?

— Non, admis-je. Je lui ai demandé une ou deux fois, mais il ne m'a rien dit.

— Demande-lui encore, me conseilla-t-elle.

— Tu sais quelque chose ? l'interrogeai-je en m'accroupissant près d'elle.

— Possible. J'ai fait quelques recherches.

— Et ?

— T'a-t-il parlé d'un frère ?

Elle se redressa et s'assit, ses yeux louchant dans la lumière crue.

— Oui. Il m'a dit qu'ils ne se parlaient plus.

Margaret hocha la tête.

— Je veux bien le croire. De ce que j'ai compris, c'est à son frère, patron d'une entreprise, qu'il a pris de l'argent.

Bon sang ! Ma stupéfaction devait être visible, car elle tendit la main pour me tapoter le menton.

— Pose-lui la question, Grace. Sur l'oreiller, tu n'auras aucun mal à lui faire tout avouer.

— Quelle rhétorique ! Pas étonnant que les jurés t'adorent, murmurai-je machinalement.

— Général Jackson ! On vous attend ici ! hurla de loin mon père.

Je remontai en selle et laissai Margaret allongée dans l'herbe.

Ma sœur avait lâché sa bombe, et il me semblait que l'explosion ne cessait de résonner dans mes oreilles. Pendant tout le reste de la bataille, je ne parvins pas à me sortir ses paroles de la tête. Elles me hantaient littéralement, me gâchant la fête. J'exécutais les mouvements machinalement, comme un automate, l'esprit ailleurs. Je vis même arriver comme une libération le moment de ma chute. Anticipant l'évanouissement de Snowlight, au premier barrage de tirs à blanc, je me laissai glisser sur le côté et atterris souplement au sol, après avoir prononcé, soulagée, les derniers mots empreints de lyrisme du général :

— « Laissez-nous traverser la rivière et nous reposer à l'ombre des arbres. »

Clap de fin. Ainsi se termina le rassemblement. En réalité, Stonewall Jackson ne mourut pas sur le coup. Cela prit huit longs jours. Mais on n'allait pas chipoter… Même chez les « Brother Against Brother », pourtant passionnés, on ne pouvait pousser le zèle jusqu'à faire durer une scène une semaine pour veiller un mourant !

Quand j'arrivai chez moi, il était presque 17 heures. Il me semblait être partie depuis des jours. Il est vrai que je n'y avais pas passé beaucoup de temps en vingt-quatre heures, entre la journée chez Birdie et ma nuit avec Cal… En pensant à lui, je me sentis m'amollir, et fondre de partout. Une délicieuse chaleur emplit ma poitrine. Je me ressaisis. Une discussion sérieuse sur son passé s'imposait avant toute chose.

Enfin… il y avait d'abord un petit chien qui réclamait toute mon attention, bondissant, frétillant et jappant pour me rappeler mes priorités. Je m'excusai platement pour mon absence. Ma mère était quand même passée pour lui donner à manger, le sortir, le brosser et le gâter, à en juger par le bandana rouge qu'il arborait fièrement autour du cou. Toute cette attention n'avait, semblait-il, pas suffi à Angus, qui s'était quand même vengé sur un de mes chaussons. C'était un vilain toutou que je n'eus néanmoins pas le cœur de gronder. Il était trop mignon, et je ne savais pas résister à cette bouille adorable.

J'entendis frapper à ma porte.

— J'arrive ! criai-je.

J'ouvris et découvris Callahan, les mains sur les hanches, l'air remonté.

— Salut, dis-je en me sentant rougir, sous une vague d'images sensuelles.

Je remarquai bien son expression fermée, mais son cou magnifique, bronzé, de la couleur du caramel, me donna envie d'y plaquer les lèvres.

— Où diable étais-tu passée ? s'emporta-t-il.

— Je… je participais à une bataille. Je t'ai laissé un mot.

— Je n'ai pas eu de mot.

— Je l'ai posé près du téléphone, répondis-je, sous le coup de l'étonnement.

Il grimaça.

— Et ça disait quoi ?

Pas de doute, il était remonté comme un coucou suisse… C'était plutôt touchant.

— Ça disait… Eh bien, tu le liras en rentrant.

— Est-ce que ce n'était qu'un coup d'un soir, Grace ?

Sa voix était dure.

Je levai les yeux au ciel.

— Allez, entre, dis-je en le tirant par la main. J'avais besoin de te parler de toute façon, et non… ce n'était pas « juste un coup ». Seigneur ! Pour quel genre de fille est-ce que tu me prends, hein ? Mais chaque chose en son temps, et là, je suis affamée. Tu commandes une pizza ?

— Non, je veux savoir pourquoi je me suis réveillé seul.

Il était en colère, sombre, trop mignon, et je ne pus réprimer un sourire.

— J'ai essayé de te réveiller. Tu dormais profondément.

Il plissa les yeux.

— Ecoute, si tu veux, je t'accompagne jusque chez toi pour te montrer où j'ai mis ce mot.

— Non. C'est bon.

Son visage était impassible.

— Ça va, alors ?

— En fait, non, pas du tout. Je ne savais pas où tu étais passée et j'ai fait les cent pas toute la journée. Je suis venu jusqu'ici et j'ai d'ailleurs dû faire peur à ta mère, car elle n'a pas voulu m'ouvrir, et oui, je suis d'une humeur massacrante.

— Parce que tu n'as pas trouvé le mot, monsieur Ronchon. C'est dommage, parce qu'il était très bien tourné, et surtout sans ambiguïté sur mon état d'esprit et mes intentions. Alors, pour la pizza, ça te dit ? Ou est-ce que je dois ronger mon propre bras ? Je meurs de faim.

— Je vais cuisiner, marmonna-t-il, le regard sombre.

— Tu n'es plus en colère, alors ?

— Je n'ai pas dit que ce serait bon !

Puis, sur ces mots, il m'attira contre lui et m'enlaça. Il m'embrassa, me soulevant du sol. Un baiser qui me coupa le souffle.

— Oh ! et puis le repas attendra, chuchotai-je.

Ainsi que la discussion sérieuse… Ce n'était pas raisonnable, mais la chair est faible. Et comment résister à ces yeux bleus, ces cheveux en bataille ? Est-ce que j'ai dit qu'il me porta jusqu'à ma chambre ? Sur son épaule, à la manière de l'homme des cavernes ? Même pas essoufflé en arrivant en haut des marches. Et la façon dont il m'embrassa ! Des baisers urgents, affamés, qui me donnaient l'impression de prendre feu. Je ne remarquai même pas Angus, en train de mordiller les chevilles de Cal, qui finit par rire contre ma bouche. Il attrapa mon chien et le sortit dans le couloir, où il aboya deux fois avant de s'éloigner. Il n'allait sans doute pas en rester là !

Voir Callahan chez moi, adossé à la porte de ma chambre, sa chemise déboutonnée, les yeux assombris de désir, son petit sourire au coin des lèvres… J'aurais pu rester ainsi, juste à le regarder. Cela m'aurait suffi. Enfin, presque… Qu'est-ce que je racontais ? Je voulais sentir ses bras autour de moi… et tellement plus. Comment résister à un homme qui me regardait de cette façon ?

*
* *

Quand nous descendîmes, beaucoup plus tard, Margaret était assise sur la terrasse, sur la chaise longue, Angus affalé sur ses genoux.

— J'ai entendu des bruits, je me suis cru dans un zoo, lança-t-elle, tandis que nous pénétrions dans la cuisine. J'ai trouvé plus prudent de rester dehors.

— Tu veux un verre de vin ? lui demandai-je.

— Ce n'est pas de refus.

A l'aise et avec le plus grand naturel, Cal ouvrit le réfrigérateur et en sortit une bouteille de chardonnay.

— Celle-là ?

— Super, dis-je en lui tendant le tire-bouchon. Merci, mon chou. Et pas que pour ça !

Il sourit.

— A ton service ! Et tu n'as pas encore vu tous mes nombreux autres talents… Tu veux que je cuisine quelque chose ?

— Avec plaisir. Tu manges avec nous, Margs ?

— Non, non merci. Trop de phéromones dans l'air par ici… J'aurais trop peur d'en manquer et de mourir étouffée !

J'ouvris la porte-moustiquaire et vint m'asseoir à côté d'elle avec les verres de vin, posant mes pieds nus contre le petit muret de briques de la terrasse.

— Stuart a un rendez-vous, annonça-t-elle. Avec ta collègue de travail, Eva ou Ava Machin Chouette… Un prénom de strip-teaseuse ou de star du porno.

Je marquai ma surprise.

— Tu crois qu'il s'agit d'un rendez-vous galant ?

— Il dîne avec elle… Il faut voir comme il s'est donné du mal pour me rappeler de qui il s'agissait.

Elle prit une voix plus grave pour imiter le ton formel de Stuart.

— « Tu t'en souviens sûrement, Margaret. Très séduisante, elle enseigne l'histoire avec Grace… » Quel enfoiré !

Elle en avait gros sur le cœur, me dis-je en notant le tremblement de ses lèvres.

— Tu sais, la connaissant, je dirais qu'elle essaie juste

de lui passer la brosse à reluire pour gagner son soutien dans la course à la promotion. Elle sait qu'il est ami avec le principal Stanton.

— Il ne l'aiderait pas à ton détriment, Gracie, rétorqua-t-elle.

— J'héberge sa femme. Il pourrait…

Elle ne répondit rien. Je jetai un coup d'œil par la porte-moustiquaire. Callahan éminçait quelque chose sur le plan de travail. Il semblait tellement à l'aise chez moi, tellement à sa place, que je fus prise de vertige. Un élan de joie me traversa, suivi aussitôt d'un petit pincement de culpabilité, à l'idée de me sentir si heureuse quand ma sœur aînée souffrait.

— Margaret…, dis-je lentement, en me tournant vers elle.

Elle gardait les yeux rivés sur Angus endormi sur ses genoux, qu'elle caressait distraitement, lui inspirant un petit ronflement de bien-être.

— Il est peut-être temps que tu retournes auprès de Stuart. Que vous suiviez une thérapie. Rien ne s'arrangera, si vous ne prenez pas le taureau par les cornes.

— Je suis d'accord, sauf que ça va lui donner l'impression que je reviens parce que je suis jalouse — ce qui est le cas, si j'y réfléchis bien… Mais plutôt mourir que de lui faire ce plaisir ! S'il pense qu'il lui suffit de me tromper pour que je revienne ventre à terre comme un bon toutou, il se met le doigt dans l'œil.

Angus lâcha un jappement, comme pour marquer sa solidarité.

— S'il veut me voir revenir, il vaudrait mieux qu'il se bouge les fesses !

Elle marqua un temps de silence.

— Et qu'il trouve autre chose qu'une partie de jambes en l'air avec une autre.

— Qu'est-ce que je peux faire ?

— Rien. Tu ne peux rien. Si on me cherche, je suis dans ton sous-sol. Pour regarder un de tes films d'intellos, O.K. ?

— Bien sûr. Euh… il est possible que je reste chez Cal, ce soir.

— On se voit plus tard, alors.

Elle se leva, me fit une petite pression sur l'épaule et rentra dans la cuisine. Sa voix me parvint nettement quelques secondes plus tard :

— Ecoute, tu as intérêt à parler au plus vite à ma sœur de ton triste passé ! Suis-je assez claire ? Bonne soirée !

Je restai assise sur la terrasse, me laissant envahir par la douceur du moment. J'aimais cette saison. Le piaillement des oiseaux. L'odeur d'herbe coupée, la beauté du ciel. Et maintenant, Callahan qui s'affairait dans ma cuisine et me préparait à manger. Le léger grésillement d'une fin de cuisson, le bruit de vaisselle. Je ressentis un tel élan de… c'était trop tôt pour parler d'*amour*, mais… j'étais heureuse, très heureuse. De la joie pure qui allait bien au-delà des mots. Angus me lécha la cheville comme s'il comprenait.

Cal poussa le battant et apparut avec deux assiettes. Il posa la mienne, omelette et toasts, sur mes genoux, s'assit sur la chaise laissée libre par Margaret et mordit dans son toast.

— Donc… « Mon triste passé », lâcha-t-il.

— Oui, je veux savoir ce qui t'a valu de faire de la prison.

— Tu as raison, répondit-il du tac au tac. Tu as le droit de savoir. Tu manges et je parle.

— Margaret ne m'a rien dit. Je voulais l'entendre de ta bouche…

— Grace, j'avais prévu de t'en parler aujourd'hui, coupa-t-il. C'est pour ça que j'étais énervé quand je ne t'ai pas vue. Allez, mange.

J'obéis et avalai un morceau d'omelette, chaude, moelleuse. Délicieuse. Je le gratifiai d'un sourire pour l'encourager, et attendis qu'il se lance.

Cal posa son assiette, tourna sa chaise et, légèrement penché vers l'avant, ses larges mains serrées souplement sur ses cuisses, il me fit face. Sous l'intensité de son regard, je cessai de mâcher. Il finit par lâcher un soupir et baissa les yeux.

— Je n'ai pas détourné l'argent. Mais je sais ce qui s'est passé et je n'ai pas dénoncé la personne qui l'a fait. D'une certaine façon, je me suis rendu complice.

— Alors, qui l'a pris ?

— Mon frère.

Je m'étranglai sur ma bouchée.

— Oh…

Pendant la demi-heure qui suivit, il me raconta une histoire sidérante. Sur l'entreprise de construction avec Pete, son frère. Sur l'ouragan Katrina et l'afflux de travail qui avait suivi, le programme de reconstruction pris en charge par le gouvernement. L'opacité qui avait alors entouré les affaires, les nombreuses commandes difficiles à honorer, les déclarations de sinistres, l'économie souterraine, illégale, qui s'était développée à La Nouvelle-Orléans, faisant le lit de la criminalité. Et puis la découverte, un soir, d'un compte ouvert à son nom dans les îles Caïmans avec un million et demi de dollars dessus.

— Bon sang, Cal, soufflai-je.

Il ne répondit pas, hochant seulement la tête.

— Alors, qu'est-ce que tu as fait ?

— Il était 4 heures du mat et je tombai des nues. Mon nom apparaissait sur l'écran de l'ordinateur. Je ne voulais pas non plus laisser le temps à mon frère — parce que cela ne pouvait être que lui — de déplacer cet argent. Le dépenser, ou faire Dieu sait quoi avec. Alors, j'ai ouvert un autre compte sur lequel j'ai transféré la somme.

— Ce compte n'était pas protégé par un mot de passe ?

J'avais lu John Grisham, quand même, me dis-je intérieurement.

— Si. Il avait utilisé le nom de notre mère. Il n'a jamais été très inventif. Du genre à utiliser sa date d'anniversaire… De toute manière, j'avais l'intention de le confronter à ce que je venais de découvrir, et de trouver une façon de remettre l'argent là où il l'avait pris. Nous travaillions dans le quartier noir du 9e district, et nous aurions pu rendre l'argent au travers de projets de reconstruction qui ne manquaient pas.

— Pourquoi n'as-tu pas appelé les fédéraux ou la police ?

— C'était mon frère.

— Mais il a trompé tous ces gens ! Et en se servant de toi ! Seigneur, c'était le quartier qui a été le plus touché…

Il soupira et passa une main dans ses cheveux.

— Je sais, Grace, mais…

Sa voix ne fut plus qu'un murmure.

— Mais c'était aussi mon frère, celui qui m'avait laissé dormir dans sa chambre pendant près d'un an après la mort de notre mère. Celui qui m'a appris à frapper avec une batte de base-ball et à conduire. Il avait toujours dit que nous ferions des affaires ensemble. J'ai voulu lui donner une chance de réparer ses torts, de faire amende honorable.

Je regardai son visage marqué par la tristesse, et il me parut soudain avoir vieilli.

— C'était mon grand frère. Je ne voulais pas qu'il aille en prison.

J'étais bien placée pour le comprendre. J'en connaissais aussi un rayon sur la famille, le sens du devoir, l'abnégation, l'amour désintéressé. Bien au-delà du bon sens.

— Alors, qu'est-il arrivé ? demandai-je plus doucement. Qu'a-t-il dit ?

Je posai mon assiette sur le côté.

— Que pouvait-il dire ? Qu'il regrettait, qu'il s'était laissé entraîner, que tout le monde le faisait… Mais il a accepté de réinjecter l'argent dans des projets.

Il s'interrompit, le regard vague, l'esprit perdu dans ses souvenirs.

— Malheureusement pour nous, notre entreprise était sous surveillance des fédéraux. En transférant cette somme d'argent, j'ai moi-même refermé le piège sur nous.

Il baissa la tête.

— Est-ce que ton frère est allé en prison, aussi ?

— Non. Il a témoigné contre moi.

Je fermai les yeux.

— Oh ! Cal… Est-ce que… Qu'as-tu fait ?

Il lâcha un nouveau soupir résigné.

— Il avait pensé à tout… C'est mon nom qui apparaissait dans ce montage et c'était sa parole contre la mienne. Et puis, c'était moi, le comptable. Pete a affirmé qu'il n'avait pas les compétences pour mettre en place cette escroquerie, même s'il l'avait voulu, que j'étais celui qui était allé à l'université. Les avocats de la partie civile l'ont sans doute trouvé plus convaincant. Mon avocat m'a dit qu'il n'y aurait aucune clémence pour quelqu'un qui avait volé des victimes de Katrina. Alors, quand ils m'ont proposé un marché, je l'ai accepté.

Angus sauta sur mes genoux et je le caressai, songeuse.

— Pourquoi ne m'en as-tu pas parlé avant, Cal ? Je t'aurais cru.

— Vraiment ? Les prisons sont pleines de gens qui clament leur innocence ! Le coup du piège, ça fait un peu grosse ficelle.

Il n'avait pas tort. Je ne répondis pas.

— Je n'avais aucune manière de prouver que je n'avais pas fait ce dont mon frère m'accusait, ajouta-t-il calmement.

Mon cœur se serra soudain douloureusement, et une boule se forma dans ma gorge. Comment réagirais-je si Margaret ou Natalie me trahissaient ? Oui, bien sûr, Nat était tombée amoureuse d'Andrew, mais elle n'avait pas voulu me nuire. Je ne l'avais jamais pensé, en tout cas, et je connaissais ma sœur. Et qu'est-ce que c'était, comparé à ce que Cal avait vécu ? Condamné pour un délit commis par son frère... Diable ! Pas étonnant qu'il rechigne à parler de son passé.

— Avais-tu l'intention de me dire tout ça ? Même si Margs n'était pas allée mettre son nez dans ton casier judiciaire ?

— Oui.

— Pourquoi maintenant ? Pourquoi pas toutes les autres fois où je t'ai posé des questions ?

— Parce que nous avions commencé quelque chose, la nuit dernière. Enfin, c'est ce que j'ai cru. Donc, voilà toute l'histoire. Maintenant, tu sais, lâcha-t-il d'une voix raffermie.

Le silence s'installa entre nous pendant quelques minutes. Angus, réclamant de l'attention, aboya une fois et remua la queue. Je le caressai distraitement et ajustai son bandana, remarquant en même temps qu'il avait fini l'omelette de Cal pendant que nous parlions.

— Cal ? dis-je finalement.

— Oui ?

Sa voix était sans timbre, la tension pesait sur ses épaules.

— Ça te dirait, un dîner avec ma famille, un de ces jours ?

Il resta immobile, un bref instant, avant de se lever d'un bond, effaçant la distance entre nous. Je vis son sourire dans la pénombre.

— Oui.

Il me prit dans ses bras et m'embrassa passionnément, mon chien accroché à son bas de pantalon. Une fois la vaisselle faite, il m'entraîna chez lui.

25

Le lendemain, je n'eus pas à m'arracher des bras de Cal aux aurores. C'était le Memorial Day, et nous prîmes le temps de déambuler dans Farmington en savourant un café et des viennoiseries de Chez Lala.

— Tu as quelque chose de prévu, cet après-midi ? me demanda-t-il, tandis que nous rentrions à pied.

— Si c'était le cas ? dis-je en minaudant, tout en tirant sur la laisse d'Angus, qui tirait de son côté pour aller renifler une petite souris morte sur le bord du chemin.

— Eh bien, il faudrait que tu annules, dit-il en prenant une gorgée de café.

— Oh ! vraiment ?

— Mmm…

Il sourit, en glissant un bras autour de ma taille, et essuya d'un doigt une trace de sucre glace sur mon menton.

— Alors, d'accord. Je suis toute à toi.

— Quelle douce musique, dit-il en m'embrassant.

Longuement, et avec douceur. Quand il s'écarta, je n'étais qu'une petite chose privée de force. Privée de force, mais aux anges.

— Je passe te prendre à 14 heures. En attendant, il faut que j'aille installer les appareils ménagers.

— Tu as presque fini, non ? demandai-je, avec un petit pincement au cœur.

— Oui, répondit-il.

— Et après ?

— J'ai une autre maison à rénover, plus au nord. Mais

pour toi, je suis prêt à revenir m'allonger sur le toit de cette maison pour que tu puisses m'espionner. Je devrais bien pouvoir obtenir l'accord des nouveaux propriétaires !

— Je ne t'ai jamais espionné. Je t'ai quelquefois regardé, mais ce n'était pas prémédité !

Il sourit, puis regarda sa montre.

— D'accord, Grace. Là, je file.

Il m'embrassa une fois de plus, puis s'engagea dans son allée, me lançant un « 14 heures, n'oublie pas ! » par-dessus son épaule.

Je lâchai un peu de laisse à Angus pour lui permettre de renifler une fougère. Je terminai mon café puis rentrai chez moi.

Une pensée désagréable me traversa l'esprit dans la matinée, alors que je lisais des dissertations d'élèves. Devais-je avertir la direction de Manning de ma relation avec Callahan ? Il venait d'entrer dans ma vie. Ne valait-il pas mieux prendre les devants, plutôt que d'attendre que des bruits sur son passé ne viennent aux oreilles du conseil d'administration ? Quelles que soient les circonstances, et même s'il n'avait eu aucune intention malhonnête, Cal avait tout de même couvert un délit et purgé une peine de prison. Ça finirait par se savoir tôt ou tard, et à Manning plus vite que partout ailleurs ! En même temps, c'était me tirer une balle dans le pied, vu que je postulais à la chaire d'histoire. Détournement de fonds, prison et casier judiciaire… ça allait coincer. Je n'oubliais pas que je travaillais avec des jeunes en pleine construction d'eux-mêmes.

Mes épaules s'affaissèrent. Quoi que cela me coûte, je n'avais pas le choix.

A 14 heures précises, Cal remontait mon allée.

— Prête ? lança-t-il par la porte-moustiquaire tandis qu'Angus sautait et grognait de l'autre côté.

— Il me reste quatre copies à noter. Tu me laisses une demi-heure ?

— Non. Prends-les avec toi, tu termineras dans la voiture !

Je battis des cils.

— Oui, chef.

Il sourit.

— Où allons-nous ?

— Tu le verras quand nous y serons. Tu crois que ton toutou m'appréciera un jour ?

— Probablement jamais, dis-je en attrapant Angus et en lui embrassant la tête. Au revoir, mon petit chéri. Sois sage. Maman t'aime.

— Waouh ! C'est vraiment… euh… émouvant… déchirant, même.

Je lui donnai un petit coup dans l'épaule.

— Non, ne me frappe pas, Grace ! Pas de coups !

Il se mit à rire.

— Seigneur ! Es-tu toujours sujette à ces accès de violence ? Dire que je n'ai jamais été frappé, même en prison, et à la minute où j'ai emménagé à côté de chez toi, j'ai reçu un coup de crosse de hockey, de râteau, j'ai été mordu par ton fauve… même mon pauvre pick-up a morflé…

— Plains-toi ! Moi qui croyais que la prison endurcissait même les pires criminels…

— Ce n'était pas ce genre de prison.

Il sourit et m'ouvrit la portière de son pick-up.

— Nous avions des cours de tennis. Pas de morceau de métal taillé en pointe ! Désolé de te décevoir, chérie.

Je m'installai dans le pick-up, avec l'impression de flotter sur un nuage. *Chérie*. Callahan venait de me dire « chérie ».

Dix minutes plus tard, nous étions sur l'autoroute, roulant en direction de l'ouest. Je sortis une copie et me mis à lire.

— Tu aimes ton métier ?

— Oh, oui ! Les élèves sont fantastiques, à cet âge. Evidemment, ils me donnent des envies de meurtre, la moitié du temps, mais je les trouve formidables l'autre moitié. C'est eux, aussi, qui me donnent la motivation.

— Avec les adolescents, tu n'as pourtant pas choisi la facilité…

Il jeta un coup d'œil dans son rétroviseur alors qu'il se rabattait sur la voie du milieu, un sourire sur les lèvres.

— Ce n'est pas l'âge le plus facile, c'est vrai. Sans doute sont-ils moins attendrissants que des enfants plus jeunes… Ils se cherchent, se rebellent, tout en montrant déjà les signes des adultes qu'ils seront. C'est très exaltant de les regarder vivre. Et puis j'aime ma matière.

— La guerre de Sécession, je sais !

— L'histoire, en fait ; mais oui, je me suis prise de passion pour cette période.

— Pourquoi ? C'était plutôt une guerre horrible, non ?

— Une guerre meurtrière, avec de grandes charges héroïques de cavalerie et d'infanterie. Les gens se sont battus avec acharnement pour les valeurs auxquelles ils croyaient. C'est une chose d'entrer en guerre avec un pays étranger, une culture étrangère, des villes qu'on n'a jamais visitées, des gens qui ne sont rien pour vous. Mais là, c'était une guerre fratricide… Quand on pense que Lincoln a levé des troupes pour combattre des hommes de son propre pays ! Les forces confédérées du Sud luttaient pour défendre leurs terres et leurs droits en tant qu'Etats autonomes, mais le Nord se battait pour conserver l'Union américaine. C'est un épisode traumatisant de l'histoire des Etats-Unis. C'était *nous,* notre histoire. Je veux dire, quand tu compares Lincoln avec quelqu'un comme…

Je m'interrompis en entendant résonner ma propre voix, qui venait de monter d'un cran dans les aigus, vibrante comme celle d'un prêcheur à la télévision, le dimanche matin.

— Désolée, je crois que je m'emballe, dis-je en rougissant.

Il tendit la main, cherchant la mienne.

— J'aime t'entendre en parler, dit-il. Et t'entendre, toi.

— Tu ne dis pas ça seulement parce que je suis la première femme que tu vois depuis ta sortie de prison ? le taquinai-je.

— C'est une possibilité qu'on ne peut pas écarter, répondit-il, impénétrable. Comment on appelle ça, déjà, madame la professeur ? Tu sais, les poussins qui prennent la première personne ou le premier animal qu'ils voient en sortant de l'œuf pour leur mère ? L'imprégnation ?

Je lui donnai une petite tape sur le bras.

— Très drôle. Maintenant, laisse-moi tranquille. Il faut que je termine de noter ces copies.

— Oui, m'dame.

Cal conduisit doucement, sans à-coups, sans parler, se permettant de rares commentaires quand je lisais des passages à voix haute. Il me demanda de vérifier une ou deux fois la direction de son GPS, ce que je fis, très aimablement. Le trajet, à ma grande surprise, fut très confortable. Et je pus noter mes copies.

Une heure plus tard, il sortit de l'autoroute et passa le panneau nous indiquant que nous arrivions à Easting — petite ville de 7 512 âmes dans l'État de New York, pus-je lire. La voiture s'engagea dans une rue bordée par une pizzeria, un salon de coiffure, une cave à vin et un restaurant appelé Chez Vito.

— Alors, monsieur Shea, pourquoi m'avez-vous emmenée jusqu'ici ?

— Tu vas très vite le découvrir, dit-il sur un ton sibyllin, tout en se garant dans la rue.

Il sortit d'un bond de la voiture et vint m'ouvrir la portière. Tellement prévenant… Oui, Cal avait de belles manières. Il me prit la main et sourit.

— Tu me sembles très sûr de toi, dis-moi…

Oh ! mais je le suis, répondit il en m'embrassant.

Tous les doutes qui m'avaient assaillie sur ma relation avec lui, mes craintes sur l'impact de son passé, s'évanouirent sous la bouffée de joie qui gonfla dans ma poitrine et me souleva le cœur. Je ne parvenais pas à me souvenir de la dernière fois où je m'étais sentie si légère et joyeuse. L'avais-je même été à ce point ?

Puis je vis un petit cinéma tout en bas de la rue, après un bloc de maisons, son entrée en brique, ses larges fenêtres ; l'odeur chaude du pop-corn flottait dans l'air. Je chancelai imperceptiblement, toute mon attention tournée vers l'auvent blanc où s'affichait en lettres de néon :

Séance « spécial anniversaire » ! Sur grand écran !

Et au-dessous, en plus grandes lettres :

Autant en emporte le vent.

— Surprise ! dit-il, glissant les bras autour de moi pour m'enlacer.

Je m'immobilisai avant de fondre en larmes.

— Oh, Cal ! reniflai-je contre son épaule, la gorge serrée par l'émotion.

Pendant qu'il achetait nos tickets, du pop-corn et des sodas, je continuai à pleurer, incapable de contenir mes larmes sous les regards surpris de l'adolescent derrière la caisse. C'était bondé — je n'étais apparemment pas la seule à penser que la plus grande histoire d'amour de tous les temps devait se voir sur grand écran uniquement.

Nous prîmes place dans les fauteuils en velours.

— Comment as-tu su qu'il y avait une séance ? demandai-je dans un souffle, en m'essuyant les yeux.

— J'ai fait une petite recherche sur Google, il y a quelques semaines. Quand tu m'as dit que tu ne l'avais jamais vu, je me suis demandé s'il y avait encore des salles de cinéma qui le projetaient. J'allais te le dire quand tu m'as sauté dessus… Cela devenait une belle idée de sortie en amoureux officielle.

Il y avait quelques semaines… Il avait pensé à moi il y avait des semaines. Waouh !

— Merci, Cal, dis-je en me penchant pour l'embrasser.

Sa bouche était douce et chaude. Sa main glissa dans mon cou. Je me laissai envahir par cette sensation de milliers de papillons dans le ventre, jusqu'à ce que la réalité se rappelle à moi par un coup de pied accidentel (ou intentionnel), dans le dossier de mon fauteuil, de la femme aux cheveux blancs assise derrière moi. Les lumières baissèrent et je sentis mon cœur cogner dans ma poitrine. Cal, tout sourires, me serra la main.

Pendant les trois heures qui suivirent, je retombai amoureuse de Scarlett et Rhett comme au premier jour, retrouvant les émotions vives et intenses que j'avais ressenties quand j'avais découvert le roman à quatorze ans. Intactes. Je vibrai quand Scarlett déclara son amour à Ashley, palpitai quand Rhett se battit pour Scarlett au bal, retins mon souffle quand Melly eut son bébé, me rongeai un ongle tandis qu'Atlanta brûlait. Et quand Katie Scarlett Hamilton Kennedy Butler, déterminée, insoumise et fière, lança sa dernière réplique, je pleurai comme une Madeleine.

— J'aurais dû emporter des antidépresseurs, murmura Callahan alors que défilait à l'écran le générique de fin, en me tendant une serviette en papier.

J'avais utilisé mon dernier mouchoir au moment où Rhett rejoignait les troupes confédérées à l'extérieur d'Atlanta.

— Merci, balbutiai-je.

— De rien, répondit-il avec ce sourire dont je ne voulais plus me passer.

Au moment de partir, la femme aux cheveux blancs me tapota gentiment l'épaule.

— Cal, est-ce que tu as aimé ? demandai-je.

Il se tourna vers moi, le visage tendre.

— J'ai adoré, Grace.

Il était presque 21 heures quand nous arrivâmes à Peterston.

— Tu as faim ? me demanda-t-il en passant devant chez Blackie.

— Affamée.

Il se gara sur le parking, et nous nous dirigeâmes vers l'établissement, main dans la main. Le geste le plus merveilleux du monde, songeai-je, alors que nous entrions dans le restaurant. Une marque d'intimité, que je ne me lassais pas de savourer. Un petit signe, peut-être, mais qui disait : « Cet homme est avec moi… c'est mon homme ! »

Cal prit place à côté de moi sur une banquette. Il passa un bras autour de mes épaules et m'attira contre lui. Je humai son parfum. Bon sang ! J'étais raide dingue de lui.

— Tu veux des ailes de poulet ? demanda-t-il en jetant un coup d'œil au menu.

— Tu fais tout pour que je te saute dessus, ce soir ! m'exclamai-je. D'abord, *Autant en emporte le vent,* et maintenant, des ailes de poulet. Comment résister à cette vaste opération de charme ?

— Alors, mon plan machiavélique fonctionne ?

Il se tourna vers moi pour m'embrasser, un baiser chaud et doux comme un caramel. Ce rendez-vous était le plus parfait et le plus romantique que j'avais vécu, et je savais qu'il resterait à jamais gravé dans ma mémoire. Quand je rouvris les yeux, je ne vis que son sourire. Il me pinça le menton avant de reporter son attention sur le menu.

Je parcourus du regard la salle de restaurant, un sourire scotché sur les lèvres, du genre « j'aime la vie », et m'arrêtai sur un type séduisant. Il leva son verre de bière à mon intention. Son visage me disait quelque chose. Bien sûr ! Eric, le laveur de carreaux de Manning. Il était avec sa charmante femme et ils se tenaient les mains. Un autre couple heureux. Je lui fis signe à mon tour.

— Bonsoir, Grace.

Je tressaillis en entendant cette voix féminine familière et levai les yeux. Je réprimai une grimace.

— Salut, Ava. Comment ça va ? dis-je d'une voix monocorde.

Elle était quand même sortie avec Stuart !

— Très bien, merci, susurra cette dernière, sans quitter Callahan du regard.

Battement de cils… battement de cils… et nouveau battement de cils.

— Je suis Ava Machiatelli.

— Callahan O'Shea, dit-il en lui serrant la main.

— J'ai entendu dire que tu étais allée dîner avec Stuart, l'autre soir, lâchai-je.

— Mmm… Pauvre garçon. Il avait besoin d'un peu de… compagnie, répondit-elle en minaudant.

Je grinçai des dents. Pourquoi avait-il fallu que Stuart se comporte comme le pauvre type de base ? Et elle, toujours à rôder comme un vautour… Sans foi ni loi quand il était question de séduction.

Cette dernière fit un mouvement en direction du bar.

— Kiki ! Par ici ! appela-t-elle.

Elle se tourna de nouveau vers Cal et moi.

— Kiki a rompu ce week-end et elle était anéantie, expliqua-t-elle. Je gère la situation avec des margaritas.

Je regardai Kiki s'approcher. Effectivement, elle avait la mine d'une déterrée qui aurait abusé de la tequila.

— Hé ! Grace ! Où est-ce que tu étais passée ? Je n'ai pas arrêté de t'appeler aujourd'hui. Tu te souviens de ce type au Lindy Hop ? Eh bien, il vient de me lâcher !

Sa voix se brisa. Elle tourna distraitement son regard vers Callahan.

— Salut…

Elle s'interrompit brutalement, écarquillant les yeux.

— Seigneur, le repris de justice ! s'exclama-t-elle.

Elle en oublia momentanément sa énième peine de cœur.

— Ravi de vous revoir, dit Cal en levant un sourcil amusé.

— Repris de justice ? s'étonna Ava.

Un silence embarrassé flotta entre nous. Je restai muette, luttant contre l'image des membres du conseil d'administration qui venait danser devant mes yeux.

Oh, non…

— Pour détournement de fonds, si je me rappelle bien, c'est ça ? dit Kiki en me décochant un regard glacial.

Je l'avais mise en garde contre Cal, la dissuadant d'engager un flirt avec lui, et elle me retrouvait dans ses bras ! Bon sang !

— C'est ça, lâcha laconiquement Cal.

Une lueur passa dans les yeux d'Ava.

— Détournement…, murmura-t-elle. C'est fascinant.

— Eh bien, heureuse de vous avoir vues, les filles. Amusez-vous bien, coupai-je cavalièrement.

— Oh, oui ! répondit Ava avec un large sourire. Ravie d'avoir fait votre connaissance, Callahan.

Et sur ces mots, elles s'éloignèrent vers leur table.

— Est-ce que ça va ? me demanda-t-il.

— Ce sont des collègues de travail. Et maintenant, tout le monde va savoir que je sors avec un homme qui a fait de la prison.

— Je suppose.

Il me regarda avec circonspection, dans l'attente de ce que j'allais dire ou faire.

— Eh bien, c'est vrai : je sors avec un repris de justice, repris-je rapidement, en lui serrant la main. Et alors ?

Je coulai un regard vers Kiki et Ava, penchées l'une vers l'autre par-dessus la table, comme lorsque l'on est en grande conversation. Mon estomac se contracta douloureusement.

— Je vais prendre des ailes de poulet sauce Buffalo.

J'avais juste l'appétit coupé.

26

Pressentant le pire après la rencontre impromptue de Kiki et d'Ava, je me rendis à l'école de bonne heure le lendemain matin, et fonçai directement vers le bureau du directeur, bien décidée à court-circuiter toute fuite.

Mes craintes étaient fondées et, malheureusement, je n'avais pas été assez rapide. Je le compris à la seconde où j'entrai dans le bureau de Stanton.

— Grace, je vous attendais ! s'exclama ce dernier.

Je pris place en face de lui, comme une élève repentante.

— J'ai reçu ce matin un appel de Theo Eisenbraun plutôt alarmant.

— Je venais justement pour ça… pour vous en parler moi-même, soufflai-je, soudain en nage. Mais je vois que la nouvelle s'est déjà propagée. Je fréquente en effet quelqu'un qui a… euh… purgé une peine pour détournement.

Il soupira.

— Oh ! Grace !

— Monsieur Stanton, j'espérais que mes qualifications et mes années passées à Manning parlaient pour moi. J'aime cette école, j'aime mes élèves, et je ne pense pas que ma vie personnelle ait quelque chose à voir avec mon métier, mes qualités d'enseignante ; ou même avec mon aptitude à diriger le département d'histoire.

— Bien sûr, dit-il d'un ton bas, et vous avez raison… Nous vous apprécions beaucoup, Grace.

Ça sentait le roussi. Nous étions bien trop polis pour le dire, mais nous savions l'un comme l'autre que je venais d'amputer une grande part de mes chances de décrocher le poste.

— Le comité de sélection se réunit cette semaine. Nous vous ferons connaître notre décision.

Le cœur triste et le moral dans les chaussettes, je me dirigeai vers le Lehring Hall, me réfugiant dans mon bureau de la taille d'une boîte à chaussures. Je me laissai tomber dans mon fauteuil en cuir vieilli, que Julian et moi avions déniché dans un vide-grenier, et regardai par la fenêtre, contemplant le paysage. Je survolai du regard les branches des cerisiers chargées de fleurs, dont l'aspect mousseux faisait penser à de la crème fouettée rose, les cornouillers aux fines fleurs jaunes qui frémissaient sous un léger souffle d'air et l'herbe d'un beau vert émeraude. Manning resplendissait, à cette époque de l'année. Mercredi prochain sonnerait la fin des cours, avec la remise des diplômes deux jours plus tard. La veille du mariage de Natalie et Andrew.

Sans doute n'avais-je pas été très réaliste en pensant décrocher la direction du département d'histoire. Je n'avais que trente et un ans, pas de doctorat d'histoire, aucun sens politique, et très peu d'expérience du travail administratif. Sans doute avais-je même péché par orgueil en soumettant ma candidature.

J'avais néanmoins réussi à me qualifier pour l'ultime oral — mais ce n'était peut-être qu'un geste des membres du conseil d'administration à l'égard du personnel enseignant de Manning. Si ma rencontre avec Callahan O'Shea avait gâché mes chances… Eh bien, tant pis, il le valait. Je l'espérais. J'en étais convaincue, même. Si c'était le prix à payer, je l'acceptais. Soudain rassérénée, j'arrêtai de mordiller mon ongle, et relevai le menton.

— Salut, Grace.

Ava se tenait devant ma porte, battant des paupières sans trop de conviction. Ses lèvres brillantes de gloss ébauchèrent un sourire.

— Comment vas-tu, ce matin ? demanda-t-elle.

— Super bien et dans tous les domaines, Ava. Et toi ?

répliquai-je, forçant sur le sourire, fourbissant déjà mes armes pour la suite.

Qui ne manqua pas…

— J'ai entendu dire que tu étais dans le bureau de Stanton.

A quoi m'attendais-je ? Le mot même de « discrétion » n'existait pas, dans ce petit monde.

— Fréquenter un repris de justice, Grace ? Où mets-tu l'exemplarité que l'on attend de nous ?

— Sur le strict plan des mœurs, est-ce que tu dirais que ça bat la relation adultère avec un collègue de travail, Ava ? On peut s'interroger.

— Effectivement. Tu sais que le comité de sélection se réunit une dernière fois jeudi.

— Ils ont déjà pris leur décision, fit une voix aux intonations grinçantes comme une porte rouillée. Bonjour, mesdames.

— Bonjour, professeur Eckhart, dis-je, ravie de cette interruption.

— Bonjour, reprit Ava.

— Puis-je m'entretenir avec vous, mademoiselle Emerson ?

— Eh bien, je vous laisse… A plus, dit ma collègue.

Elle pivota sur elle-même et s'éloigna, de sa démarche qui n'appartenait qu'à elle. A se demander comment la couture de sa jupe ultramoulante ne craquait pas…

— Vous êtes au courant ? murmurai-je en regardant le Pr Eckhart s'avancer vers moi.

— Oui, j'en ai entendu parler, Grace. Je suis venu vous rassurer.

Il s'interrompit, le corps secoué par une spectaculaire quinte de toux, comme s'il allait expulser ses poumons. Il finit par reprendre son souffle, et me sourit, les yeux humides.

— Beaucoup de nos membres du conseil ont eu maille à partir avec la justice, et toujours pour des histoires d'argent. Ne vous mettez pas martel en tête.

Je le gratifiai d'un sourire désabusé.

— Merci. Ont-ils vraiment pris leur décision ?

— Ils mettent au point les derniers détails, cet après-midi, mais je me suis laissé dire qu'ils avaient déjà arrêté leur choix la semaine dernière. Soyez sûre que j'ai appuyé votre candidature, ma chère.

Ma gorge se serra.

— Merci, monsieur. Cela signifie beaucoup pour moi. Bien plus que je ne saurais le dire.

La sonnerie de début des cours mit fin à notre discussion, et je le regardai s'éloigner d'un pas traînant vers ses deuxième année, puis me dirigeai vers ma classe. Je n'avais plus que deux cours avec mes élèves de dernière année, avant de les lâcher dans le vaste monde, livrés à eux-mêmes. Je ne les reverrais plus, pour la plupart d'entre eux.

Je poussai la porte et fis une entrée qui resta totalement inaperçue de mes élèves. Hunter quatrième du nom était avachi devant Kerry Blake, qui portait un chemisier court et échancré de fort mauvais goût, mais qui, je n'en doutais pas, avait dû coûter une semaine de mon salaire. Une poignée d'étudiants, en mode totalement autistique, étaient penchés sur leur Smartphone, malgré l'interdiction maintes fois répétée. Molly, Mallory, Madison et Meggie faisaient de la surenchère en parlant de leurs vacances d'été : l'une allait à Paris pour faire un stage chez Chanel, une autre partait en expédition au Népal, une autre prévoyait de faire du rafting en eaux vives dans le Colorado, la dernière passait l'été en famille — je la cite — « pour une longue et lente agonie ». Emma avait la tête tournée vers Tommy Michener, qui sommeillait sur son bureau, la tête sur un bras.

Je les regardai un instant, traversée soudain par une flopée de doutes. Malgré toutes mes bonnes intentions, avais-je réussi à leur transmettre quelque chose ? Avaient-ils compris l'importance du passé, de savoir d'où l'on venait ? Etais-je une bonne enseignante ? J'accusai soudain le coup. Un craquement sinistre résonna dans mes oreilles, se répercutant à tout mon squelette… et je vis rouge.

— Bien le bonjour, mesdemoiselles et messieurs les princes et les princesses ! lançai-je, hurlant presque, provoquant à ma grande satisfaction quelques sursauts et mines surprises. Ce week-end, il y a la reconstitution de la bataille de Gettysburg.

Je laissai passer les grognements et les yeux levés au ciel, avant de leur assener le coup final.

— Votre présence est plus que souhaitée. Soyons clairs : en cas d'absence de votre part, je me verrais dans l'obligation de vous coller un F pour votre note de participation, qui vaut, je vous le rappelle, pour un tiers de votre note d'histoire. Je sais, bien sûr, que vous êtes tous acceptés à l'université, mais je ne pense pas que vous vouliez voir votre moyenne générale baisser. Je me trompe ? Non, je ne crois pas. Rendez-vous donc devant le bâtiment samedi matin à 9 heures.

Ils en restèrent comme deux ronds de flan, une expression d'horreur sur le visage et, pendant un bref instant, incapables de parler. Le silence avant la tempête.

— Ce n'est pas juste ! Mes parents vont…

Je les regardai protester une minute, laissant fuser les « j'ai prévu… », « j'ai des billets pour… », puis conclus simplement, imperturbable :

— Ce n'est pas négociable.

Quand je rentrai chez moi, en fin d'après-midi, je trouvai mon merveilleux toutou plus irrésistible que jamais, et, complètement sous le charme, l'attrapai pour une petite valse. Je virevoltai à travers le salon, une-deux-trois, une-deux-trois, fredonnant « Take It to the Limit » des Eagles, une des chansons préférées d'Angus.

— « *So put me on a highway and show me a sign* », chantonnai-je.

Celui-ci se mit à ronronner. Comme je l'ai dit, c'était une de ses mélodies favorites.

Je me sentais d'humeur joyeuse, sans vraiment savoir pourquoi — après tout, mes espoirs de promotion venaient d'être écrasés dans l'œuf.

— Il n'y a pas que le travail dans la vie, pas vrai, McFangus ?

Mon chien se mit à frétiller de plaisir dans mes bras.

C'était vrai. Dans très peu de temps, Andrew allait épouser Natalie, enfonçant le dernier clou du cercueil de ce que fut notre relation. Et puis, l'été approchait, apportant avec lui son lot de plaisirs simples : repos, lecture, nouvelles batailles qui se tiendraient dans le Sud.

Et j'avais Callahan. Il voulait une femme, des enfants, un jardin à tondre… Une sensation de chaleur se répandit en moi. Ce scénario me plaisait aussi beaucoup.

— Est-ce que je peux interrompre ce moment ?

En parlant du loup… je me tournai vers la porte et le vis sur ma terrasse, avec son sourire à damner un saint. Angus se raidit dans mes bras et aboya.

— Entre, dis-je tout en reposant mon fidèle animal, qui se jeta aussi sec sur les chevilles de Cal avec un enthousiasme non feint.

Hrrr… Hrrr… Cal l'ignora, attrapa ma main et posa l'autre sur ma taille.

— Je suis un piètre danseur, admit-il.

Je le regardai se concentrer, les yeux plissés tandis qu'il exécutait le pas de base. Je fus gagnée par une bouffée de tendresse en notant ses petites ridules en étoile au coin des yeux.

— Attends, je te guide.

Sa nuque était tiède sous ma main, et son odeur si masculine. Mon pouls se précipita. Les vaguelettes de joie qui clapotaient contre mon cœur quelques instants plus tôt se firent vagues, et je me sentis prête à chavirer.

— J'ai toujours bien aimé le Melbourne Shuffle, dit-il en m'attirant à lui.

Nos pieds bougeaient à peine… sauf quand Cal essayait de faire lâcher prise à Angus, accroché à son bas de pantalon. Ma main glissa dans son dos, descendit sur ses fesses… quand je sentis un papier sous mes doigts.

— Oh ! au fait…

Il recula d'un pas.

— C'est à toi. Le facteur l'a mise par erreur dans ma boîte.

Il tira une enveloppe de la poche arrière de son jean et me la tendit.

Papier vergé crème, épais grammage… Mon nom apparaissait, joliment calligraphié à l'encre vert sombre.

— Ça doit être le faire-part de mariage de ma sœur, dis-je en l'ouvrant.

Effectivement. Classique, avec une petite touche de modernité, à l'image de Natalie. « Entourés de leurs parents, Natalie Rose Emerson et Andrew Chase Carson ont le bonheur de vous annoncer… » Ces mots galvaudés et pourtant porteurs d'un sens renouvelé d'espoir dansèrent devant mes yeux. « … et sont heureux de vous convier… »

Je levai les yeux vers Callahan.

— Veux-tu être mon cavalier ?

Il sourit.

— Bien sûr.

Bien sûr. C'était si simple ! Et si surprenant, après tous les efforts que j'avais dû fournir pour essayer d'en trouver un lors du mariage de Kitty.

— Euh… je ne crois pas te l'avoir précisé, Cal, mais tu te souviens quand je t'ai dit que j'avais été fiancée ? repris-je après un silence.

Il fit oui de la tête.

— Il s'agissait en fait d'Andrew. Le garçon qui va épouser ma sœur.

Ses sourcils se relevèrent sous le coup de la surprise.

— Vraiment ?

— Oui… Lorsque lui et Nat se sont rencontrés, il a semblé très vite évident que ces deux-là étaient faits l'un pour l'autre. Qu'il y avait eu erreur de casting avec moi.

Il resta silencieux quelques instants, se contentant de me regarder, les sourcils légèrement froncés.

— Et ça ne te fait rien de les voir ensemble ? finit-il par demander.

Angus secouait énergiquement la tête, le revers du pantalon de Cal dans la gueule.

— Ça a été difficile au début, mais… ça va, maintenant.

Il me dévisagea un instant, puis se pencha et attrapa mon chien, qui réagit par un grognement avant de lui mordiller le pouce.

— Dis, Angus, elle va même plus que bien, tu n'es pas d'accord avec moi ?

Il se pencha vers moi et m'embrassa dans le cou. Je capitulai, me rendant à l'évidence : j'étais follement amoureuse de cet homme.

27

J'étais folle de lui… Est-ce que cela suffirait pour que
« La Présentation Officielle de Cal à mes Parents » se passe
bien ? me demandai-je, tandis que nous roulions quelques
jours plus tard vers West Hartford. Une vague d'appréhension
m'envahit. Si seulement j'avais pu éviter que ce moment coïn-
cide avec l'exposition de ma mère… C'était un télescopage
à haut risque, mais c'était la seule soirée, avant le mariage
de Natalie, où toute la famille pouvait se réunir.

— Je pense que nous devrions attendre un peu, avant
de leur dire…

— Je ne crois pas, répliqua-t-il, le regard fixé sur la route.

— Cal, fais-moi confiance. C'est ma famille. Je les
connais, ils vont… ils vont sauter au plafond ; comme tous
parents apprenant que leur fille fréquente un homme qui
sort de prison.

— C'est un fait, j'ai un casier, et cela ne sert à rien de
le cacher.

— Ecoute-moi… c'est le moment qui n'est pas propice
pour le leur dire. Tu n'as jamais assisté aux expos de ma
mère. Je dirais, pour faire simple, que c'est très… étrange.
Mon père va être très tendu, ma mère va papillonner à droite
et à gauche… Ma grand-mère est dure de la feuille, il faut
donc parler fort si on veut se faire entendre… et c'est un
endroit public. Ce n'est pas le moment idéal pour le leur dire.

J'avais annoncé à mes parents et à Natalie que je sortais
avec mon voisin, sans plus d'explications, sans m'étaler sur
le sujet.

Ils n'avaient pas manqué de me faire part de leur inquiétude, et de leur incompréhension sur mon choix. Comment pouvais-je quitter un médecin — bourreau de travail, certes, mais médecin quand même ! — pour un menuisier qui retapait des maisons ? Et ce n'était que le premier niveau de la fusée ! Je n'osais imaginer leur réaction quand ils apprendraient que le menuisier en question avait passé dix-neuf mois derrière les barreaux. Bon... le coup des barreaux, c'était une image, puisque la sienne n'en avait pas, mais ce n'est pas à ce genre de détails que la famille Emerson, fière descendante des pèlerins du *Mayflower*, allait s'arrêter.

— Je ne comprends pas que tu ne leur en aies pas encore parlé, c'est tout.

Je lui coulai un regard. Il n'avait pas desserré la mâchoire depuis notre départ.

— Ecoute, Cal. Je ne cherche pas à cacher quoi que ce soit. Je veux juste qu'ils apprennent à te connaître et leur laisser le temps de t'apprécier. Si j'arrive et que je leur balance sans préparation : « Salut, voici mon petit ami qui vient de sortir de prison », ils vont forcément mal réagir. On peut la jouer plus subtilement... Dès qu'ils se seront rendu compte du type génial que tu es, ils prendront mieux la chose.

— Quand as-tu l'intention de le leur dire ?

— Bientôt, rétorquai-je. Tu comprends ? J'ai beaucoup de soucis à l'esprit. La fin de l'année scolaire, ma candidature à la direction du département d'histoire, mes sœurs... le mariage de l'une, les problèmes conjugaux de l'autre... Est-ce qu'on peut laisser mes proches faire ta connaissance simplement, sans en rajouter, sans leur balancer aussi sec ton casier judiciaire ? S'il te plaît ! Laisse-moi gérer une difficulté à la fois. Je te promets que je le leur dirai bientôt. Mais pas ce soir.

— Ça ne me paraît pas honnête, insista-t-il.

— Comprends-moi ! C'est juste... préparer le terrain et désamorcer la situation explosive. On peut bien y mettre les formes, non ? Je n'ai pas à te présenter comme Callahan

O'Shea, l'homme qui a fait de la prison. C'est comme ça que tu veux qu'on te voie ?

Il resta silencieux un instant.

— Très bien, Grace. On fera comme tu le sens. Mais ça ne me paraît pas correct.

Je lui pris la main.

— Merci, murmurai-je, en sentant enfin la pression de ses doigts.

— Tu sors avec l'homme à tout faire ? Tu as laissé le docteur pour l'employé de maison ? m'interpella ma grand-mère, en fonçant sur moi.

Son expression me fit penser à un chat se promenant avec un lézard dans la gueule — ou plus exactement à un lézard, avec dans la gueule un lézard. Elle cogna sans états d'âme son fauteuil contre une colonne sur laquelle était posée *Into the Light* (un vagin, ode à la naissance, qui me faisait davantage penser au Holland Tunnel de New York). Je vis la sculpture osciller dangereusement et posai la main dessus pour la stabiliser, puis baissai les yeux vers ma grand-mère, les sourcils froncés en signe de désapprobation.

— Mémé, arrête de traiter Callahan d'homme à tout faire, d'accord ? On n'est plus dans ton Angleterre victorienne. Et comme je l'ai dit…

Je m'interrompis pour reprendre mon souffle, gagnée par une sensation de lassitude. Ce petit mensonge était en train de devenir mon « sparadrap sous la semelle ». Allais-je m'en dépêtrer ?

— Wyatt était un homme charmant, mais ce n'était pas le bon. Est-ce que je me suis montrée claire ? Alors, continuons la visite et ne parlons plus de lui.

Margaret, spectatrice silencieuse, se contenta de lever un sourcil ironique. Je n'avais jamais eu autant besoin d'un verre de vin qu'à cet instant. Ignorant ma grand-mère, qui était repartie dans sa caricature des Irlandais — « tous des gueux et des voleurs », répétait-elle —, je parcourus la galerie du regard.

Je n'avais jamais vu autant de parties anatomiques rassemblées dans un même endroit. On se serait cru dans un atelier de pièces détachées du corps humain. La galerie d'art Chimera avait invité un jeune artiste moins connu que ma mère — passablement irritée de devoir partager la vedette — à exposer ses œuvres. En tout cas, elle n'était pas la seule à se focaliser sur l'anatomie. Articulations… énarthroses, à la surface sphérique et à l'aspect cartilagineux, se glissaient parmi les sculptures maternelles plus… intimes, disons-le comme ça, que l'on aurait presque pu croire sorties tout droit d'un sex-shop. Je détournai le regard de *Yearning in Green* et, préférant ne pas m'attarder sur l'allusion à l'herbe, je me faufilai vers Callahan en discussion avec mon père.

— Alors, comme ça, vous êtes menuisier ! l'entendis-je dire en m'approchant.

Mon père avait le verbe haut, usait — ou abusait — d'un langage simple, d'une syntaxe souple, sans doute son idée du monde ouvrier, pour montrer sa simplicité et sa capacité d'adaptation à son interlocuteur, en quelque sorte. Il en faisait des tonnes.

— Papa, tu sais bien que Cal est menuisier… C'est même toi qui l'as engagé pour changer mes fenêtres.

— Tu veux dire spécialiste en restauration ? ne put s'empêcher de rectifier mon père.

— Non, on ne peut pas dire ça. Menuisier simplement, répondit Cal placidement, repoussant ainsi les efforts de mon père pour lui faire grimper quelques échelons sur l'échelle sociale.

— Cal est trop modeste pour le dire lui-même, mais il fait un magnifique travail, ajoutai-je.

Ce dernier me décocha un regard voilé.

— Que ne donnerais-je pas, certaines fois, pour échanger mes livres de droit contre un marteau ? déclara mon père.

Cela pouvait prêter à rire. Dans mon souvenir, ç'avait

toujours été ma mère qui se chargeait du bricolage à la maison ; mon père ne savait même pas accrocher un tableau.

— L'avez-vous toujours été ? poursuivit mon père.

— Non. J'étais comptable.

Il chercha mon regard. Je le gratifiai d'un sourire et glissai ma main dans la sienne pour lui manifester mon soutien.

Ma mère, saisissant au vol quelques bribes de conversation en s'approchant de nous, s'exclama :

— Ainsi, vous aussi, vous avez eu une révélation, Callahan. Si vous saviez comme je vous comprends ! J'étais une mère de famille, une femme au foyer… et puis, un jour, j'ai décidé de laisser l'artiste qui est en moi s'exprimer, se révéler…

Tout en parlant, elle caressait distraitement une de ses sculptures, un geste qui aurait pu être anodin si l'on faisait abstraction de ce qu'elle représentait. A mon plus grand désarroi, l'image de mes parents dans le bureau de Julian me traversa l'esprit.

— Pour se révéler… ça, elle s'est révélée ! marmonnai-je à l'adresse de Margaret.

Je n'avais pas pu garder ma langue et lui avais raconté la grande scène du placard : pourquoi aurais-je dû souffrir seule et en silence ?

Cette dernière laissa échapper un petit grognement. Ma mère me jeta un regard interrogateur, avant d'entraîner Callahan vers une création, au nom évocateur de *Want*, sur l'expression libre — j'aurais plutôt dit sur les errances de la création. Ce dernier me fit un clin d'œil. Je souris, en le sentant se détendre.

— Salut tout le monde ! Nous y sommes quand même arrivés…

La voix mélodieuse de ma jeune sœur nous parvint au-dessus du brouhaha des conversations, puis elle apparut devant nous, main dans la main avec Andrew.

— Salut, Gracie ! s'exclama-t-elle en m'embrassant.

— Et moi ? grogna Margaret.

— J'arrive ! Bonjour, ma grande sœur que j'aime autant ! Comme ça, c'est mieux ?

— C'est un minimum. Salut, Andrew !

— Bonjour, les filles. Comment ça va ? répondit ce dernier.

— Nous souffrons en silence… Mais bienvenue à vous deux dans la masse des non-initiés, dis-je en souriant.

— Je n'aurais pour rien au monde raté la rencontre officielle avec Callahan, dit Natalie. Toi et Wyatt étiez ensemble depuis quoi… deux mois ? Et je n'ai même pas eu l'occasion de lui serrer la main.

Je la vis sonder la foule, cherchant à l'apercevoir. Elle s'exclama :

— Seigneur, Grace, qu'il est séduisant. Et fort… Regarde-moi ces bras !

— Ohé, je suis là, fit Andrew, mi-figue, mi-raisin.

Je dissimulai un sourire dans mon verre de vin, une chaleur agréable au fond du ventre. *Eh oui… Andrew,* pensai-je. *Cet homme, grand, fort et séduisant, est ton remplaçant.* Et Cal, qu'allait-il penser de mon ex ? Justement… Je croisai son regard, et la chaleur que j'avais ressentie s'accompagna de petites contractions agréables. Je lui souris.

— Seigneur Jésus, regarde-la ! dit Nat à Margaret. Elle est amoureuse.

Je rougis. Andrew croisa mon regard et leva un sourcil interrogateur.

— J'ai bien peur que tu n'aies raison, répliqua celle-ci. Grace, tu es mordue, ma pauvre. Et en parlant de « pauvre », Andrew… rends-toi utile et va nous chercher un verre de vin.

— Bien m'dame, répondit docilement ce dernier, prêt à s'exécuter.

— Au fait, dis-je en le retenant. Maman veut vous offrir une sculpture comme cadeau de mariage.

— Oh ! Choisissons-en une vite, s'exclama Natalie à l'intention d'Andrew. N'importe laquelle, du moment que c'est la plus petite. Mon Dieu, regarde ça. *Portals of Heaven.* Waouh ! C'est énorme.

Et, sur ces mots, ils s'éloignèrent, à la recherche de la perle rare.

— Gracie, chaton, m'interpella mon père en revenant à la charge, est-ce que je peux te dire un mot ?

Margaret lâcha un soupir.

— Et voilà ! Rejetée encore une fois. Et les gens se demandent pourquoi je suis méchante. Je ne suis qu'une incomprise. Je serai dans l'espace consacré aux lèvres, si on me demande.

Mon père tressaillit imperceptiblement sur les derniers mots, et attendit qu'elle se soit suffisamment éloignée.

— Oui, papa ? dis-je en me saisissant distraitement d'une sculpture représentant une articulation d'épaule.

Je la fis tourner pour la regarder de plus près, et me retrouvai avec deux morceaux dans les mains. Oups !

— Voilà, chaton, je me demandais si tu n'avais pas été un peu rapide avec le médecin… Tu as rompu si vite avec lui…

Je l'écoutai d'une oreille, tentant maladroitement de remettre dans sa cavité l'humérus récalcitrant (à moins que ce ne fût le cubitus ? Je n'avais eu qu'un B- en biologie, au lycée…).

— Bien sûr, il travaille beaucoup, mais pense à ce que cela représente ! Sauver la vie d'enfants ! N'était-ce pas le genre d'homme que tu cherchais ? Un menuisier… Il… Enfin, sans jouer les prétentieux ni être désagréable, ma chérie…

— C'est pourtant l'impression que tu donnes, papa, dis-je, parvenant, à mon grand soulagement, à emboîter les deux bouts de l'articulation. Mais nous savons bien que pour toi, professeur et ouvrier agricole, cela se vaut, non ?

— Je ne pense absolument pas ça, s'indigna mon père. Mais tu avais tellement de facilités… tu aurais pu…

Libéré par ma mère, Cal se rapprocha de moi.

— Vous voilà ! s'exclama de bon cœur mon père, tout en lui donnant une tape dans le dos, assez forte pour lui faire renverser un peu de vin. Alors, grand gaillard, parlez-moi de vous !

— Qu'aimeriez-vous savoir ?

— Vous avez dit que vous étiez comptable, reprit mon père, avec un sourire d'approbation.

— Oui.

— Et je parie que vous êtes allé à l'université?

— Exact. A Tulane.

Je décochai un regard à mon père qui signifiait : « Tu vois ? Il gagne à être connu » et : « Laisse tomber l'interrogatoire, papa. »

Il n'en tint pas compte et poursuivit :

— Alors, pourquoi avez-vous quitté…

Ma mère l'interrompit.

— Avez-vous de la famille dans le coin, Callahan?

— Mon grand-père vit à Golden Meadows.

— Qui est-ce ? Est-ce que je le connais ? brailla ma grand-mère.

Elle se rapprocha dans son fauteuil, comme un éléphant entrant dans un magasin de porcelaine, et faillit faire tomber la colonne sur laquelle était posée une poitrine de femme.

— C'est Malcolm Lawrence. Bonjour, madame Winfield, heureux de vous revoir.

— Inconnu au bataillon, s'exclama ma grand-mère.

— Il est dans l'unité médicalisée, ajouta Cal.

Je pressai sa main.

— Ma mère est morte quand j'étais enfant et c'est lui qui nous a élevés, mon frère et moi.

— Un frère ? Et où habite-t-il ? demanda ma mère.

— Il… vit en Arizona, répondit-il, après une brève hésitation. Marié, sans enfants. On ne peut pas vraiment parler de famille.

— Oh ! que c'est triste ! répondit-elle, d'une voix adoucie. La famille est une telle bénédiction !

— Tu en es sûre ? repris-je, lui tirant un gloussement empreint de tendresse.

— Hé, vous, l'Irlandais…, l'interpella ma grand-mère, en tapant son doigt osseux contre la jambe de Cal. Est-ce que vous en avez après l'argent de ma petite-fille ?

Je soupirai. Bruyamment.

— Mémé, c'est moi, Grace, pas Margaret…

Puis, me tournant vers Cal :

— Je n'ai pas tout à fait le même compte en banque qu'elle…

— Ah, bien… Donc, je suppose que je devrais courtiser Margs.

En voyant s'approcher mon ex, le visage pâle, ma magnifique et lumineuse sœur à son côté, il se pencha vers moi et me chuchota :

— En parlant de sœurs interchangeables…

— Bonjour, je suis Andrew Carson. Content de vous rencontrer.

Il remonta ses lunettes sur son nez et tendit une main.

— Callahan O'Shea.

Il la lui serra fermement, et je ravalai un sourire en percevant la petite grimace de mon ex. *Eh oui, Andrew… Il pourrait te réduire en bouillie.* Pas que je sois partisane de la violence, bien sûr. C'était juste un constat.

— Ravie de vous revoir, Cal, dit Natalie.

— Bonjour, Nat, répliqua-t-il avec un sourire irrésistible.

Elle rougit, puis, en me regardant, articula silencieusement : « Trop beau ! » Je lui souris, ne pouvant qu'acquiescer, complètement d'accord avec elle.

— Alors, vous êtes… plombier, c'est ça ? reprit Andrew, en détaillant ouvertement Callahan, un petit sourire idiot sur le visage, comme s'il se disait : *Ce n'était donc pas une légende ou un mythe urbain… Voilà donc à quoi ressemble un ouvrier…*

— Il est menuisier, rectifiai-je, en chœur avec Natalie.

— C'est formidable d'être adroit de ses mains ! s'exclama mon père. J'en ferai certainement davantage, une fois que je serai à la retraite. Fabriquer mes meubles… Comme j'aimerais me construire un fumoir !

— Un fumoir ? ironisai-je.

Callahan réprima un sourire.

— Papa, s'il te plaît… Tu as déjà oublié ton histoire avec cette scie radiale ? intervint Natalie, en gratifiant Cal d'un petit sourire complice. Mon père a failli perdre un pouce la seule fois où il a essayé de bricoler. Et pour Andrew, c'est pareil.

— Cette scie avait un vice de fabrication, marmonna mon père.

— C'est vrai, ajouta Andrew, lui apportant son soutien.

Il glissa un bras autour de la taille de sa future femme et se tourna vers moi.

— Tu te souviens, quand nous avons emménagé ensemble, Grace, et que j'ai essayé de réparer un petit placard ? J'ai failli ne pas m'en sortir vivant. Jamais réessayé. Heureusement, je peux me permettre de payer quelqu'un pour le faire à ma place.

Il eut un sourire qui était tout sauf aimable à l'égard de Cal. Natalie lui décocha un regard surpris, qu'il ignora. Bien. Bien. Andrew était jaloux. Ce n'était pas pour me déplaire. Je trouvais tellement classe de la part de Cal de ne pas mordre à l'hameçon ! Il affichait un visage impénétrable, mais je sentais sa tension nerveuse.

— Pourtant, quel dommage de ne pas vous servir de vos études, fiston, poursuivit mon père.

Oh, Seigneur… Il était en train d'amorcer sa grande tirade sur l'importance de « gagner un salaire décent », que j'avais maintes fois entendue. Et par « salaire décent », il n'entendait pas la simple capacité de payer ses factures et de faire quelques économies. Il pensait à un nombre à six chiffres. En bon républicain qu'il était.

— Les études ne sont jamais perdues, papa, m'empressai-je de dire, avant que Cal ne réponde.

— Etes-vous d'ici, Calvin ? demanda Andrew, en penchant la tête sur le côté.

On aurait dit un vieux hibou.

— C'est Callahan… et oui, je suis originaire du Connecticut. J'ai grandi à Windsor.

— Où avez-vous vécu avant de revenir ici ?

— Dans le Sud, dit-il, la voix légèrement tendue, en me lançant un regard.

Je pressai sa main, pour lui communiquer mon soutien. Il n'eut pas de réaction.

— J'aime le Sud ! s'exclama ma mère. Tellement sensuel, tellement passionné, tellement *Chatte sur un toit brûlant* !

— Contrôlez-vous, Nancy, lui enjoignit ma grand-mère, en faisant tourner les glaçons au fond de son verre.

— Ne me faites pas la morale, vieille chouette ! lança ma mère, pleinement consciente de la surdité de sa belle-mère.

— Alors pourquoi avez-vous abandonné la comptabilité ? demanda mon père.

Seigneur ! Il était comme un chien sur son os.

— Nous pourrions peut-être arrêter cet interrogatoire, hein ? dis-je fermement.

Cal était immobile à mon côté.

Mon père me lança un regard blessé.

— Chaton, j'essaie juste de comprendre pourquoi quelqu'un abandonne une situation professionnelle stable, agréable et gratifiante, pour un travail manuel plus difficile.

— C'est honnête, comme question, ajouta Andrew.

Ah… Honnête… Le grand mot était lancé. *Nous y voilà,* pensai-je en fermant les yeux. Et la suite me donna raison.

Cal me lâcha la main.

— J'ai été reconnu coupable de détournement. Plus d'un million de dollars, lâcha-t-il laconiquement. J'ai perdu ma licence de comptabilité et purgé une peine de prison de dix-neuf mois en Virginie. J'ai été libéré il y a deux mois.

Il regarda mon père, puis ma mère, et enfin Andrew.

— D'autres questions ?

— Vous vous êtes évadé de prison ? dit ma grand-mère, en tendant son cou maigre pour dévisager Cal. Qu'est-ce que je disais ! J'en étais sûre !

Lorsque nous quittâmes l'exposition, j'avais tenté tant bien que mal — et plutôt mal, ne m'étant pas préparée à ce que cela se passe ainsi — d'éteindre l'incendie. Difficile de convaincre avec un pauvre : « Ce n'est pas aussi terrible, ni grave que ça paraît… » Je n'avais pas pu compter non plus sur le soutien de Margs, qui avait filé à l'anglaise, prétextant une urgence au boulot, qui devait la retenir au moins jusqu'à minuit.

— Alors, satisfait ? lançai-je à Callahan, en bouclant ma ceinture avec énervement.

— Grace, les difficultés, il vaut mieux les affronter, dit-il, le visage légèrement terreux.

— Tu as eu ce que tu voulais… Tout est donc au mieux dans le meilleur des mondes !

— Ecoute, dit-il sans démarrer, je suis désolé si tu l'as mal vécu, mais ta famille devait savoir.

— Et je leur aurais dit ! m'emportai-je. Mais pas ce soir.

Il me dévisagea pendant une longue minute.

— C'était mentir.

— Ce n'est pas mentir ! C'est amener petit à petit l'idée. Y aller doucement. Prendre en compte la sensibilité des autres, c'est tout.

Nous restâmes assis, dans la voiture, moteur éteint, le regard fixé droit devant nous. J'avais la gorge nouée, mes mains me brûlaient. Et je sentis monter une angoisse sourde en pensant aux appels téléphoniques qui n'allaient pas manquer dans les prochains jours.

— Grace, dit-il doucement, es-tu sûre de vouloir avancer avec moi ?

J'eus un haut-le-cœur.

— Comment peux-tu dire ça ? Je ne te l'ai pas prouvé, toute cette semaine ? J'ai dit au directeur de mon établissement que je te fréquentais, au risque de scier la branche sur laquelle j'étais ! Je t'ai demandé de m'accompagner au mariage de ma sœur ! Ai-je tort de penser que tu n'as pas à porter la lettre écarlate « P » sur le front ! C'est tout ce que je dis !

— Tu voulais que je mente à ton père ?

— Non ! Je voulais juste choisir le moment. Je connais ma famille, Cal. Je voulais les préparer. Au lieu de ça, tu as foncé bille en tête.

— Je n'ai pas de temps à gaspiller.

— Pourquoi ? Tu as une tumeur au cerveau ? Une meute

de loups-garous sanguinaires à tes trousses ? Un vaisseau extraterrestre sur le point de t'enlever ?

— Pas que je sache, non, répondit-il sèchement.

— Je suis un peu… Non, en fait, je suis en colère. C'est tout. J'ai juste… Ecoute, j'ai envie de rentrer chez moi. Et je crois qu'on devrait rester chacun chez soi, ce soir.

— Grace…

— Cal, j'ai déjà probablement vingt messages sur mon répondeur, l'interrompis-je. Je dois corriger les derniers devoirs de mes élèves de deuxième année, noter les moyennes d'histoire sur leur bulletin pour vendredi prochain. J'attends la réponse du comité pour la chaire d'histoire et je suis stressée. J'ai besoin de passer un peu de temps toute seule…

— D'accord, dit-il en démarrant.

Le trajet se passa dans un silence total, qu'aucun de nous ne chercha à rompre. A peine eut-il coupé le moteur que je bondis hors de la voiture.

— Bonne nuit, lança-t-il en sortant à son tour.

— Bonne nuit, répondis-je en m'éloignant.

Avant de faire demi-tour sur une impulsion, pour l'embrasser. Une fois. Une autre fois. Une troisième fois.

— Je suis juste un peu tendue, murmurai-je d'une voix radoucie, en m'écartant.

— D'accord. Très jolie aussi.

— On reparle de tout ça demain, tu veux.

— Je ne pouvais pas m'enfermer dans un mensonge, ma chérie, ajouta-t-il, les yeux baissés.

Comment rester longtemps fâchée contre lui ?

— Je comprends.

Les aboiements d'Angus me parvenaient de l'intérieur.

— Mais il faut vraiment que j'aille terminer mon travail.

— Très bien.

Il m'embrassa sur la joue et se dirigea vers sa maison. Avec un soupir, je rentrai chez moi.

28

Quelques heures plus tard, j'étais dans mon salon, lumière éteinte, le regard tourné vers la maison de Cal. Je venais d'achever mon travail scolaire. J'avais également téléphoné à mes parents, qui étaient dans tous leurs états, et j'avais dû dépenser beaucoup d'énergie pour tenter de les rassurer. Je n'étais pas sûre d'y être parvenue.

Il ne faisait pas de doute, dans mon esprit, que Callahan faisait partie de mon avenir, et c'était pour cette unique raison que j'étais allée parler à Stanton.

Etrange comme tout avait changé... si vite. Deux mois plus tôt, quand je me représentais l'homme avec lequel je me voyais faire ma vie, c'était encore l'image d'Andrew qui s'imprimait en filigrane devant mes yeux. Enfin, pas lui précisément, ni son visage... Ce n'était pas aussi net, mais je me représentais un homme dans son style, avec une voix douce, le sens de l'humour, l'intelligence, et même certains de ses défauts, comme sa maladresse manuelle. Et à présent... Je souris en pensant à Cal. Lui saurait changer une roue ou déboucher un évier. Je pouvais même aisément l'imaginer faire démarrer une voiture sans clé, juste en bidouillant deux ou trois fils.

Je caressai la tête d'Angus, qui me gratifia d'un petit gémissement tout en me mordillant le pouce. Tout était si simple quand Cal et moi étions seuls... J'étais folle de lui, et mon ciel était d'un bleu sans nuages. Pourquoi tout devenait-il si compliqué quand son passé, ma famille ou mon travail faisaient irruption dans notre relation ? En tout cas, il avait raison sur une chose : au moins, c'était fait ! Mes proches étaient maintenant au courant, et je n'avais plus besoin de me torturer l'esprit sur la façon et le moment de le leur annoncer.

Un léger coup retentit à ma porte d'entrée. Angus, profondément endormi, ne broncha pas. Je jetai un coup d'œil à ma pendule. Il était plus de 21 heures. Je m'approchai sur la pointe des pieds, pour ne pas le réveiller, allumant au passage.

Persuadée de trouver Callahan, je marquai une hésitation en voyant Andrew sur ma terrasse.

— Salut, Grace, dit-il de sa voix monocorde. Tu as une minute ?

— Euh… oui, répondis-je lentement. Entre.

Il n'avait pas revu la maison depuis la rupture et, la dernière fois qu'il l'avait vue, elle était en travaux, avec des murs nus, des fils électriques partout, des pans d'isolation visibles. Les sols étaient irréguliers, cassés par endroits, les marches tachées, noircies par le temps. Quant à la cuisine, c'était encore un chantier.

— Waouh…, dit-il, tournant lentement sur lui-même.

Sur le canapé, Angus émergea soudain du sommeil et releva la tête. Je l'attrapai, avant qu'il ne saute sur Andrew.

— Est-ce que tu veux visiter ? demandai-je en m'éclaircissant la voix.

— J'aimerais beaucoup, oui, répondit-il en ignorant les grognements de mon chien. Grace, c'est magnifique !

— Merci, dis-je, perplexe. Donc, la salle à manger, bien sûr… La cuisine. Là, c'est mon bureau. Si tu t'en souviens, il y avait un placard, à cet endroit.

— Oui, bien sûr… c'est vrai. Et… il y avait une chambre aussi, tu as fait tomber les murs ?

— Mmm… Oui. J'ai pensé… Je voulais une plus grande cuisine.

Comment oublier que nous avions dans l'idée, en achetant la maison, d'avoir une chambre au rez-de-chaussée ? Pensant avoir au moins deux enfants, peut-être même trois, nous nous étions dit que les chambres du haut seraient les leurs. Nous garderions pour nous celle du bas, qui serait plus pratique quand nous serions vieux, lorsque les enfants — nos chères têtes blondes — se seraient envolés du nid. Nous n'aurions pas à monter et à descendre les marches. Oui, ce qui hier aurait dû être une chambre — notre chambre — était aujourd'hui un bureau.

Fritz le Chat, sur le mur, faisait claquer sa queue en forme de balancier, rythmant bruyamment nos silences. *Tic… tic… tic…*

— Je serais curieux de voir ce que tu as fait à l'étage. Je peux voir ?

— Si tu veux, dis-je, serrant Angus plus fort contre moi.

J'emboîtai le pas à Andrew dans l'escalier étroit, et là, derrière lui, je pris soudain conscience de sa maigreur. Avait-il toujours été si frêle ? Mais qu'avais-je bien pu lui trouver d'attachant ?

— Donc, voilà ma chambre… Et là, c'est la chambre d'amis où Margaret s'est installée…, repris-je, laconiquement, en pointant du doigt les pièces devant lesquelles nous passions. La porte qui mène au grenier — je n'y ai encore rien fait…

Andrew avançait, jetant un coup d'œil par les différentes portes.

— Et tout au bout du couloir, c'est la salle de bains.

— Oh ! notre baignoire…, dit-il sur un ton nostalgique.

— *Ma* baignoire, corrigeai-je aussitôt, d'une voix sèche.

— Oups. Excuse-moi, tu as raison ! s'exclama-t-il avec une moue embarrassée. En tout cas, elle rend vraiment bien.

Nous avions trouvé cette baignoire, en fonte émaillée, sur pieds en griffe, dans le Vermont, un week-end quand nous courions les brocantes, dormions — et faisions l'amour — dans des chambres d'hôte. Nous l'avions aperçue, abandonnée dans la cour d'un vieux paysan qui s'en servait d'abreuvoir pour ses cochons. Il nous l'avait vendue pour cinquante dollars, et même à trois, nous avions eu un mal fou pour la porter et la faire entrer dans la Subaru d'Andrew. J'avais trouvé une entreprise pour la restaurer, et elle nous était revenue, blanche, brillante, comme neuve. Elle n'était pas encore installée, raccordée, qu'Andrew avait insisté pour que nous l'inaugurions… Une semaine plus tard, il me quittait. Pourquoi ne m'en étais-je pas débarrassée ? Cette question me faucha debout.

— C'est fantastique. Tu as fait un tel travail ! dit-il en me souriant, admiratif.

— Merci, dis-je en me dirigeant vers l'escalier. Tu veux un verre d'eau ? Café ? Vin ? Bière ?

Je levai les yeux au ciel, en me traitant silencieusement de tous les noms. *Pourquoi ne pas lui cuisiner un gâteau, aussi, pendant que tu y es ? Ou lui faire griller quelques crevettes et un filet mignon ?*

— Je prendrais bien un verre de vin. Merci, Grace.

Il me suivit dans la cuisine, tout en s'extasiant au passage sur les moulures du plafond, le coucou dans le couloir, les étoiles architecturales que j'avais accrochées sur le mur derrière la table de cuisine.

— Alors, pourquoi cette visite ? demandai-je en pénétrant dans la salle à manger avec deux verres de vin.

Il s'était assis sur mon canapé de style victorien. Je donnai à Angus son os en peau, ou ce qu'il en restait, pour l'occuper et l'empêcher de ronger les chaussures de mon ex, puis m'installai dans la bergère, et le regardai bien en face.

Il prit une profonde inspiration et sourit.

— En fait, c'est un peu gênant… peut-être maladroit, Grace, mais il faut que je te pose cette question, bredouilla-t-il en baissant les yeux.

Mon cœur se décrocha et me tomba sur l'estomac, lourd comme un bloc rocheux.

— Je t'écoute.

— Cela me met très mal à l'aise…

Il s'interrompit, chercha mon regard, et fit une de ses grimaces ridicules.

Je restai immobile, silencieuse.

— Je vais te le demander simplement, comme je le sens. Gracie, qu'est-ce que tu fais avec ce type ?

Il marqua un temps d'arrêt, affichant une expression aimable, teintée d'inquiétude.

Le bloc rocheux remua. Une sensation désagréable de raclement contre ma paroi abdominale. Je sentis mon visage pâlir et se figer, devenir aussi dur et froid que le granit.

— Qu'est-ce que tu veux dire ? demandai-je, la voix vibrante de colère contenue.

Il se gratta la joue.

— Pardonne-moi de te le demander comme ça, dit-il très doucement, en se penchant en avant, mais est-ce que ça a un rapport avec Natalie et moi ?

— Pardon ?

J'attrapai mon chien et le posai sur mes genoux, en protection. Angus lâcha son os et ne se fit pas prier pour grogner en direction d'Andrew. Bon chien.

Ce dernier prit une inspiration.

— Ecoute, ne nous voilons pas la face... Ce type n'est pas fait pour toi, Gracie. C'est un repris de justice ! Est-ce vraiment ce que tu veux ? Je... eh bien, je n'ai jamais rencontré l'autre type... Wyatt, c'est ça ? Le médecin ? Mais d'après Natalie, il semblait super.

Je fermai les yeux. *Natalie ne l'a jamais vu, espèce d'andouille ! Pour pouvoir le rencontrer, il aurait encore fallu qu'il existe !* Elle m'avait crue, parce qu'elle voulait tellement que ce soit vrai. Son imagination avait fait le reste. Comme je m'étais moi-même laissé emporter par la mienne.

— Ce type..., poursuivit Andrew. Je dois savoir si tu fais ça... eh bien...

— Par désespoir, c'est ça ? suggérai-je d'une voix mordante.

Il tressaillit légèrement, mais ne me corrigea pas.

— Tu es... quelqu'un de généreux, Grace, poursuivit-il. Je suis sûr que la situation a été très... difficile à vivre pour toi. Ça l'a été pour moi, en tout cas, alors je peux sans mal imaginer ce que ça a dû être pour toi.

— Bien aimable de faire cas de mes sentiments, marmonnai-je.

Nouveau mouvement du bloc rocheux cherchant à remonter.

— Mais j'ai... quel est son nom, déjà ? A l'escroc ?

— Callahan O'Shea.

— Je pense vraiment qu'il n'est pas fait pour toi.

Je plaquai un sourire de circonstance sur mes lèvres.

— Eh bien, vois-tu, Andrew, il a au moins la qualité de ne pas éprouver de sentiment amoureux pour l'une de mes sœurs. Une très grande et belle qualité, tu ne trouves pas ?

Une légère rougeur colora son visage.

— Très juste, Gracie. Mais même avec…

— Arrête, tu veux ? Je te rappelle que ma vie sentimentale ne te concerne plus, coupai-je d'une voix sèche, celle que je prenais pour avoir le silence en classe — et qui me valut un gémissement de sympathie d'Angus.

— Je me fais du souci pour toi, c'est tout, protesta-t-il doucement.

A cet instant, je lui aurais volontiers botté l'arrière-train.

— Ne t'inquiète plus, dis-je, en essayant de contrôler la rage que je sentais monter crescendo en moi. Je vais bien et Callahan est quelqu'un de bien.

— Tu en es sûre ? Parce que je ne lui fais pas confiance… Il y a quelque chose chez lui…

Je fis descendre Angus de mes genoux et le regardai droit dans les yeux.

— C'est amusant de t'entendre dire ça, Andrew. Surtout si on repense à notre histoire… Tu vois, moi, j'étais sûre que tu m'aimais. Je croyais même qu'il n'y avait pas de couple mieux assorti que le nôtre. Et… je me trompais. Toi, tu ne fais pas confiance à Cal… Laisse-moi rire ! Toi, tu oses parler de confiance ? De quel droit viens-tu ici pour parler de mes choix amoureux et les mettre en doute ?

Je le vis ouvrir la bouche, mais j'enchaînai sans lui laisser la possibilité de répondre.

— Voilà ce que je sais de lui. Il a découvert une fraude financière. Il a essayé d'arranger les choses, en voulant protéger son frère. Il a tout risqué pour la personne qu'il aimait le plus au monde et il s'est retrouvé piégé.

— D'accord, c'est une belle histoire, Grace, mais…

— Ce n'est pas une histoire. Et toi ? As-tu un jour pris le moindre risque pour quelqu'un ? Tu…

Mon cœur battait à tout rompre, mon visage me brûlait.

— J'étais raide dingue de toi et tu m'as demandé de t'épouser, conscient que tu ne ressentais pas la même chose, repris-je, la voix blanche. Mais tu pensais qu'il était temps de t'installer, et moi, j'étais là, prête, n'attendant que ça. Puis tu as rencontré ma sœur et tu en es tombé amoureux. Est-ce que tu en aurais parlé ? Non, bien sûr que non, c'était tellement mieux d'attendre qu'on soit à trois semaines du mariage pour tout annuler. Trois semaines ! Bon sang, Andrew ! Tu ne crois pas que tu aurais pu me parler un peu plus tôt de tes doutes ?

— Je n'ai jamais…

— Je n'ai pas fini !

Surpris par ma véhémence, il se tut.

— Même avec Natalie, tu es resté sans rien faire… Et pourtant, c'est le grand amour de ta vie, non ? Si je ne t'avais pas demandé de faire un pas vers elle, tu ne lui aurais jamais plus reparlé.

Son visage devint cramoisi.

— Je t'ai remerciée de nous avoir aidés à nous rapprocher.

— Je ne l'ai pas fait pour toi. Je l'ai fait pour elle. Tu ne t'es pas battu pour elle, tu n'as pas essayé de rentrer en contact avec elle. Tu as pratiqué ce que tu fais le mieux : l'esquive !

Ses épaules s'affaissèrent.

— Qu'étais-je censé faire ? dit-il d'une voix éteinte. Fréquenter la sœur de celle que je venais de quitter ? Je ne voulais pas te mettre dans une situation plus difficile encore.

— Et pourtant, te voilà à une semaine de l'épouser.

Dans un soupir, il se laissa retomber contre le dossier du canapé et passa une main dans ses cheveux d'un blond pâle.

— Grace, tu as raison. Je n'aurais jamais reparlé à Nat, sans ta bénédiction. La dernière chose que j'aurais voulue, c'était te blesser davantage. J'ai pensé que c'était la seule et bonne chose à faire. Tu comprends ?

Un vrai trouble s'imprima sur son visage, me donnant envie de le bousculer.

Puis je vis ses yeux s'embuer. Ma colère et l'envie d'en

découdre m'abandonnèrent aussitôt, et je me laissai retomber contre le dossier de mon fauteuil.

— Je ne sais pas, Andrew. Oui, c'était compliqué.

— *Vraiment* compliqué, insista-t-il.

Comme j'en avais assez de lui !

Depuis le jour de notre rencontre et tout au long des trois dernières années, il n'y avait pas eu un jour où il n'avait pas été présent dans ma vie. Physiquement, quand nous étions ensemble, puis par une sorte de douleur aiguë comme un point de côté, après la séparation. C'en était assez. Je l'avais suffisamment laissé vampiriser mon existence.

— Ecoute, dis-je d'un ton las. Remballe ton inquiétude… Tu n'as pas ton mot à dire. Ma vie ne te concerne plus.

Un sourire triste glissa sur son visage.

— Tu vas devenir ma belle-sœur. Alors un peu, si.

— Economise ta salive.

Je tentai un sourire pour atténuer la rudesse de mes mots. Pour Natalie.

Il posa son verre sur la table basse et se leva.

— Je vais y aller.

Son regard fit le tour de la pièce.

— La maison est magnifique, Grace. Tu as fait un merveilleux travail.

— Je sais, dis-je en le raccompagnant jusqu'à la porte.

Il sortit sur la terrasse et je le suivis, prenant soin de fermer la porte-moustiquaire pour qu'Angus ne sorte pas. Andrew se retourna pour me regarder.

— Tu auras toujours une place dans mon cœur, tu sais, murmura-t-il, les yeux baissés.

— Si tu le dis, lâchai-je après un bref silence.

Andrew me prit dans ses bras, en une étreinte un peu raide. Après une seconde, je lui tapotai l'épaule. Il tourna la tête et, me prenant par surprise, m'embrassa sur la bouche.

Ce n'était pas un baiser romantique… On ne pouvait pas dire ça. Pincé, sans chaleur. Mais ce n'était pas non plus la bise sur la joue d'un beau-frère. C'était typique d'Andrew, qui était toujours dans l'indécision. Quel idiot !

Je me reculai dans un mouvement brusque.

— Andrew, qu'est-ce qui te prend ? Tu es malade ?

— Quoi ? dit-il en levant les sourcils.

— Je t'interdis de refaire ça, jamais, tu m'entends ?

— Désolé, dit-il en grimaçant. C'est juste… Je suis désolé.
Ce n'était pas volontaire… Un réflexe, sans doute. Je ne sais
pas. J'ai… Oublie ça. Excuse-moi.

Je voulais qu'il s'en aille. Je ne voulais plus le voir.

— Au revoir, Andrew.

— Bonne nuit, Grace.

Il tourna les talons et descendit les marches. Je le regardai
monter en voiture, démarrer après un dernier signe de la
main et sortir de mon allée en marche arrière.

— Bon vent et bon débarras, marmonnai-je tout bas.

J'allais rentrer chez moi quand je sursautai en apercevant
la silhouette de Cal.

Il se tenait près de la clôture mitoyenne, avec une telle
expression sur le visage que je fus étonnée de ne pas être
déjà réduite en un petit tas de cendres.

378

29

— Cal… Hé, tu m'as fait peur.

— C'était quoi cette scène ? grommela-t-il.

— Rien, vraiment rien, lâchai-je, accompagnant mes mots d'un mouvement désinvolte de la main.

Il pense juste que tu n'es pas assez bien pour moi, c'est tout.

— Tu entres ?

— Grace, ce n'était pas l'impression que ça donnait, répliqua-t-il d'un ton sec. Moi, ce que j'ai vu, c'est que le fiancé de ta sœur t'embrassait. Autrement dit, le type que tu étais sur le point d'*épouser* !

— Ça sent l'explication de texte… est-ce que j'ai besoin d'un avocat ?

Je le vis plisser les yeux. Il était jaloux ! Sensation agréable… loin de me déplaire. Lui ne semblait pas partager mon amusement.

— Tu comptes rester là à bouder ou tu entres, monsieur O'Shea ? Si tu veux me soumettre à un interrogatoire, ce sera mieux à l'intérieur.

Il étouffa un juron et monta les marches. Dès qu'il pénétra dans la maison, Angus lui sauta dessus sans cérémonie. Cal l'ignora, le regard posé sur la table basse.

— Ne t'imagine rien, murmurai-je en le voyant se saisir du verre de vin, la mine sombre.

— Ah ? Parce que tu sais ce que je pense ? demanda-t-il, la voix blanche.

— Tu penses…

Je réprimai un sourire.

— Tu penses qu'Andrew me fait du plat.

— C'est évident, non ?

— Faux. Assieds-toi, Cal. Tu veux du vin ?

— Non, merci.

Il s'assit à la place laissée vacante par Andrew.

— Alors ? Pourquoi était-il là ? Est-ce qu'il t'embrasse toujours sur la bouche ?

Je m'installai confortablement dans mon fauteuil et, après avoir pris une gorgée de vin, regardai mon chéri. Oui, pas de doute… il était réellement jaloux. Je le trouvai terriblement sexy. Ce n'était probablement pas le moment pour lui dire. Et pourtant…

— Andrew ne m'avait pas embrassée depuis très, très longtemps. Pourquoi l'a-t-il fait ce soir ? Qui sait ? Il a sous-entendu que c'était… comment a-t-il appelé ça, déjà ? Ah, oui, « un réflexe ».

— C'est la chose la plus stupide que j'aie jamais entendue.

Angus, les crocs fermement plantés dans ses bottes de travail, se mit à grogner, ajoutant le son à l'image.

— Tu es jaloux ? ne pus-je m'empêcher de demander.

— Oui ! Bien sûr que oui ! Tu as été amoureuse de ce minus, et je le surprends chez toi en train de t'embrasser. Comment suis-je censé réagir ?

— Tu devrais être satisfait, car d'abord, comme tu viens de le dire, Andrew n'est qu'un minus, un crétin, et ensuite parce que tu es tout son opposé.

Sur le point d'ajouter quelque chose, il parut se raviser.

— Merci, lâcha-t-il, ébauchant un sourire satisfait.

— De rien, répliquai-je, amusée.

— As-tu encore des sentiments pour lui, Grace ? Dis-le-moi maintenant, si c'est le cas.

— Ce n'est pas le cas. C'est bien fini.

Il me dévisagea un moment, puis se pencha vers Angus pour lui faire lâcher prise.

— Va voir ta maman.

Mon animal obéit et sauta sur mes genoux, où il se roula en boule. Callahan s'enfonça dans le canapé et me regarda, le visage considérablement plus détendu qu'au moment où il était entré.

— Ça ne t'inquiète pas que ton ex embrasse quelqu'un d'autre que Natalie ?

Cette question m'était bien sûr venue à l'esprit.

— Non. La première fois que ces deux-là se sont vus, ils sont tombés amoureux, juste comme ça. Pif, paf… comme s'ils étaient frappés par la foudre.

— Oh ! Tu fais allusion à l'expression « être frappé par une crosse de hockey » !

Mon cœur se gonfla.

— En fait, Andrew est passé parce qu'il était…

Je m'interrompis, en rougissant.

— … inquiet.

— Parce que tu sors avec un type qui a fait de la prison ?

— Exact.

Je caressai le petit crâne rond de mon chien, lui inspirant un petit grognement satisfait, proche du ronronnement.

— Alors comme ça, le type qui t'a quittée pour ta sœur s'interroge sur ma probité et mon honnêteté ?

— Tu as tout compris. Je lui ai dit que je pensais que tu étais merveilleux, droit et loyal… J'ai dû également mentionner, dans mon élan, combien tu étais beau sans tes vêtements, ajoutai-je en lui souriant.

Il me sourit à son tour.

— Et puis, je lui ai dit que toi, au moins, tu n'en pinçais pas pour Natalie ou Margaret, et que je pensais que tu étais la bonne personne pour moi.

Callahan se pencha vers l'avant, me regardant avec intensité.

— Impossible d'imaginer tomber amoureux de l'une ou de l'autre. Pas après t'avoir rencontrée.

Ma gorge se serra brutalement. Personne… *Personne* ne m'avait trouvée mieux que mes sœurs.

— Merci, chuchotai-je.

— De rien, murmura-t-il, sans me quitter du regard. Tu veux que j'aille trouver Andrew et que je lui casse la gueule ?

— Non, répondis-je, amusée. Ce serait comme tirer sur une vache dans un couloir !

Il rit, puis se pencha vers sa botte pour refaire le lacet défait par Angus.

— Tu comptes rapporter à ta sœur que son fiancé se balade le soir pour embrasser ses ex ?

Je réfléchis un instant, considérant la situation, tout en jouant distraitement avec les poils d'Angus.

— Non. Je pense vraiment que ça ne voulait rien dire. Vraiment… Même mon chien me donne des baisers plus passionnés.

Sans parler de toi, mon cœur, songeai-je.

— Il ne faut pas accorder à ce geste plus de sens qu'il n'en a. Je pense que c'était réellement un réflexe.

— Et si ce n'était pas le cas ?

J'eus un imperceptible mouvement de recul.

— Ça l'était, j'en suis sûre. Il aime Natalie ! Ils sont fous l'un de l'autre, tu l'as bien vu.

Il marqua une hésitation, puis finit par hocher la tête.

— Possible.

Possible ? C'était pourtant aussi visible que le nez au milieu du visage. On ne pouvait lutter contre l'évidence !

Emergeant subitement de sa torpeur, Angus sauta de mes genoux et trottina jusque dans la cuisine, curieux de voir de plus près si, par une quelconque opération du Saint-Esprit, sa gamelle s'était remplie.

Callahan s'enfonça dans le canapé, avec l'air confiant du candidat concourant au titre de l'homme le plus sexy. Je n'avais jamais ressenti avec aucun homme ce que je ressentais avec lui… Ce flot d'excitation et de désir qui prenait sa source dans l'assurance, et même dans la certitude qu'il… qu'il m'aimait. Me désirait. Il m'avait choisie, moi. Il supportait même Angus. N'était-ce pas la preuve irréfutable de ses sentiments ?

— Alors, comment est-ce que ta famille a réagi, maintenant qu'ils savent tous que princesse Grace fréquente un ancien détenu ? demanda-t-il avec un sourire.

Je préférai lui taire les onze arguments que mon père avait développés pour me prouver qu'il n'était pas un bon choix, et le détective privé que ma mère avait déjà contacté.

— Ils s'y feront.

— Ils ont forcément dû penser que le pédiatre-dresseur de chats était un bien meilleur parti, hein ?

Ces mots me firent l'effet d'une douche froide, qui enserra mon cœur dans une coque de glace. Wyatt Dunn… Je l'avais oublié, celui-là.

— Euh… Oui.

Je me mordillai nerveusement le pouce.

— Cal, à ce sujet…

— Quoi ? Ne me dis pas que lui aussi s'est arrêté pour t'embrasser !

Mon estomac se retourna dans une douloureuse torsion.

— Non, non. Puisque nous en parlons, j'ai quelque chose à t'avouer. Quelque chose que tu pourrais n'apprécier que modérément.

Je posai les mains sur mes genoux, pris une profonde inspiration, puis le regardai droit dans les yeux, sans ciller.

Son visage était insondable.

— Vas-y, je t'écoute.

— Bon… en fait, c'est plutôt drôle, déclarai-je.

Le gloussement que je tentai d'émettre se solda par un gargouillis pathétique. Mon cœur battait trop vite, dans un crépitement qui résonnait désagréablement à mes oreilles.

— Voilà, je ne suis pas réellement sortie avec Wyatt Dunn. Le médecin. Le chirurgien pédiatrique.

Cal n'eut aucune réaction. Pas même un clignement des paupières.

— En fait, je l'ai… euh… comme qui dirait, inventé, poursuivis-je en déglutissant avec difficulté, la bouche aussi sèche que l'Arizona au mois de juillet.

De la cuisine me parvenait le tic-tac de la queue-balancier de Fritz le Chat, et le cliquetis des griffes d'Angus sur le carrelage.

— Tu l'as inventé ?

— Voilà, oui !

Un rire nerveux, proche de la panique, jaillit de ma gorge trop serrée.

— Complètement ! Tu t'en doutais, non ? Un chirurgien pédiatrique séduisant, célibataire et hétéro… Jamais ce type d'homme ne s'intéresserait à moi !

Je grimaçai. Oh, zut ! Je n'avais pas pu dire ça à voix haute… Ça ne pouvait pas tomber plus à plat !

— Mais un type comme moi, si ?

Sa voix était dangereusement calme.

— Ce… ce n'est pas ce que je voulais dire. C'est juste que ce genre de spécimen n'existe pas dans la vie. Il est… enfin, tu sais. Trop… trop « tout » pour être vrai.

— Tu l'as inventé, répéta Cal.

— Mmm…

Tout mon corps, de la tête jusqu'aux orteils, se raidit.

— Et pourquoi ?

Son ton de voix n'augurait rien de bon. C'était un peu le calme avant la tempête.

Pourquoi l'avais-je inventé ? Je restai silencieuse quelques instants. Que pouvais-je lui dire ? Tout cela me semblait si loin ! Presque une autre vie.

— En fait, c'était à un mariage…

Le souffle court, je lui livrai, pêle-mêle, les commentaires des invités et de la famille, les émotions que j'avais ressenties au moment où la mariée avait lancé son bouquet, puis quand j'avais trouvé Nat en pleurs dans les toilettes. Les mots, dans ma bouche, me semblaient sans relief, vides de sens.

— Je ne voulais pas que Natalie pense que j'avais encore des sentiments pour Andrew. Et pour être honnête…

Cal ne broncha pas, se contentant de lever ironiquement un sourcil.

— J'en avais assez des regards condescendants, apitoyés, marre d'être traitée comme si j'étais… eh bien, un pauvre chien galeux !

— Donc, tu as menti.

Sa voix était mesurée, basse. Trop calme. Il restait assis,

raide comme une statue de bronze. Mon cœur se remit à cogner de façon désordonnée dans ma poitrine, me donnant envie de vomir.

— Tu as menti à toute ta famille, insista-t-il.

— Eh bien, cela a surtout permis d'enlever un grand poids à tout le monde. Et puis, Margaret était au courant, marmonnai-je en regardant le sol. Mon ami Julian aussi. Et Kiki...

— Pourtant, si je me souviens bien, tu avais un rendez-vous. Et il y a les fleurs... Tu as bien reçu des fleurs ?

Mon visage était en feu. Je lui coulai un regard en biais.

— Je me les suis envoyées moi-même. Et j'ai prétendu que c'était lui pour un ou deux rendez-vous.

Je grimaçai, puis raclai ma gorge.

— Cal, écoute... C'était idiot, je le sais. Je voulais juste que tout le monde arrête de se faire du souci pour moi, c'est tout.

— Tu as menti, Grace.

Il explosa soudain :

— Je ne peux pas y croire ! Tu m'as menti ! Tu mens depuis des semaines ! Je t'ai demandé si c'était fini avec ce type et tu m'as dit que tu ne le voyais plus !

— Et c'est vrai !

Un rire nerveux, pareil à une toux sèche, s'échappa de ma bouche.

— D'accord, oui, j'ai menti. C'est vrai. C'était probablement une erreur.

— Probablement ! s'exclama-t-il.

— D'accord, c'était une erreur ! Je l'admets, c'était stupide et immature, et je n'aurais pas dû le faire, mais c'était un moyen de défense quand je me suis sentie acculée !

— Je dois te rendre justice, Grace.

Sa voix était redevenue monocorde.

— Tu es une excellente menteuse. Je me suis posé des questions, tu as raison, mais tu m'as convaincu. Bien joué.

Aïe. Je pris une rapide inspiration.

— Cal, écoute... C'était puéril, j'en ai conscience, mais sois indulgent.

— Tu m'as menti. Tu as menti à tous ceux que tu connais !

Il passa une main dans ses cheveux en bataille et se détourna de moi.

Un accès d'indignation m'envahit. Ce n'était quand même pas si grave. Personne n'avait été blessé. En fait, c'était même un peu le contraire… Mes proches avaient cessé de s'inquiéter pour cette pauvre Grace. Et à moi, ça m'avait fait du bien.

— J'ai agi bêtement, repris-je plus calmement. Je veux bien l'admettre, et même si ça me coûte de le dire, personne n'est parfait… On peut tous être amenés à faire un mauvais choix, à faire quelque chose de stupide. Surtout avec les gens qu'on aime. Et tu sais ce que je veux dire…

Il me fusilla du regard. Je pâlis. Aucune indulgence, aucune compréhension.

— Cal, toi non plus, tu n'es pas parfait. Tu ne peux pas avoir la mémoire aussi courte, insistai-je, plaidant ma cause, le débit haché, la voix haut perchée. Toi aussi, tu as fait une chose stupide pour protéger quelqu'un que tu aimais. C'est même un peu ironique de recevoir une leçon d'éthique de ta part !

— Et ça veut dire quoi ? demanda-t-il, la mâchoire serrée.

— Que tu es sorti de prison, il y a deux mois à peine, et que tu y es allé pour couvrir la fraude organisée par ton frère !

Oups ! Les mots avaient dépassé ma pensée. Je n'aurais pas dû, et n'avais pas voulu dire ça. De fermé, son visage ne refléta plus que la colère. Une colère froide… Là, ça craignait vraiment.

— Grace, je n'arrive pas à croire que je me sois trompé à ce point sur toi, dit-il simplement, en se levant.

Ces paroles me firent l'effet d'un coup de poignard dans le cœur. Je bondis hors de mon fauteuil, et me dressai devant lui, au bord des larmes.

— Attends une seconde, Callahan, s'il te plaît…

Je pris une profonde inspiration.

— Je me serais attendue de ta part à davantage de compréhension. C'était maladroit, je le reconnais, mais ce n'était pas pour blesser ou causer du tort à quelqu'un.

386

— Cela prouve surtout que tu n'as pas oublié Andrew.

— Cela fait belle lurette qu'il n'est plus question de lui, dis-je, la voix tremblante.

Je l'avais oublié, définitivement. Je n'éprouvais plus rien pour ce dernier, et l'idée qu'il puisse penser le contraire me coupa les jambes.

— Tu as menti pour en convaincre les gens autour de toi, et tu n'as pas cessé de te mentir. Tu continues, et tu ne vois même pas qu'il y a quelque chose qui cloche…

Cal avait les yeux baissés sur le sol, comme s'il était incapable de soutenir mon regard. Quand il reprit la parole, sa voix était froide, sans timbre.

— Tu mens à ta famille, Grace, et tu m'as menti.

Il leva les yeux et me fixa.

— Je pars, maintenant. Et au cas où ce ne serait pas clair, c'est fini.

Il ne claqua pas la porte. Pire, il la referma doucement derrière lui.

30

— C'est trop naze !

L'expression de Kerry était un mélange de détestation, d'incrédulité et d'ennui mortel.

— Je croyais qu'on allait monter à cheval, protesta Mallory. Vous aviez dit que nous serions dans la cavalerie. Pourquoi ce type a droit à un cheval et pas nous ?

— Imaginez que vous avez mis pied à terre, dis-je d'un ton ferme.

Vêtue de mon uniforme bleu, je peinais misérablement à faire bonne figure. Depuis les quarante-huit dernières heures, mon moral flirtait avec les températures négatives, et c'était un doux euphémisme.

Mon indignation vertueuse n'avait pas tenu dix minutes après le départ de Callahan. Il avait fermé la porte d'une façon irrévocable, laissant derrière lui un vide et un silence assourdissant, balayés par les effets de la sidération. L'homme qui me trouvait belle et drôle, qui sentait bon le bois et le soleil, venait de me larguer.

La nuit dernière, malgré les efforts conjugués de Julian, qui avait accouru avec le DVD de la saison 1 de *Projet haute couture*, et de Margaret — qui, toujours pragmatique, avait préparé assez de martinis pour tenir une soirée marathon en compagnie de Tim Gunn et de ses jeunes recrues —, j'étais restée prostrée, un goût amer en bouche, balayée par des vagues de déception et de tristesse, pleurant toutes les larmes de mon corps. J'avais fini par m'endormir au petit matin, le corps encore secoué de sanglots secs et de hoquets.

Pour un trop bref répit… La reconstitution de Gettysburg devait avoir lieu dans la matinée. Difficile de se faire porter pâle quand j'avais exigé la présence de mes élèves. J'étais peut-être shootée à la caféine, j'avais peut-être le cœur au bord des lèvres, le crâne bourdonnant et une douleur sourde, dans la poitrine, qui ne passait pas, j'étais devant eux, bien ferme sur mes jambes.

— Les enfants, la bataille de Gettysburg a duré trois jours, commentai-je. Elle aura coûté la vie à cinquante et un mille hommes. Du côté des confédérés, la ligne des blessés s'étendait sur vingt-deux kilomètres. Dix mille blessés. Un homme sur trois a été tué. Ce fut la bataille la plus meurtrière de l'histoire américaine, mais qui marqua un tournant décisif pour le Sud.

Je regardai chacun des onze visages incrédules, voire éteints, que j'avais devant moi. L'exaspération me gagna.

— Bon, écoutez, les jeunes, je sais que vous trouvez ça « nul », dis-je d'un ton las. Je sais que nous sommes dans le Connecticut et pas en Pennsylvanie. Que ce rassemblement de deux cents excentriques fanas d'histoire qui, comme moi, courent à travers champs et tirent à blanc n'a pas de sens pour vous…

— Alors, pourquoi nous avoir obligés à venir ? demanda Hunter, suscitant un « ouais ! » admiratif de la part de Kerry.

Je m'interrompis.

— Je voudrais que vous essayiez… au moins pour les deux heures à venir, de vous mettre dans la peau de ces soldats. Que vous cherchiez à comprendre leur état d'esprit, que vous vous imaginiez prêts à risquer votre vie pour une conviction, un mode de vie… En un mot, pour l'avenir de votre pays. Vous êtes ici, jeunes, beaux, gâtés par l'existence, mais des jeunes de votre âge ont donné leur vie pour ça. Je veux que vous soyez conscients d'être les acteurs d'un avenir dont vous dessinez les lignes, que vous sentiez vivre ce passé en vous… un tout petit peu.

Kaelen et Peyton levèrent les yeux au ciel à l'unisson. Hunter jeta un discret coup d'œil sur son téléphone portable.

Kerry Blake gardait les yeux baissés sur ses ongles joliment manucurés.

Je croisai le regard de Tommy Michener qui, la bouche légèrement entrouverte, ne me quittait pas des yeux, et celui grave, intéressé, d'Emma Kirk.

— Allons-y, les enfants, insistai-je. Vous venez d'intégrer la cavalerie, maintenant. Le général Buford est là-bas. Suivez les ordres… et faites de votre mieux.

Des grognements, quelques plaintes et fous rires nerveux accueillirent ma consigne, mais ils se déployèrent docilement derrière moi. Je les fis mettre en rang avec d'autres membres des « Brother Against Brother ». A cheval, le général Buford (Glen Farkas, comptable de Litchfield dans le civil) était en train de passer en revue sa division.

Mes élèves affichèrent une mine grave quand il fit s'ébrouer sa jument baie, son épée battant contre sa hanche. Sacré Glen… Il excellait dans ce rôle et s'y entendait pour mettre de l'intensité.

— Quand est-ce que ça commence ? me murmura Tommy.

— Dès que le général Heth lancera la charge, répondis-je.

— C'est excitant, ajouta-t-il dans un sourire.

Je lui tapotai le bras.

Puis des cris lointains, étouffés, emplirent l'air, et sur les collines surgirent très vite des dizaines de confédérés.

— En avant ! cria le général Buford, éperonnant son cheval.

Un cri collectif, puissant, s'éleva du 1er régiment de cavalerie, et j'aperçus Tommy Michener en première ligne, son mousquet chargé à blanc levé en l'air, criant à pleins poumons.

Cinq heures plus tard, j'étais au volant du minibus, et ramenais ma petite troupe vers Manning.

Je ne pouvais m'empêcher de sourire aux anges. A l'exception de Kerry Blake, qui ne s'était pas déridée, drapée ostensiblement dans son ennui, tous mes élèves, encore sous le coup des émotions qu'ils venaient de vivre, discutaient dans un joyeux brouhaha.

— C'était trop mortel, mademoiselle !

— Est-ce que vous m'avez vu clouer ce type avec ma baïonnette ?

— En fait, c'était terrifiant !

— J'ai cru que ce cheval allait me piétiner !

— Tommy et moi, nous nous sommes emparés du canon ! Vous avez vu ça ?

— Et quand ces autres types nous ont pris à revers ?

Je sentais l'espoir et la satisfaction déferler en moi en vagues serrées, au rythme de leur enthousiasme. Enfin, le sujet que nous avions passé tout un semestre à étudier prenait tout son sens. Il avait gagné en épaisseur, en relief, et je pouvais croire qu'il leur en resterait quelque chose.

Arrivés à Manning, ils descendirent en masse et se dispersèrent assez rapidement.

— Je vous enverrai par e-mail la photo que j'ai prise, mademoiselle ! me lança Mallory, déjà loin.

Nous nous étions photographiés devant un canon, mes élèves et moi. Tant pis pour les anachronismes ! Au diable les regards sévères autour de nous quand Smartphones et appareils photo avaient été dégainés. Je la ferai agrandir, encadrer. Elle sera parfaite dans mon bureau. Et si j'accédais à la chaire d'histoire, je…

Si… Tout était dans ce petit « si ». L'annonce n'avait pas encore été faite, mais je ne me faisais plus d'illusions. Stanton devait-il savoir que je venais de rompre ? Non. Je doutais que le comité rende sa décision sur la seule question de ma vie privée, et, si c'était le cas, je ne voulais pas de ce poste.

Callahan se serait peut-être calmé, songeai-je, tout en rentrant chez moi. Avec un peu de recul, peut-être avait-il relativisé mon arrangement avec la réalité, compris mon point de vue, la raison de mon mensonge. Peut-être lui avais-je manqué ? Peut-être…

Je m'engageai dans ma rue, et aperçus le panneau immobilier devant sa maison. Mon cœur fit une petite embardée. Je savais, bien sûr, qu'il comptait la vendre, il n'en avait pas fait mystère, mais je ne m'étais pas préparée à ce que la chose arrive si vite.

La porte d'entrée s'ouvrit et je vis sortir une femme. Je reconnus la blonde aperçue dans le bar : son amie, agent immobilier. Cal apparut juste derrière elle.

La voiture de Margaret n'était pas dans l'allée. Elle m'avait parlé d'une grosse affaire en instance et devait être encore à son bureau. Je ne pouvais donc pas compter sur son soutien. J'étais toute seule. J'ouvris ma portière et sortis.

— Salut, Cal, lançai-je.

A ma grande satisfaction, ma voix n'avait pas tremblé. Plutôt ferme, même.

Il leva les yeux.

— Salut, répliqua-t-il, en se tournant pour fermer sa porte à clé.

Ils s'avancèrent dans l'allée, jusqu'à l'endroit où j'avais cogné Cal avec le râteau.

— Bonjour, je suis Becky Mangue, comme le fruit, dit-elle joyeusement, en me tendant la main.

— Bonjour ! Grace Emerson, comme le Ralph Waldo Emerson, l'essayiste, poète.

Si ça, ce n'était pas une façon habile d'étaler ma culture sous une façade d'amabilité !

— J'habite la maison d'à côté, ajoutai-je, coulant un regard vers Callahan.

Celui-ci semblait absorbé par la flore environnante, qui s'était développée cette dernière semaine. Il s'appliquait à ne pas me regarder. Message reçu… Il était donc toujours dans le même état d'esprit.

— Magnifique maison ! s'exclama Becky. Si vous cherchez un jour à la vendre, appelez-moi…

Elle plongea la main dans son sac et en ressortit sa carte professionnelle. « Becky Mangue, négociatrice, Mangue immobilier », avec le même logo qui figurait sur le panneau de vente.

— Merci. J'y penserai, dis-je avant de me tourner vers l'homme d'humeur sombre à côté d'elle. Cal, tu as une minute ?

Il croisa mon regard, et je ne vis plus que du vide dans ses yeux bleus d'ordinaire rieurs. Mon cœur se serra.

— Bien sûr.

— Je te vois la semaine prochaine, Callahan ? s'enquit la jeune femme. J'aurai probablement une propriété qui pourrait t'intéresser à Glastonbury. Un bien à retaper, à mettre sur le marché le mois prochain.

— O.K., je t'appelle.

Nous la suivîmes du regard tandis qu'elle montait en voiture et démarrait.

— Alors, ça y est… tu en as fini ici ?

— Oui.

Sa réponse ne fut pas une surprise, mais je sentis soudain les larmes monter et je battis frénétiquement des paupières.

Il balança son sac à l'arrière de son pick-up.

— Quel est le prochain projet ?

— Je travaille sur une maison à Granby. Je traînerai dans le coin jusqu'à ce que mon grand-père… tant qu'il sera parmi nous.

Il sortit ses clés de voiture de sa poche, le regard toujours fuyant.

— Je ne crois pas que ce sera très long.

Une boule se forma dans ma gorge. C'était le dernier parent de Cal — si l'on faisait abstraction de son frère avec qui il était fâché.

— Je suis désolée…

— Je sais et je te remercie de lui rendre visite.

Ses yeux rencontrèrent les miens, puis glissèrent de nouveau vers le sol, une fois de plus.

— Cal, dis-je en posant la main sur son bras. Est-ce qu'on… on peut parler, non ?

— De quoi ?

Je déglutis.

— De notre dispute. De… Tu sais bien. Toi et moi.

Il s'appuya contre son pick-up et croisa les bras. Le langage du corps était on ne peut plus clair. Bon sang, il ne me facilitait pas la tâche.

— Grace, je pense que tu… tu as encore des choses à régler.

Sur le point de parler, je le sentis se raviser. Il se contenta de secouer la tête.

— Ecoute, reprit-il. Tu n'as pas cessé de me mentir depuis le jour de notre rencontre. Ça me pose un problème. Je ne sais pas si tu as encore des sentiments pour ton ex, mais moi, je ne veux pas être un second choix, ni un pis-aller. Je cherchais… enfin, tu sais ce que je cherche.

Il me dévisagea sans ciller, l'expression impénétrable.

Une femme, deux enfants, le jardin à tondre le week-end.

— Cal, je…

Je m'interrompis, me mordillant la lèvre.

— Puisque tu es pointilleux sur la question de l'honnêteté, je vais l'être aussi. Tu as en partie raison. Je me suis inventé un petit ami parce que je n'avais pas totalement tourné la page sur Andrew, et que je voulais le cacher à mes proches parce que je n'en étais pas fière. C'était tellement stupide de continuer à nourrir des sentiments pour le type qui m'avait larguée pour ma sœur… C'est vrai, j'ai préféré laisser penser que j'avais un super petit ami, un homme merveilleux qui m'adorait… C'était plus confortable pour moi.

Il hocha brièvement la tête, silencieux.

— Quand Andrew est tombé amoureux de Natalie…

Je m'interrompis de nouveau. Je voulais tellement lui faire comprendre !

— Je l'aimais, et je croyais qu'il m'aimait autant. Et puis, il a vu Nat, qui est simplement parfaite en tout point. C'était ma petite sœur, aussi, et il était tombé amoureux d'elle. J'ai eu du mal à m'en remettre.

— J'en suis sûr, lâcha-t-il plus doucement.

— Mais ce que j'essaie de dire, c'est que je ne ressens plus rien pour Andrew. Je sais que j'aurais dû te dire la vérité sur Wyatt, mais…

Ma voix se brisa. Je me raclai la gorge et poursuivis :

— Je ne voulais pas que tu me voies comme « une pauvre chose abandonnée ».

Le regard toujours rivé au sol, il secoua légèrement la tête, laissant échapper un soupir.

— Je pensais à cette fois où je t'ai raccompagnée chez toi quand tu sortais du Blackie. Tu avais bien un rendez-vous, n'est-ce pas ? dit-il sans vraiment attendre de réponse.

Je hochai la tête pour dire oui.

— Tu semblais si triste... presque désespérée.

— Oui, admis-je dans un souffle.

— Je n'ai donc été qu'une solution de secours, c'est ça, Grace ? Le mariage de ta sœur approchant, et comme tu ne trouvais personne, tu t'es dit que le repris de justice d'à côté ferait l'affaire ?

Je vacillai.

— Non, Cal. Absolument pas.

— Si tu le dis...

Après un bref instant de silence, il reprit, d'une voix adoucie :

— Ecoute, si tu ne ressens plus rien pour Andrew, je suis content pour toi. Mais ça ne change rien.

Les larmes me brûlaient les yeux, et ma gorge se serrait douloureusement. Bon sang ! Ce n'était pas le moment de fondre en larmes !

— Pour être franc avec toi, je ne veux pas être avec quelqu'un qui triche sur ce qu'il est vraiment, ou quelqu'un qui est incapable de dire la vérité.

— Mais je t'ai dit la vérité. Je t'ai tout raconté.

— Et ta famille, Grace ? Tu as prévu de tout dire à ta famille ? A ta sœur ?

Malgré moi, je me braquai, sur la défensive. Comme Scarlett O'Hara, j'avais surtout prévu de « reporter au lendemain ». Et même au surlendemain. En fait, j'avais surtout pensé que Wyatt Dunn sortirait de ma vie sans tambour ni trompette, que ce plan de secours finirait par tomber dans les oubliettes sans explication ni justification.

Il jeta un coup d'œil à sa montre.

— Il faut que j'y aille.

— Cal, dis-je, la voix chevrotante, je voudrais vraiment que tu me pardonnes et que tu me donnes une autre chance...

Il me dévisagea un long moment.

— Prends soin de toi, Grace. J'espère que tout ira bien pour toi.

— Très bien, dis-je dans un chuchotement, le regard rivé au sol pour lui cacher mon visage défait. Prends soin de toi aussi.

Là-dessus, il monta dans son pick-up et s'éloigna.

De retour chez moi, je m'assis à la table de ma cuisine et laissai les larmes couler sans retenue sur mon visage. Qu'Angus, assis sur mes genoux, lécha avec énergie. Super. J'avais tout gâché. Il était loin, le temps où l'idée de Wyatt Dunn m'avait semblé la bonne. Je n'aurais jamais dû… Si seulement j'avais… La prochaine fois, je…

La prochaine fois. Bien sûr ! Comme si les hommes de la trempe de Cal, ça se trouvait à tous les coins de rue. Je chancelai sous un assaut nauséeux. Comme je comprenais Scarlett O'Hara… Moi non plus, je n'avais pas su voir l'homme merveilleux que le destin avait mis sur ma route. Il était à côté de moi, et j'avais passé des semaines à tergiverser et à le juger. Quel homme aurait fait une heure et demie de route pour que je puisse voir *Autant en emporte le vent* sur grand écran ? Il valait dix — non, une centaine d'Andrew, qui m'avait menée en bateau jusqu'à l'imminence de notre mariage. « Il était temps », m'avait dit Callahan la première fois où je l'avais embrassé. Il m'avait attendue.

Un sanglot sec secoua mon corps. Angus gémit, enfouissant son petit museau dans mon cou.

— Ça va aller, dis-je sans conviction. Je vais bien.

Je me mouchai le nez, m'essuyai les yeux. Mon regard fit le tour de la cuisine. C'était si joli, ici. En fait, à bien y regarder, c'était même… disons-le… parfait. Je pris soudain conscience, avec une cruelle acuité, que chaque décision, chaque initiative correspondait à une tentative pour me guérir d'Andrew, pour l'oublier. Partout, on pouvait voir ma reconstruction s'y inscrire par strates. En réalité, chaque choix que je pensais libre — des couleurs censées adoucir le chagrin à l'ameublement — était en fait conditionné par mes sentiments pour mon ex. Je n'avais rien fait dans cette maison sans penser à lui, à ce qu'il aimait ou n'aimait pas.

Et pourtant, ce n'était pas lui que je ne cessais d'entra-percevoir en filigrane partout. Non. Je voyais Callahan assis dans cette cuisine, en train de se moquer de mon pyjama… Callahan avec les sculptures de ma mère dans les mains… Lui encore qui agitait la jambe pour faire lâcher prise à Angus, ou qui était tombé à genoux quand je l'avais accueilli à coups de crosse de hockey, ou qui me préparait une omelette et me parlait de son passé.

La maison d'à côté allait sûrement être très rapidement vendue. A une famille ou un couple de personnes âgées… Peut-être une célibataire. Un célibataire.

Je savais une chose. Je ne voulais pas voir ça. Dans une fulgurance, j'avais déjà sorti de ma poche la carte de visite et attrapé mon téléphone, avant même d'en avoir formulé l'idée. Quand la voix de Becky Mangue résonna au bout du fil, je dis simplement :

— Bonjour, c'est Grace Emerson à l'appareil, nous venons de nous voir. Je souhaite vendre ma maison.

31

Je longeai le couloir déserté du bâtiment Lehring, et mes pas résonnaient étrangement entre les murs vides. Les cours s'étaient terminés une semaine après la reconstitution historique de Gettysburg, et j'avais gratifié mes élèves d'un A+ pour leur note de participation. Seule Kerry avait eu un C. Sans surprise s'était ensuivie une série d'appels téléphoniques de ses parents, très remontés, auprès du président de Manning. Pour sa dernière action en tant que directeur du département d'histoire, le Pr Eckhart m'avait apporté son soutien. Bon sang, cet homme allait beaucoup me manquer !

Je pénétrai dans ma classe. J'avais passé la journée de la veille à la ranger, la nettoyer pour la reprise des cours en août. Au programme, la révolution américaine… En attendant et pour les deux mois à venir, c'était chemin de traverse et école buissonnière. Dans quelques heures, la remise des diplômes viendrait clore cette année. Le nœud familier de la nostalgie serrait ma gorge, comme toujours à la fin d'une année scolaire. Dans la soirée, ce serait le dîner de répétition de Natalie…

Je balayai du regard ma salle de cours et souris en voyant la photo de groupe prise devant les canons. Mallory me l'avait apportée, dans un cadre noir avec passe-partout blanc, une très jolie attention qui m'avait surprise et touchée. Mes élèves de dernière année… Mon 1er régiment de cavalerie ! Je reverrais sans doute peu d'entre eux. Peut-être recevrais-je quelques e-mails de mes chouchous pendant six mois, mais la plupart allaient quitter Manning et n'y reviendraient pas avant longtemps, peut-être jamais. Cette journée avait été une vraie réussite, et j'avais bien l'intention de renouveler l'expérience avec mes prochaines classes.

Mon regard s'attarda sur l'affiche du discours de Gettysburg que j'avais fait agrandir, puis sur la Déclaration d'indépendance, que je lisais à haute voix le jour de la rentrée, dans chacune de mes classes. J'avais aussi punaisé sur les murs des affiches de films : *Glory, Il faut sauver le soldat Ryan, Mississippi Burning, The Patriot, Le Chemin de la liberté, Full Metal Jacket, Mémoires de nos pères*… J'étais prête à tous les stratagèmes, sans états d'âme, pour susciter l'intérêt des élèves. Celle d'*Autant en emporte le vent*, je l'avais mise sur la porte, moins visible, jugeant la pose de Scarlett un peu trop alanguie, le regard de Rhett un peu trop « intense »… J'avais toujours beaucoup aimé cette affiche, mais depuis que j'avais vu le film, elle éveillait en moi des émotions douces-amères.

Ma gorge se serra. Un coup léger contre la porte m'arracha à la bouffée mélancolique qui m'emportait. A point nommé.

— Entrez, dis-je, accueillant avec soulagement cette diversion. Bonjour, professeur Eckhart.

— Bonjour, Grace, répondit ce dernier en faisant porter son poids sur sa canne.

— Comment allez-vous ?

— D'humeur sentimentale, mon petit, d'humeur bien sentimentale… C'est ma dernière remise de diplômes.

— Ce ne sera plus la même chose, ici, sans vous.

Il hocha la tête.

— J'espère que notre déjeuner tient toujours, dis-je avec chaleur.

— Bien sûr, très chère. Et je dois dire que je suis désolé que vous n'ayez pas eu le poste.

— Oui, il semble que le comité ait trouvé la perle rare.

Nous avions appris que c'était une certaine Louise Steiner qui l'avait décroché. Elle venait d'une école préparatoire de

Los Angeles, avait une expérience significative dans l'administratif, un doctorat en histoire européenne et un master en histoire américaine. Excusez du peu… Bref, elle nous avait damé le pion, à Ava et moi, nous coiffant au poteau. Bonne joueuse, je m'étais inclinée.

Ce n'était pas le cas d'Ava. De colère, elle en aurait largué Theo Eisenbraun, d'après Kiki. Depuis, elle postulait activement auprès d'autres écoles préparatoires. Je doutais quand même de sa détermination à aller jusqu'au bout. Elle n'était pas du genre à lâcher la proie pour l'ombre. Après tout, elle savait ce qu'elle quittait — un rythme de travail qui ne l'épuisait pas trop —, et pas ce qu'elle trouverait ailleurs.

— Est-ce que vous allez en Pennsylvanie, cet été ? me demanda le vieil homme. Ou sur d'autres sites de bataille ?

— Non. C'est un peu compromis. Je suis en plein déménagement et je n'aurai pas le temps.

J'étreignis doucement le professeur.

— Vous allez beaucoup me manquer.

— Tss tss, pas de sentimentalisme, lâcha-t-il d'un ton faussement bougon, en me tapotant l'épaule.

— Bonjour… Excusez-moi de vous déranger…

Nous regardâmes de concert vers la porte. Une femme séduisante, la cinquantaine, avec les cheveux courts et gris, vêtue d'un tailleur de soie élégant, se tenait dans l'encadrement.

— Bonjour, je suis Louise. Désolée de vous interrompre… Bonjour, professeur Eckhart, ravie de vous revoir.

Elle se tourna vers moi.

— Grace, c'est ça ?

— Bonjour, dis-je en m'avançant pour serrer la main de ma nouvelle responsable. Bienvenue à Manning. Nous parlions justement de votre arrivée parmi nous.

— J'avais très envie de vous rencontrer et de m'entretenir avec vous. Le Pr Eckhart m'a gentiment glissé une copie de votre dossier de candidature, et j'ai beaucoup apprécié vos idées, ainsi que les pistes de réflexion que vous y avez développées.

— Merci…

Je coulai un regard vers le vieil homme. Celui-ci, l'air de rien, gardait les yeux rivés sur ses ongles jaunis.

— Nous pourrions déjeuner ensemble, la semaine prochaine, suggéra Louise.

Je souris au Pr Eckhart. Il était vraiment mon ange gardien. Une présence discrète et bienveillante.

— J'aimerais beaucoup, lui répondis-je chaleureusement.

Il y eut les discours, les applaudissements, puis, point d'orgue de la cérémonie, le traditionnel lancer de chapeaux tant attendu par les élèves. Le buffet en plein air venait de se terminer, et je me pressais vers le parking. J'avais deux heures devant moi pour me doucher, me changer et tracer vers le restaurant Soleil — celui-là même de mon faux rendez-vous avec Wyatt Dunn —, où Natalie avait décidé d'organiser son dîner de répétition.

— Et encore une ! entendis-je dans mon dos.

Je me tournai vers la voix familière qui venait de m'interpeller.

— Salut, Stuart.

Il m'apparut… vieilli. Les tempes grisonnantes. Les yeux éteints.

— Je te souhaite un bel été, dit-il d'un air détaché, le regard tourné vers un cornouiller particulièrement beau avec ses magnifiques fleurs roses.

— Merci, murmurai-je.

— Comment va… Comment va Margaret ?

Il chercha mon regard. Je poussai un soupir.

— Elle est tendue, jalouse et difficile… Elle te manque ?

— Oui.

Je regardai un instant son visage défait, marqué par la tristesse.

— Stuart… Est-ce que tu as une liaison avec Ava ?

— Avec ce piranha ? se récria-t-il. Bon sang, non ! Nous avons dîné ensemble, c'est tout. Une fois. Et je n'ai fait que parler de Margaret.

Je vis son air choqué, et son indignation fit résonance en moi... Que faisait-on quand on voyait un homme à la mer en train de se noyer ? On lançait une bouée de sauvetage !

— Nous serons au Soleil à Glastonbury, Stu. Ce soir, lâchai-je. Nous avons réservé pour 19 h 30. Mise tout sur l'imprévu et la spontanéité. Fonce !

— Le Soleil..., répéta-t-il.

— Oui, acquiesçai-je en soutenant son regard.

Il hocha simplement la tête.

— Belle journée à toi, Grace.

Là-dessus, il tourna les talons et s'éloigna. Dans un rayon de soleil, ses cheveux prirent une nuance argentée. *Bonne chance à toi, Stu*, lui souhaitai-je silencieusement, en croisant les doigts pour lui.

— Mademoiselle ! Attendez !

Je me retournai et aperçus Tommy Michener, qui venait dans ma direction. Il était accompagné d'un homme. Qui devait être son père, vu leur ressemblance.

— Mademoiselle Emerson, voici mon père. P'pa, voici Mlle Emerson, le professeur qui nous a emmenés sur ce champ de bataille.

Le père sourit.

— Bonjour, je suis Jack Michener. Tom ne tarit pas d'éloges sur son professeur d'histoire et sur ses cours...

L'homme, grand et mince, avait du charme avec ses cheveux poivre et sel et ses lunettes. Comme son fils, il avait un visage régulier et expressif, et dégageait le même enthousiasme. Sa poignée de main était chaude et ferme.

— Grace Emerson. Heureuse de faire votre connaissance aussi. Vous avez un chouette fils ! Et je ne le dis pas seulement parce qu'il adore l'histoire !

— C'est le meilleur, approuva l'homme, en passant un bras autour des épaules de son fils. Ta mère serait si fière de toi, ajouta-t-il à l'adresse de ce dernier.

Un voile de tristesse glissa sur son visage. C'est vrai que Tommy avait perdu sa mère l'année précédant son arrivée à Manning.

— Merci, papa. Oh! C'est Emma, là-bas. Je reviens, lâcha-t-il en détalant à toute vitesse.

— Emma, hein? lança M. Michener en souriant.

— Elle aussi est une jeune fille formidable. Avec un très bon jugement… Elle aime beaucoup Tommy!

— Ah, l'amour… Grâce à Dieu, je ne suis plus un adolescent. Est-ce que Tom vous a dit qu'il avait choisi un cursus d'histoire à l'université de New York?

— Oui et je ne vous cache pas que cela m'a fait très plaisir. Il est brillant, mais aussi tellement curieux et ouvert! J'aimerais que tous mes élèves soient comme lui.

Le père de Tommy acquiesça avec énergie. Je jetai un coup d'œil à ma voiture, pensant ainsi donner le signal du départ. Mais il n'esquissa pas un mouvement, faisant mine de ne pas saisir l'allusion. Sapristi… je n'allais pas couper à un peu de conversation.

— Je ne crois pas que Tommy m'ait dit ce que vous faisiez dans la vie, monsieur Michener?

— Oh! appelez-moi Jack…

Il sourit encore, et j'eus devant moi le pouvoir de la génétique et du mimétisme… Je crus voir son fils.

— Je suis médecin.

— Vraiment? dis-je poliment. Vous avez une spécialité?

— Je travaille en pédiatrie.

Je marquai une pause.

— Pédiatrie… Laissez-moi deviner. Chirurgie?

— C'est ça.

— Vous êtes chirurgien pédiatrique? répétai-je, abasourdie.

— Oui. Pourquoi. Ça vous surprend?

J'eus une sorte de petit rire.

— Non, eh bien… non. Je suis désolée. Ça m'a fait penser à… quelque chose… à une anecdote…

J'inspirai profondément.

— Euh… Ce doit être un travail si gratifiant…

L'ironie de la situation me sauta à la figure, avec la même vigueur et la même force que la petite langue mouillée de mon Angus, quand il était déterminé coûte que coûte à me montrer son amour.

— Oui, ça l'est. J'ai tendance à passer beaucoup d'heures à l'hôpital — difficile de décrocher, parfois —, mais j'aime ça.

Je ravalai un petit rire nerveux.

Il fourra les mains dans ses poches et pencha la tête.

— Grace, voudriez-vous vous joindre à Tom et moi pour le dîner ? En toute simplicité…

— C'est très aimable à vous, mais je dois décliner l'invitation. Ma sœur se marie demain, et ce soir, c'est son dîner de répétition.

Son sourire s'effaça.

— Oh… Eh bien, peut-être une autre fois ? suggéra-t-il.

Il marqua une légère pause embarrassée.

— Même sans Tommy. Nous habitons New York, mais ce n'est pas si loin.

Un rendez-vous. Le chirurgien pédiatrique me proposait de sortir avec lui. Sentant un rire nerveux monter dans ma gorge, je me mordis la joue pour le retenir.

— Euh… c'est très gentil de votre part, dis-je, prenant une rapide respiration. En vérité, je suis…

— Mariée ? s'enquit-il, avec un petit haussement d'épaules philosophe.

— Non. Je viens de rompre et c'est encore difficile…

— Je comprends.

Nous nous tûmes un instant, laissant un silence embarrassé planer au-dessus de nos têtes.

— Voilà Tommy, murmurai-je, soulagée.

— Ah, parfait… Cela a été un plaisir de vous rencontrer, Grace. Merci encore pour tout ce que vous avez fait pour mon fils.

Tommy m'étreignit.

— Au revoir, mademoiselle. Vous êtes la meilleure prof, ici. Je vous ai aimée dès le premier jour de classe.

Je le serrai dans mes bras, gagnée par l'émotion.

— Tu vas vraiment me manquer. Tu m'écriras pour me dire comment ça se passe, d'accord ?

— Oh ! Vous pouvez être sûre que je le ferai ! Passez un bon été !

Et sur ces paroles, mon étudiant préféré et son père, chirurgien pédiatrique de son état, s'éloignèrent, me laissant dans un réel état de perplexité.

32

— Ahahaha ! Ahahaha ! Oooh ! Ahahaha !

Le rire en salve de ma mère retentit, trop fort, au-dessus de la table.

— Hoohoohoohoo ! fit en écho la mère d'Andrew.

Sans doute pour ne pas être en reste, supposai-je.

Margaret me faisait face et communiquait avec moi par de petits coups de pied sous la table.

— Alors ? Heureuse de ne pas te marier à cette famille ? me chuchota-t-elle.

Bing, petit coup dans les tibias.

— Trop heureuse, marmonnai-je, avec une grimace.

— Margaret, est-ce que tu as trop bu ? lança ma grand-mère en haussant la voix. J'avais une cousine qui ne tenait pas l'alcool, non plus. Honteux. De mon temps, les femmes ne faisaient pas d'excès.

— Et tu n'es pas heureuse que ce bon vieux temps n'existe plus ? riposta Margaret. Un autre whisky, mémé ?

— Merci, ma chérie, répliqua cette dernière d'une voix radoucie.

Ma sœur appela un serveur, puis fit mine de lever son verre pour trinquer à ma santé.

— Oh, oui, un toast ! s'exclama Natalie en remarquant son geste. Andrew chéri, portons un toast !

Celui-ci se leva, sous le regard plein d'adoration de ses parents.

— C'est un si beau jour pour nous, lança-t-il maladroitement.

Son regard s'arrêta sur moi, puis glissa sur les autres convives.

— Nattie et moi sommes si heureux de vous avoir près de nous pour partager notre bonheur...

— On est tous heureux, c'est l'éclate, murmurai-je à Margs, en levant les yeux au ciel.

— Quel orateur-né, hein ? fit remarquer ma sœur.

Ma mère, qui l'avait entendue, déclencha sa boîte à rires. Je levai les yeux vers le serveur qui venait d'approcher avec des hors-d'œuvre et reconnus Cambry.

— Hé, salut ! m'exclamai-je. Comment vas-tu ?

— Très bien, dit-il aimablement.

— Le dîner chez Julian la semaine prochaine est toujours à l'ordre du jour ?

— Sauf annulation de sa part au dernier moment, répondit-il en déposant une assiette d'huîtres Rockefeller devant moi.

Julian était en couple. Certes, il ne le disait pas, le mot seul lui causant des crampes d'estomac et des sueurs froides, mais il venait bel et bien d'entamer une relation avec un garçon à qui il ne pouvait trouver de défaut. Cambry était un garçon sérieux, qui travaillait comme serveur pour payer ses études de droit.

— Accroche-toi, dis-je. Il a la tête dure et il serait capable de laisser passer quelque chose de bien. Bon, ce n'est pas top pour moi, ces jours-ci... Il se fait prier pour venir à la maison regarder *Danse avec les stars*. Il faut que je le supplie, que je fasse des pieds et des mains pour passer un moment avec lui... Je devrais probablement te détester.

— C'est le cas ? demanda-t-il, décontenancé.

— Non, évidemment. Mais ce serait bien que tu partages un peu, rétorquai-je sur le ton de la plaisanterie. Julian est mon meilleur ami depuis le lycée.

— C'est noté.

— Grace, je croyais qu'il valait mieux éviter les huîtres d'ici, lança ma grand-mère, provoquant une réaction visible à la table d'à côté.

— Non, non ! répliquai-je en haussant la voix pour être entendue. Non, elles sont excellentes. Et fraîches, bien sûr !

Je lançai un sourire d'encouragement à l'homme qui venait de plaquer sa serviette contre sa bouche et en mangeai une pour prouver ma bonne foi.

— Elles n'ont pas failli tuer ton docteur ? ajouta mon aïeule de sa voix aiguë. Il est pourtant resté vingt minutes dans les toilettes.

Elle poursuivit, prenant à témoin les Carson qui souriaient poliment, oubliant qu'ils étaient eux aussi présents, ce jour-là, et qu'ils avaient assisté aux premières loges à la fameuse scène.

— Les coliques, vous savez. Mon deuxième époux avait des problèmes gastriques. On ne pouvait pas sortir de la maison, certains jours ! Et une odeur !

— Ça sentait si fort que même le chat s'évanouissait, ironisa Margaret.

— Ça sentait si fort que même le chat s'évanouissait ! lâcha ma grand-mère, prise dans son monologue.

— D'accord, maman, déclara mon père, le visage cramoisi. On va peut-être s'arrêter là avec cette histoire.

— Ahahaha ! Ahahaha ! Oooh ! Ahahaha !

Ma mère s'esclaffait, un regard assassin posé sur sa belle-mère.

Sans se démonter, celle-ci héla un serveur pour avoir un autre verre de whisky. Je n'étais pas une grande fan des sorties avec ma grand-mère, ni du personnage en lui-même. Elle n'avait pas sa pareille pour vous faire piquer un fard et vous coller la plus grande honte de votre vie, mais le fou rire que Cambry tentait de contenir dans mon dos était communicatif. Il ne m'en parut que plus sympathique et, dans un élan désintéressé, je fis une petite prière sincère et silencieuse pour que cela marche entre Julian et lui. Même si cela devait me priver de la compagnie de mon meilleur ami. Il me resterait toujours mon Angus. Je pouvais le faire s'accoupler… plein de petits Angus… et devenir éleveuse de petites boules de poils adorables… pleines de ressources, question bêtises. Qui pouvait résister ?

Je coulai un regard vers Natalie. Elle portait une robe d'un bleu pâle seyant, et ses cheveux couleur miel étaient relevés et retenus par une belle barrette clip. J'imaginai cette barrette dans ma chevelure. Elle n'en aurait fait qu'une bouchée, songeai-je, l'image d'une plante carnivore me passant devant les yeux. Natalie rayonnait de bonheur, les joues légèrement colorées. Sa main caressa celle d'Andrew, et elle rougit un peu plus à ce contact. Elle croisa mon regard et nous échangeâmes un sourire.

— Grace, où est Callahan? demanda-t-elle brusquement, tournant la tête autour d'elle. Il vient plus tard... de son côté?

La poisse. J'avais eu la faiblesse de penser que je pourrais passer au travers des questions. Je n'avais parlé à personne de ma récente rupture, sauf à Margaret. D'abord, parce qu'une partie de moi espérait encore qu'il me pardonnerait, qu'il allait prendre conscience que j'étais la femme de sa vie et qu'il ne pouvait pas vivre sans moi. Et puis, je ne voulais pas m'effondrer en larmes pendant la cérémonie de Natalie. Elle s'inquiéterait pour moi, me couverait du regard comme une mère poule, chercherait à me consoler, me réconforter, s'étonnant à voix haute que sa grande sœur ne soit pas plus sollicitée. Non, très peu pour moi, j'en avais soupé de ce rôle.

Je venais de prendre une huître et me contentai de sourire en montrant du doigt ma bouche pleine. Mâchant. Mâchant encore. Mâchant un peu plus, jusqu'à ce qu'elle n'ait plus dans ma bouche que la texture et le goût de ma salive.

— Qui est Callahan? s'enquit Mme Carson en me regardant, l'œil soudain vif et brillant.

— Grace fréquente quelqu'un de merveilleux, déclara ma mère d'un ton péremptoire.

— Un condamné, lança ma grand-mère en étouffant un renvoi. Un détenu irlandais avec de grandes mains. N'est-ce pas, Grace?

M. Carson toussota comme s'il s'étouffait. Je vis les yeux de sa femme s'ouvrir grands comme des soucoupes. J'aurais juré y voir s'allumer une lueur de jubilation.

— Eh bien...

— C'était un comptable, coupa mon père, pensant venir à mon secours. Il est allé à Tulane.

J'entendis le long soupir de Margaret.

— C'est un homme à tout faire, hein, Gracie ? brailla ma grand-mère. Il est jardinier. A moins que ce soit un bûcheron. Je ne sais plus.

— Ouais, ou peut-être qu'il est mineur. Ou bien berger, ironisa mon aînée, en parvenant à me soutirer un rire.

— Il est merveilleux… Si… beaucoup de charme, très séduisant, affirma ma mère, sans relever l'intervention de Margaret, zappant allègrement sa propre réaction en apprenant le passé de Cal.

— Oh, oui ! s'exclama Natalie, avec tout son enthousiasme. Lui et Grace vont si bien ensemble. On voit qu'ils sont fous l'un de l'autre.

— Il m'a quittée, annonçai-je calmement, tout en m'essuyant la bouche.

En face de moi, Margaret s'étouffa avec sa gorgée de vin, et leva un pouce d'encouragement, tout en crachant dans sa serviette.

— Le jardinier t'a quittée ? Quoi ? Qu'est-ce qu'elle a dit ? s'exclama ma grand-mère. Grace, parle plus fort, je ne t'entends pas !

— Callahan m'a quittée, mémé, dis-je en haussant la voix. Mon honnêteté lui posait, semble-t-il, problème.

— Le prisonnier a dit ça ? s'insurgea-t-elle.

— Balivernes ! lança ma mère.

Un silence flotta au-dessus de la table. Je coulai un regard vers Natalie. Elle avait l'air de quelqu'un qui venait de recevoir un coup de massue sur la tête.

— Merci, maman, dis-je, mais je pense qu'il a raison.

— Oh, chaton, non. Tu es merveilleuse, objecta mon père. Et puis, qu'est-ce qui lui permet de dire ça ? Ce n'est qu'un idiot. Voilà. Un repris de justice et un idiot.

— Un repris de justice ? lança le père d'Andrew.

— Non, papa. Ce n'est pas un idiot. Et oui, il a fait de la prison, monsieur Carson.

— Bien, dit ma mère, ses yeux passant des Carson à moi. Peut-être, alors, vas-tu redonner une chance à ce chirurgien pédiatrique ? C'était un jeune homme si charmant.

Waouh… Etonnant comme un mensonge de rien du tout pouvait avoir la vie dure. Je croisai le regard de mon aînée, un sourcil levé. Je reportai mon attention sur ma mère.

— Il n'y a jamais eu de chirurgien pédiatrique, maman, dis-je en articulant pour que ma grand-mère puisse entendre. Je l'ai inventé.

La vague de jubilation qui m'envahit me prit au dépourvu. Il y avait presque une forme d'exultation à leur balancer cette bombe. Margaret se laissa aller en arrière, un large sourire sur les lèvres.

— Allez, va jusqu'au bout, Gracie, dit-elle.

Pour la première fois depuis longtemps, je la sentis réellement bien.

Je me redressai, le cœur cognant fort dans ma poitrine. Si fort que je crus un instant que j'allais le vomir.

— J'ai prétendu que je voyais quelqu'un pour que Natalie et Andrew ne se sentent pas coupables, dis-je d'une voix à peine tremblante. Et aussi pour qu'on arrête de me regarder avec commisération, ou comme la petite chose qui pouvait à tout instant se briser.

— Oh ! Grace…, murmura Nat.

— Quoi ? Enfin, tu n'es pas sérieuse ! s'exclama mon père.

— Je suis désolée, papa, dis-je, la bouche sèche.

Allez, encore un petit effort pour la dernière ligne droite… de ma confession.

— Andrew a rompu avec moi parce qu'il était tombé amoureux de Natalie, et ça a été douloureux. Très douloureux. Mais je m'en suis remise, repris-je, le débit rapide. S'ils voulaient être ensemble, je ne voulais pas être l'obstacle, celle qui les empêchait d'être heureux. Alors, j'ai inventé Wyatt Dunn, cet homme parfait, mais si difficile à rencontrer, et tout le monde s'est senti mieux. Ensuite, j'ai continué parce que, pour tout dire, c'était confortable de prétendre que je voyais quelqu'un de merveilleux. Et puis, je suis tombée amoureuse de Callahan et je devais bien sûr rompre avec Wyatt. Le soir où Andrew est passé chez moi et m'a embrassée sur la terrasse, Cal et moi avons parlé et j'ai fini par tout lui avouer sur Wyatt Dunn. Et il m'a quittée. Parce que je n'avais pas été honnête.

J'avais le souffle court et je sentais les gouttes de sueur couler dans mon dos. Margaret tendit la main par-dessus la table et la posa sur la mienne.

— Tu es une fille bien, chuchota-t-elle.

Natalie ne bougea pas. Les Carson, bouche bée, pivotèrent vers leur fils, qui semblait avoir reçu une balle dans l'estomac. Il avait les yeux écarquillés, le visage livide, les traits figés dans une expression d'horreur. Un voile de silence recouvrait la salle de restaurant, et on aurait presque pu entendre une mouche voler.

— Attends une minute…, dit mon père, le visage défait. Alors, a qui ai-je parlé dans les toilettes, l'autre soir ?

— Tais-toi, Jim, siffla ma mère entre ses dents.

— C'était Julian se faisant passer pour Wyatt. D'autres questions ? Des commentaires ? Non ? Bon. Alors, je vais sortir prendre un peu l'air.

Les jambes flageolantes, le visage cramoisi, je traversai la salle, passant devant des convives particulièrement silencieux. En entrant dans le hall, Cambry me précéda et m'ouvrit la porte.

— Tu as été magistrale et flamboyante, dit-il d'une voix admirative.

— Merci.

Il eut l'élégance de me laisser seule tandis que je sortais dans le jardin. Je tremblais comme une feuille, le cœur battant à tout rompre. Qui disait que la confession était bonne pour l'âme ? J'avais juste une envie de vomir. Je me dirigeai vers un petit banc et m'y laissai tomber lourdement. Je pressai mes doigts frais contre mes joues en feu et fermai les yeux, essayant simplement de retrouver une respiration normale. Inspiration, expiration, inspiration, expiration. Ce n'était pas le moment de faire une attaque de panique ou de tomber dans les pommes. Il y avait eu assez de spectacle comme ça.

— Grace ?

Je tressaillis. Natalie ! Sa voix était mal assurée, légère comme ses pas. Je ne l'avais pas entendue approcher.

— Nattie, dis-je d'une voix lasse, gardant les yeux baissés.

— Est-ce que je peux m'asseoir ?

— Bien sûr.

Elle prit place à côté de moi. Quand elle glissa sa main dans la mienne, je baissai les yeux vers nos mains entrelacées. Son diamant réfléchit la lumière, brillant soudain de mille éclats.

— La mienne était juste comme celle-là, murmurai-je.

— Je sais. Quelle idée bizarre de nous acheter la même bague !

— Il ne se souvenait probablement plus de celle qu'il m'avait offerte. En même temps, ce n'est pas si surprenant, de la part de quelqu'un qui ne sait pas reconnaître les deux chaussettes d'une même paire.

— Pathétique, murmura ma sœur.

— Les hommes…, marmonnai-je.

— Des idiots.

Je hochai la tête. Pour Andrew, en tout cas, ça me paraissait approprié.

— Est-ce qu'il t'avait dit, pour le baiser ? chuchotai-je.

Prise dans ma logorrhée, j'en avais dit plus que je ne voulais… Ce n'était pas dans l'intention de gâcher quoi que ce soit entre Andrew et Natalie. Avais-je causé du tort ou de la peine à ma sœur ?

Elle resta silencieuse quelques instants.

— Oui, il m'en a parlé.

Un merle noir siffla dans l'arbre au-dessus de nous, un gazouillis mélodieux, flûté, qui emplit l'air.

— Que t'a-t-il dit ? demandai-je, mue par la curiosité.

— Il a dit qu'il ne savait pas ce qui lui avait pris. Un réflexe. D'être avec toi dans cette maison, de t'avoir vue avec un autre homme… ça l'a rendu un peu jaloux.

Je lui coulai un regard de biais.

— Et qu'est-ce que tu en as pensé ?

— Eh bien, j'ai pensé que c'était un sale con.

Surprise d'entendre ce mot dans sa bouche, je restai interdite.

— Nous avons eu notre première dispute. Je lui ai dit qu'il avait déjà assez foutu le bordel dans nos vies, et que t'embrasser était inacceptable. Puis j'ai claqué quelques portes, tapé rageusement des pieds, pesté, maugréé.

Une chaleur envahit ses joues.

— C'est bon de l'entendre, dis-je.

Elle rit.

— Et j'étais… jalouse, avoua-t-elle, même si je sais que je n'ai pas le droit de l'être, étant donné ce que je t'ai fait.

Je lui pressai la main.

— Que pouvais-tu contre le « paf bing » ?

Elle me regarda, l'air interrogateur.

— Tu sais…, précisai-je. La foudre. Le regard, l'évidence et tout le tralala…

Je m'interrompis.

— Mais vous vous êtes réconciliés, bien sûr. C'est réglé, entre vous… n'est-ce pas ?

Elle eut un petit hochement de tête.

— Je le crois, murmura-t-elle en regardant droit devant.

Au bord des larmes, elle me pressa la main.

— Gracie, si tu savais combien je suis désolée d'être tombée amoureuse de lui. De t'avoir blessée, causé du chagrin.

Elle prit une inspiration courte, saccadée.

— J'aurais dû te le dire, bien avant aujourd'hui. Il fallait que tu l'entendes de ma bouche. Je suis tellement désolée, Grace.

— C'est vrai que ça craignait vraiment, admis-je.

Ces mots sortis, une vague de soulagement m'emporta.

— Est-ce que tu m'en veux ?

Deux larmes glissèrent sur ses joues.

— Non, non, lâchai-je avec véhémence.

Puis je me ravisai.

414

— Enfin... plus. J'ai essayé de ne pas t'en vouloir. J'étais plus en colère contre Andrew, pour être honnête, mais oui, il y avait une partie de moi qui hurlait. Une sensation d'injustice qui me vrillait le cœur.

— Grace, tu sais que tu es la personne que j'aime le plus au monde. Celle que je n'aurais jamais voulu blesser. J'ai lutté contre les sentiments que j'éprouvais pour Andrew et je me suis détestée.

Elle pleurait vraiment, maintenant.

Je glissai un bras autour d'elle, l'attirant contre moi. Ainsi côte à côte, nos têtes se touchaient presque. Je n'aimais pas voir pleurer ma petite sœur, mais peut-être en avait-elle besoin. Et peut-être avais-je aussi besoin de le voir.

— C'est clair que je mentirais, murmurai-je, si je disais que ça n'a pas été douloureux. J'étais déchirée, mais je ne voulais pas le montrer, ni que tu le saches. A présent, c'est fini. Vraiment, j'ai tourné la page.

— En inventant Wyatt, pour me protéger...

Sa voix se fit chuchotement quand elle poursuivit.

— C'est la plus jolie attention qu'on ait jamais eue pour moi, et je ne me suis doutée de rien. J'ai plongé, tête la première.

Elle laissa échapper un petit rire grave.

— Pourtant, quelque chose en moi me disait que ce n'était pas vrai. En fait, j'y ai cru jusqu'à ce que tu parles de cette histoire de chats abandonnés.

Elle sourit.

Je levai les yeux au ciel.

— Ne m'en parle pas !

Nat soupira.

— Je suppose que je ne voulais pas savoir.

Le silence flotta un instant entre nous.

— Tu sais, Gracie, finit-elle par dire doucement, tu n'as plus à veiller sur moi ou à chercher à me protéger de tout ce qui pourrait me faire de la peine.

— Eh bien, je pense que je le ferai toujours un peu, c'est mon job, murmurai-je, les yeux soudain embués. Je suis ta grande sœur.

— Oublie le job…

Elle tendit la main vers mes cheveux et fit glisser une mèche rebelle derrière mon oreille.

— Oublie que tu es mon aînée, tu veux ? On est sœurs, tout simplement, maintenant. Sur un pied d'égalité.

Je levai les yeux vers le ciel dégagé. Depuis que j'avais quatre ans, je veillais sur Natalie, l'aimais, l'admirais, la protégeais. Cela pourrait être sympa et reposant… de me contenter de l'aimer. D'être sur un pied d'égalité, comme elle venait de le dire.

— Comme avec Margaret, plaisantai-je.

— Oh, là, là, tu n'es pas obligée non plus de lui ressembler, d'être sa copie conforme ! lâcha-t-elle, feignant la gravité.

Un éclat de rire nous plia en deux. Puis Nat ouvrit son sac et me tendit un paquet de mouchoirs en papier — avec des roses dessinées sur l'emballage. C'était si délicat, si gracieux, c'était tellement elle, ce sens du détail… Nous restâmes ainsi une autre minute, main dans la main, écoutant les notes claires du merle.

— Grace ?

— Oui ?

— J'aimais beaucoup Callahan.

Je tressaillis. Surprise de l'entendre prononcer ce prénom, et surprise par la douleur qui me transperça en même temps. C'était comme si elle venait d'enfoncer le doigt dans une blessure toujours à vif.

— Moi aussi, chuchotai-je.

Elle n'ajouta rien, mais la pression de sa main s'accentua. Après un moment, je m'éclaircis la gorge et tournai le regard vers le restaurant.

— Tu veux rentrer ?

— Non. Laissons-les encore s'interroger. Nous pourrions simuler un crêpage de chignon, pour terminer cette séquence.

Je me mis à rire. Ma Nattie… Elle et moi, comme au bon vieux temps.

— Tu m'as manqué.

— Tu m'as manqué aussi. Je me suis souvent demandé

si tu allais aussi bien que tu l'affichais, mais je n'ai jamais osé te poser la question. J'avais peur. J'étais frustrée, aussi, tu sais. Toi et Margs, sous le même toit.

— Oh ! Eh bien, s'il n'y a que ça, tu peux la prendre. Un petit séjour chez Andrew et toi. Aussi longtemps que tu le souhaites.

— Il ne tiendrait pas la semaine.

— Nattie, au sujet de nous, du pied d'égalité…

Elle hocha la tête, m'encourageant à continuer.

— Je voudrais que tu me fasses une faveur.

— Tout ce que tu veux.

Je me tournai vers elle pour la regarder dans les yeux.

— Je ne veux pas être ton témoin, demain. Il vaut mieux que ce soit Margaret. Je serai ta demoiselle d'honneur, je remonterai l'allée, tout ce que tu veux, mais pas ton témoin. Ce serait bizarre… vu mon histoire avec Andrew, notre lien à nous…

— D'accord, répliqua-t-elle tout de go. Mais assure-toi que Margaret ne lève pas les yeux au ciel, qu'elle ne fasse pas ses grimaces.

— Je ne peux pas te le promettre, lâchai-je dans un rire, mais j'essayerai de la briefer.

Je me levai et lui tendis la main pour l'aider à se lever à son tour.

— Retournons-y. J'ai faim.

Quand ma mère nous vit revenir bras dessus bras dessous, elle bondit sur ses pieds, nous accueillant avec des petits balancements de la tête comme un corbeau sur le qui-vive.

— Les filles ! Est-ce que tout va bien ?

— Oui, maman. Nous allons bien.

Mme Carson leva les yeux au ciel et eut la mauvaise idée d'émettre un petit ricanement. Il n'en fallut pas plus à ma mère pour lui voler dans les plumes.

— Je vous saurais gré d'effacer ce petit air de votre visage, Letitia ! dit-elle, sa voix portant dans tout le restaurant. Si vous avez quelque chose à dire, alors allez-y, c'est le moment !

— Je… Non…

— Alors, cessez de traiter mes filles comme si elles n'étaient pas assez bien pour votre précieux fils. Et Andrew, laisse-moi te dire ceci. Nous t'avons laissé une seconde chance seulement parce que Natalie nous l'a demandé. Ne t'avise pas de lui gâcher la vie ou je t'arrache le foie et je le mange. Tu m'as bien entendue ?

— Je… J'ai parfaitement compris, madame Emerson, répondit Andrew, la voix basse, oubliant sur le coup de l'appeler par son prénom, comme il le faisait d'ordinaire.

Elle se rassit, et mon père se tourna vers elle.

— Je t'aime, dit-il d'une voix admirative.

— Bien sûr que tu m'aimes, répondit-elle vivement. Est-ce que tout le monde est prêt à passer commande ?

— Pas de betteraves pour moi, déclara ma grand-mère. Ça me donne des aigreurs d'estomac.

Le reste du dîner se passa sans plus d'incident. Ou presque. Alors que je finissais ma crème brûlée, résistant à l'envie de lécher la coupe, un brouhaha et des éclats de voix nous parvinrent de l'entrée du restaurant.

— Je suis là pour voir ma femme. Maintenant.

C'était Stuart.

Il pénétra dans la salle, vêtu de son habituel pull débardeur d'Oxford à losanges, de son pantalon brun foncé et de ses mocassins à pompons. Il se dégageait du garçon gentil et doux que je connaissais quelque chose de différent. Son visage était tendu, et dans son regard… Dieu du ciel… couvait une flamme sombre.

— Margaret, ça a assez duré ! s'exclama-t-il en nous ignorant tous.

— Quoi ? souffla cette dernière, en plissant les yeux.

— Si tu ne veux pas d'enfant, très bien. Si tu veux faire l'amour sur la table de la cuisine, tu vas être servie…

Il la regarda sans ciller.

— Mais tu rentres à la maison et sur-le-champ. Nous

parlerons, tu peux me croire, mais pas avant que nous soyons nus dans notre lit.

Il marqua une hésitation.

— Ou sur la table.

Il rougit.

— Et la prochaine fois que tu me quittes, il vaudrait mieux pour toi que tu ailles jusqu'au bout, parce que je ne vais pas me laisser traiter comme une carpette. Compris ?

Margaret se leva, reposa sa serviette près de son assiette et se tourna vers moi.

— Ne m'attends pas cette nuit.

Puis elle prit la main de Stuart, un large sourire sur les lèvres, et le laissa l'entraîner vers la sortie.

33

A la seconde où j'avais aperçu Andrew, tous mes signaux d'alarme intérieurs s'étaient mis à clignoter au rouge. Quelque chose clochait. Ça sentait… les problèmes.

Quand l'orgue se mit à entonner les premières notes de la *Marche nuptiale* de Mendelssohn, la cinquantaine d'invités qui occupaient les bancs de part et d'autre de la nef se levèrent pour nous regarder entrer, Margs et moi. Je souris à Stuart, installé du côté de la mariée, et notai sa mine béate — la mine d'un homme qui a connu une grande nuit. Il fit un mouvement de tête à mon intention et posa deux doigts sur sa tempe en signe de petit salut. L'air narquois de la cousine Kitty et de la tante Mavis, quand je passai devant elles, ne m'échappa pas et me fit grincer des dents. Si nous n'avions pas été dans cet endroit sacré, et si je ne descendais pas des pèlerins du *Mayflower*, je leur aurais bien fait un doigt d'honneur… J'avançai, reportant mon attention droit devant moi, et c'est alors que… j'aperçus le futur marié devant l'autel.

Il passait une main dans ses cheveux. Remontait ses lunettes. Toussait dans son poing. Evitait mon regard. Se mordillait la lèvre.

Hou là ! Je n'avais pas devant moi un homme dont les rêves étaient sur le point de se réaliser. Tout, dans son attitude, reflétait l'embarras et la gêne. Ça ne sentait pas bon…

Je cherchai à croiser son regard, mais il était nerveux, fuyant. Ses yeux balayaient l'église, passaient d'un invité à l'autre, avec l'agitation et les mouvements désordonnés d'une mouche qui ne cesse de se cogner contre une vitre.

Je relevai légèrement le bas de ma jupe pour monter les quelques marches de l'autel, puis me penchai vers Margaret qui me suivait.

— On a un problème, lui chuchotai-je à l'oreille.

— De quoi tu parles ? Regarde-la, regarde son visage, me murmura-t-elle, pointant du menton Natalie.

Cette dernière, magnifique et lumineuse, avançait au bras de mon père, empli de fierté, qui hochait la tête d'un côté et de l'autre tout en remontant avec sa petite dernière l'allée centrale au rythme de la musique.

— Non ! Andrew… Regarde Andrew.

Elle obéit.

— Le trac, marmonna-t-elle.

Si ce n'était que ça… Mais je connaissais mon ex.

Devant l'autel, mon père embrassa Natalie sur la joue, serra la main du marié, avant de rejoindre ma mère qui lui tapota le bras avec tendresse. Le jeune couple se tourna vers le prêtre. Nat rayonnait. Andrew, lui, semblait au bord du malaise.

— Mes bien chers frères, déclara le révérend Miggs.

— Attendez. Je suis désolé, l'interrompit Andrew, d'une voix mourante.

— Sainte Marie, Dieu du ciel…, souffla Margaret. Ne fais pas ça… Andrew.

— Trésor ?

La voix de Natalie était douce, empreinte de sollicitude.

— Est-ce que tu vas bien ?

Mon estomac se contracta brutalement, chassant tout l'air de mes poumons.

Il s'essuya le front d'une main.

— Nattie, je suis désolé…

Des murmures s'élevèrent au-dessus de l'assistance, nous parvenant dans un bourdonnement inaudible. Le révérend Miggs posa une main sur le bras d'Andrew.

— Maintenant, mon fils…

— Qu'est-ce qui ne va pas ? lui chuchota Natalie.

Dans un même élan, Margaret et moi avançâmes vers

elle, cherchant instinctivement à parer le coup que nous pressentions.

— C'est Grace…, murmura-t-il. Je suis désolé, mais j'ai encore des sentiments pour elle. Je ne peux pas t'épouser, Nat.

Une exclamation s'échappa de l'assemblée.

— Tu te fous de nous ? s'écria Margaret.

Je l'entendis à peine. Sa voix se perdit dans le rugissement qui résonnait dans mes oreilles. Je fixai le visage livide de ma petite sœur. Elle chancela. Margaret et le prêtre se rapprochèrent d'elle pour la retenir.

Je lâchai mon bouquet, poussant sans même m'en rendre compte ma sœur aînée, et je frappai, poing serré, le visage d'Andrew, sans rater ma cible. De toutes mes forces.

Ce qui se passa pendant les minutes qui suivirent, je ne saurais pas vraiment le dire. Il régnait autour de moi une grande confusion, et j'étais moi-même dans un état second. Je sais juste que le témoin d'Andrew tentait de mettre ce dernier, presque K.-O. et le nez en sang, à l'abri des coups de pied que je continuais à lui donner dans les tibias. Il l'avait bien cherché. Je réalisai, à un moment, que ma mère m'avait rejointe et portait des coups de sac à main sur la tête de celui qui avait été, par deux fois, sur le point de devenir son gendre. Pas sûr que ses coups étaient efficaces, mais elle y mettait du cœur. Peut-être lui avait-elle déjà arraché le foie avant de le manger ? Je percevais, au loin, très vaguement, les cris de Mme Carson. A un moment, je sentis les bras de mon père enserrer ma taille et me tirer en arrière, loin d'Andrew, qui était à moitié étendu sur les marches de l'autel, rampant pour se soustraire à la pluie de coups qui s'abattait sur lui.

Plus tard, je retrouvai Margaret et mes parents autour de Natalie, assise en état de choc sur un banc du premier rang. Une grande partie des invités du côté du marié avaient quitté l'église, aidés par ma grand-mère qui, de son fauteuil, avait pris la tête des opérations, guidant tout ce beau monde vers la sortie, avec l'efficacité d'un border collie. Les Carson, la mine décomposée, Andrew, un mouchoir pressé contre son visage, ainsi que le témoin, avaient battu en retraite dans le recoin des cierges, tout à côté de la sortie.

— Abandonnée au pied de l'autel, murmura Natalie, d'une voix blanche et en état de sidération.

Je m'agenouillai devant elle.

— Qu'est-ce qu'on peut faire pour toi, ma chérie ?

Elle croisa mon regard et les mots furent inutiles. Je lui pris la main.

— Je vais m'en sortir, Gracie. Ça va aller.

— Il ne vaut même pas ton mépris, Nattie, lança Margaret en lui caressant les cheveux.

— Il ne vaut même pas le mouchoir dans lequel tu te moucherais, renchérit ma mère. L'abruti. Ce n'est qu'un idiot. Une tête de nœud.

Natalie leva les yeux vers elle et partit dans un éclat de rire, légèrement hystérique.

— Tête de nœud. Elle est bonne, celle-là, maman.

M. Carson finit par franchir le Rubicon et s'approcha prudemment de nous.

— Euh… vraiment désolé à propos de tout ça, lâcha-t-il. Il a… changé d'avis.

— Ça, on avait compris ! glapit Margaret.

— Nous sommes tellement navrés, répéta-t-il en regardant Natalie.

Son regard glissa sur moi.

— Vraiment désolé, pour vous deux, insista-t-il.

— Merci, monsieur Carson, dis-je avec calme.

Il fit un bref hochement de tête, puis retourna auprès de sa femme et de son fils. Un instant plus tard, ils sortaient tous les trois avec le témoin par une porte sur le côté. J'espérais que nous ne les reverrions jamais.

— Qu'est-ce que tu veux, là tout de suite, Nattie ? demanda mon père.

Celle-ci cligna des yeux.

— En fait, je pense que nous devrions aller au Country-Club, comme c'était prévu. Nos invités sont là, et ce serait dommage de laisser gâcher un merveilleux repas. Oui, faisons ça… D'accord ? chuchota-t-elle, au bord des larmes.

Je la regardai, soucieuse.

— Tu en es sûre ? Tu n'as pas à faire la brave, Bumppo. Tu n'as pas à aller au-delà de tes forces.

Elle pressa ma main.

— J'ai été à bonne école.

Et c'est ainsi que les invités du côté des Emerson se retrouvèrent tous au Country-Club, pour déguster des crevettes, manger du filet mignon et siroter du champagne.

— Je suis bien mieux sans lui, murmura Nat, en buvant ce qui devait être sa cinquième coupe. Je le sais. Ça va juste prendre un peu de temps pour m'y faire… pour l'intégrer.

— Personnellement, je ne l'ai jamais aimé. A la minute où Grace l'a ramené à la maison, déclara Margs, j'ai su que c'était une couil… Une chiffe molle qui n'en a pas dans le pantalon. Et tellement fat, avec ça. Droit immobilier, pitié ! Un dégonflé sans fierté, oui.

— Quel homme peut être assez stupide pour quitter deux filles Emerson ? s'insurgea mon père. Il peut s'estimer heureux que nous n'ayons pas de connexion avec la mafia, sinon il se serait retrouvé au fond de la Farmington, un bloc de ciment aux pieds.

— Je ne crois pas que la mafia accepte dans ses rangs des protestants anglo-saxons, papa, lui fit remarquer Margaret.

Elle tapota le bras de Natalie, tout en s'empressant de lui remplir sa coupe.

— Mais c'est une douce pensée, papa.

Ma petite sœur s'en remettrait, je le savais. Elle était trop bien pour Andrew et il ne la méritait pas ; il ne l'avait d'ailleurs jamais méritée. Son cœur cicatriserait. Le mien avait bien guéri, après tout.

Je rejoignis ma grand-mère et m'assis auprès d'elle. Elle gardait le regard rivé sur la cousine Kitty, qui dansait collée

424

contre son nouvel époux sur « Endless Love », avec autant de grâce et de légèreté qu'un rhinocéros.

— Alors, que penses-tu de tout ça, mémé ?

— Et ça te surprend ? Pourquoi est-ce qu'on ne m'écoute jamais ? Je t'ai dit que le mariage était un arrangement, un contrat, et l'argent l'unique raison de se marier, Grace. Je n'ai jamais mêlé les sentiments à cette affaire. Comme ça, pas de regrets !

— Merci du conseil, dis-je en tapotant son épaule frêle. Mais vraiment, mémé, tu n'as jamais été amoureuse ?

Ses yeux chassieux se firent vagues, se perdant dans un lointain passé.

— Pas vraiment. Enfin… il y a bien eu ce garçon, une fois… mais ce n'était pas un bon parti. Pas de la même classe sociale, tu comprends ?

— Qui était-ce ?

Elle me coula un regard en coin, suspicieux.

— Alors, on fourre son nez partout aujourd'hui ? Dis-moi… tu n'aurais pas un peu grossi, Grace ? Là, sur les hanches, on dirait que tu as un peu épaissi. De mon temps, les femmes avaient l'intelligence de porter des gaines.

Bonjour la conversation à cœur ouvert ! Je lâchai un soupir, puis, après lui avoir demandé si elle voulait un autre verre, me dirigeai vers le bar. Où je retrouvai Margaret.

— Alors, ça y est ? demandai-je. Tu as rayé la table de cuisine sur ta liste des fantasmes à réaliser ?

— En fait, pas si confortable que ça, répondit-elle en grimaçant. Tu sais, il faisait chaud et moite la nuit dernière, ça m'a rendue collante comme du Velcro, alors quand il a…

— O.K., d'accord, stop ! Je refuse d'en entendre davantage.

Elle s'esclaffa et commanda un verre d'eau gazeuse.

— De l'eau gazeuse, mmm ?…

Elle leva les yeux au ciel.

— En fait, j'ai eu tout le temps d'y réfléchir chez toi, et je me suis, comme qui dirait, faite à cette idée de bébé… Peut-être que ce ne serait pas si terrible au fond. Un jour.

Peut-être. On verra. La nuit dernière, il m'a dit qu'il voulait une petite fille qui me ressemble…

— Il est fou ?

Sans relever la boutade, elle tourna la tête vers moi et je vis que ses yeux étaient embués.

— Je n'avais jamais entendu quelque chose d'aussi beau, Grace. Ça m'a touchée.

— Mais tu devras l'élever… la mini-Margs, dis-je. Il faut vraiment que cet homme t'aime.

— Oh, la barbe, toi ! lâcha-t-elle en riant malgré elle. L'idée du bébé me plaît plutôt… Je ne serais plus contre, a priori.

— Margs, c'est formidable !

Je lui souris.

— Tu seras une super maman. A tout point de vue, en fait.

— J'espère que je pourrai compter sur toi pour faire un peu de baby-sitting, hein ? Quand tu me verras à bout de nerfs, du vomi dans les cheveux, un bébé en pleurs dans les bras et sur le point de me mettre la tête dans le four…

— Absolument.

Je l'étreignis brièvement. Elle se laissa faire, me serrant même.

— Ça va aller, toi ? s'enquit-elle. La boucle est bouclée, concernant Andrew, hein ?

— Tu sais, je serais heureuse si je n'entendais plus jamais parler de lui. Je vais bien. Je suis juste triste pour Nat.

Je coulai un regard dans sa direction et la vis rire à quelque chose que venait de lui dire mon père. Nos parents veillaient sur elle comme le lait sur le feu. Pour un peu, ma mère lui aurait presque donné la becquée.

Non, Andrew ne nous méritait pas, aucune de nous. Comment avais-je pu le parer d'autant de qualités et rester aussi longtemps aveugle sur sa vraie nature ? Que pouvait-on attendre d'un homme qui se contentait de prendre l'amour qu'on lui portait sans jamais rien donner en retour ?

Et après avoir rencontré Callahan O'Shea, cette réalité n'en paraissait que plus cruellement frappante. Il était si différent…

— Quels sont tes plans pour cet été ? me demanda-t-elle. Tu as reçu des offres pour ta maison ?

— Deux, en fait, dis-je en prenant une gorgée de gin tonic.

— Je dois dire que je suis surprise. Je croyais que tu l'aimais.

— C'est le cas. Je l'ai aimée… Mais j'éprouve le besoin de faire table rase du passé. Il peut y avoir du bon dans le changement ; il est même nécessaire, tu ne crois pas ?

— Je suppose que oui, dit-elle. Allez, viens, on retourne voir Nattie.

— Ah, les voilà ! s'exclama mon père en nous voyant approcher. Maintenant, les trois plus jolies filles sont réunies. Ou les quatre, devrais-je dire…

Il posa un bras autour des épaules de ma mère, qui roula des yeux langoureux.

— Papa, est-ce que Grace t'a dit qu'elle vendait sa maison ? demanda Margaret.

— Quoi ? Non ! Trésor ! Pourquoi ne me l'as-tu pas dit ?

— Parce que ce n'est pas une décision collective.

— Mais nous venions juste de changer les fenêtres !

— Un plus à faire valoir lors de la vente, d'après l'agent immobilier, répliquai-je calmement.

— Où veux-tu aller, alors ? Pas trop loin, j'espère, ma chérie ? s'inquiéta ma mère.

— Non. Pas loin.

Je m'assis près de Nat, qui avait le regard perdu dans le vide, celui-là même que j'avais eu, il y avait une année et demie.

— Ça va, petite sœur ?

— Oui. Ça va. Enfin, pas bien, bien. Mais tu sais, toi… Je hochai la tête.

— Au fait, tu as eu la réponse, pour le département d'histoire ? demanda mon aînée.

— Oui. Ils ont pris quelqu'un d'extérieur à Manning. Une femme qui m'a fait bonne impression.

— Peut-être qu'elle t'accordera une augmentation, suggéra mon père. Ce serait mieux si tu gagnais un peu plus qu'un paysan de Sibérie.

— Je pensais chercher du travail comme call-girl. Vous ne connaîtriez pas quelques politiciens qui en rechercheraient ?

Natalie s'esclaffa et son rire nous fit le plus grand bien.

Beaucoup plus tard, après dîner, je pénétrai dans les toilettes pour dames. D'un des box me parvint la voix ampoulée de la cousine Kitty.

— … Donc, apparemment, elle faisait semblant de fréquenter quelqu'un… La pauvre, elle en avait marre qu'on la plaigne, disait-elle. Le médecin, elle l'a complètement inventé ! Il n'a jamais existé ! Et puis, j'ai entendu quelque chose à propos d'un condamné avec lequel elle a échangé des lettres en prison…

Le bruit de la chasse d'eau recouvrit sa voix, puis le battant s'ouvrit et Kitty émergea. Suivie de près par la tante Mavis, qui sortit du box d'à côté. En me voyant, elles s'immobilisèrent net, pétrifiées comme deux statues de sel.

— Bonsoir, mesdames, dis-je gracieusement, lissant du plat de la main mes cheveux devant le miroir. Est-ce que vous passez une bonne soirée ? Tellement de commérages et si peu de temps pour les propager !

Le visage de Kitty devint aussi rouge que le postérieur d'un babouin femelle en chaleur. Tante Mavis, plus coriace, se contenta de rouler les yeux.

— D'autres questions sur mes amours ? S'il vous manque des informations, je me ferai un plaisir de remplir les blancs… de répondre à vos questions…

Je souris, les bras croisés sur la poitrine, en les toisant.

Elles se regardèrent.

— Non, Grace, excuse-nous…, répondirent-elles à l'unisson.

— Très bien. Oh ! Et pour votre gouverne, le prisonnier, il était dans le couloir de la mort. Le gouverneur vient de rejeter sa demande de sursis. Je suis donc de nouveau sur le marché !

L'expression de stupéfaction que je vis se peindre sur leur visage — on aurait dit des siamoises — était follement jubilatoire. Sur un clin d'œil, je les plantai là et m'engouffrai dans un box.

Quand je rejoignis ma famille, Nat s'apprêtait à partir.

— Tu sais que tu peux venir chez moi, Bumppo.

— Merci, Grace, mais je vais aller chez papa et maman pendant quelques jours. C'est gentil de me le proposer.

— Tu veux que je te raccompagne en voiture ?

— Non, Margaret s'est déjà proposée. Et puis, tu as déjà fait beaucoup pour moi, aujourd'hui. Frapper Andrew… Je ne t'ai pas remerciée pour ça, d'ailleurs.

— De rien, à ton service pour recommencer, dis-je avec sincérité.

J'embrassai ma sœur, la serrai dans mes bras, longtemps, très longtemps.

— Appelle-moi demain matin.

— Promis, me chuchota-t-elle à l'oreille.

J'étais devant ma voiture, cherchant mes clés, quand je me souvins que j'avais promis aux pensionnaires de Golden Meadows de m'arrêter pour leur montrer ma tenue, et leur donner en direct et sur le vif mes impressions sur le mariage. Il me semblait que cela faisait des siècles. Mon père ayant ramené sa mère avant le dîner, il y avait de fortes chances que les résidents sachent déjà dans les détails ce qui s'était passé. Ce serait donc du réchauffé plus que des impressions sur le vif.

Je ne m'y attarderais pas. C'était soirée animation musicale, le samedi, à Golden Meadows. Une ou deux danses… pour conjurer la grisaille de cette journée.

Je traversai la ville et pénétrai dans le parking de la maison de retraite. J'eus un petit pincement au cœur en ne repérant pas le pick-up de Callahan. Chaque fois que je passais ici, je m'attendais à le voir — ou je l'espérais — au détour d'un couloir, lors d'une visite à son grand-père. Cela n'était pas arrivé. Je ne l'avais pas revu depuis le jour où il avait quitté Maple Street. Comme il l'avait mentionné, le vieil homme n'allait pas très bien. Sans doute ne finirions-nous pas le livre entamé.

Dans une impulsion, je décidai de passer voir M. Lawrence.

Betsy, l'infirmière de garde, me fit signe d'entrer et m'ouvrit la porte en pressant le bouton de l'Interphone.

— Vous venez de manquer le petit-fils, me dit-elle.

Bon, le petit pincement au cœur était incontournable, mais Cal n'était pas la raison de ma venue. Pas vraiment, disons. Je longeai le couloir de ce service impressionnant, avec ces faibles gémissements, ces geignements qui venaient par instants percer le silence.

La porte de M. Lawrence était ouverte. Mon cœur se serra devant cette petite forme recroquevillée sur elle-même entre les draps bleu pâle. Il avait les yeux fermés. Je remarquai l'intraveineuse dans son bras, reliée par un long tube à la poche de sérum, qui n'était pas là lors de ma dernière visite. Un nœud se forma dans ma gorge et je sentis les larmes me brûler les paupières. Je venais ici depuis assez longtemps pour savoir que cela signifiait que le patient avait cessé de s'alimenter.

— Bonsoir, monsieur Lawrence, c'est Grace, murmurai-je en m'asseyant près de lui. C'est moi qui vous fais la lecture, vous vous souvenez ? *La Courtisane rebelle* ? Le duc et la prostituée ?

Il ne répondit pas, bien évidemment. Je ne me rappelais pas l'avoir un jour entendu émettre un son. A quoi donc pouvait bien ressembler sa voix ? me demandai-je soudain, en l'imaginant jeune, avec ses deux petits-fils, en train de leur apprendre à pêcher à la ligne, de les aider à faire leurs devoirs, de leur dire de finir leurs légumes ou de boire leur verre de lait.

— Ecoutez, monsieur Lawrence, dis-je en posant la main sur son bras maigre, si fragile. Je voulais juste vous dire… Je connais votre petit-fils. Callahan. Nous étions ensemble, mais j'ai tout gâché et il a rompu…

Je levai les yeux au ciel, en me morigénant. Je n'allais quand même pas me confesser à un mourant.

— Enfin, qu'importe, repris-je. Je voulais juste vous dire quel homme bien c'était.

Une boule se forma dans ma gorge, et ma voix ne fut plus qu'un chuchotement.

— Il est intelligent, drôle et prévenant… Vous verriez la maison qu'il vient de retaper. Il a fait un si beau travail…

Je marquai une pause.

— Il vous aime tellement… Il vient vous voir tous les jours. Et il est… et il est très séduisant. Il doit tenir ça de vous, je pense.

La respiration de M. Lawrence était à peine audible. Je pris sa main fraîche et noueuse, et la tins quelques minutes.

— Je voulais juste vous dire que vous l'aviez bien élevé… C'est un bon garçon. Vous pouvez être fier.

Je me penchai et l'embrassai sur le front.

— Encore une chose, lui chuchotai-je. Le duc épouse Clarissia. Il la trouve dans la tour et la sauve, et… Vous savez, comme toujours dans les contes de fées, « ils vécurent heureux, pour toujours ».

— Qu'est-ce que tu fais, Grace ?

Je fis un bond comme si on venait de me marquer au fer rouge.

— Mémé ! Bon sang, tu veux me faire mourir de peur, ou quoi !

— Je te cherchais. Dolores Barinki m'a dit que tu devais passer ce soir. Leur petite soirée a commencé il y a plus d'une heure.

— D'accord, dis-je après un dernier regard à M. Lawrence. Alors, allons-y.

Je poussai ma grand-mère dans le couloir, m'éloignant du dernier lien qui me retenait à Callahan, sachant au fond de moi que je ne reverrais probablement pas le vieux monsieur. Quelques larmes coulèrent sur mes joues. Je reniflai.

— Oh ! Allez, souris un peu, s'impatienta ma grand-mère, toute-puissante sur son trône à roulettes. Et puis tu m'as, moi. Je ne comprends pas pourquoi tu en fais toute une histoire, tu ne le connaissais même pas !

Je stoppai le chariot de l'enfer, le contournai pour faire face à mon petit tyran, prête à lui assener ses quatre vérités… Je baissai les yeux sur elle, et la vis… ses cheveux clairsemés, son petit visage parcheminé, ses mains étiques piquetées de taches de vieillesse, les deux grosses bagues qui ornaient ses doigts… et je ravalai les mots « casse-pieds », « revêche », « vaniteuse », « grossière » et « sans cœur » que j'avais à la bouche.

— Je t'aime, mémé.

Elle leva les yeux vers moi, surprise.

— Qu'est-ce qui ne va pas, chez toi, aujourd'hui ?

— Rien. Je voulais juste te le dire.

Elle inspira, fronçant les sourcils. Son visage ne fut plus qu'une pomme fripée.

— Bon. On avance ou pas ? grogna-t-elle avec impatience.

Je me remis à la pousser, un sourire sur les lèvres. La soirée battait son plein et je fis quelques pas de danse avec des pensionnaires, des habitués du cours de Julian et d'autres que je ne connaissais pas. J'entraînai même ma grand-mère sur la piste, la faisant tourner dans son fauteuil. Crispée, celle-ci manifesta bruyamment son mécontentement, criant à la ronde que je me ridiculisais et que j'avais trop bu au club. Après deux chansons, je la ramenai sagement en bord de piste.

Tandis qu'on admirait ma tenue, qu'on me tapotait les mains, qu'on me complimentait même sur mes cheveux, je sentis une forme d'apaisement glisser sur moi. Nat avait le cœur brisé, le mien n'allait guère mieux. J'avais gâché une relation naissante, quelque chose de beau et de rare. Je m'étais ridiculisée devant ma famille en m'inventant un petit ami. Mais ça ne m'avait pas tuée, et j'oublierais. Pour ce qui était de Cal, rien n'était moins sûr… Il allait me manquer. Longtemps.

34

Il était presque 22 heures quand je rentrai enfin chez moi. Angus m'accueillit avec deux rouleaux de papier-toilette déchiquetés, avant de m'entraîner en trottinant vers la cuisine pour me montrer les deux petits tas mousseux de vomi.

— Au moins, tu l'as fait sur le carrelage de la cuisine, dis-je en lui caressant le sommet de la tête. Merci. Gentil Angus.

Il laissa échapper un petit jappement, puis s'aplatit sur le sol dans la pose du Superchien et me regarda nettoyer.

— J'espère que tu aimeras notre nouvelle maison, dis-je en enfilant les gants de caoutchouc prévus à cet effet. Je nous trouverai la perle, ne t'en fais pas.

Angus agita la queue.

J'avais reçu un appel de Becky Mangue la veille. « Je sais que ça va vous paraître étrange, m'avait-elle dit au bout du fil, mais je me demandais si vous seriez intéressée par la maison voisine de la vôtre. Celle que Callahan a rénovée ? Elle est charmante. »

J'avais hésité. Je l'aimais beaucoup. Mais j'avais déjà assez donné dans les maisons « peines de cœur ». Ce n'était pas une question d'argent : les deux habitations se valaient, mais en m'installant dans cette dernière, j'aurais définitivement eu l'impression de me glisser dans le rôle de la pauvre miss Havisham du roman de Dickens, enfermée dans sa maison, coupée du monde, fossilisée dans son chagrin. Non. Ma prochaine maison devait être tournée vers l'avenir, pas sur les souvenirs.

— Qu'est-ce que tu en penses, Angus ?

Il aboya obligeamment, puis rota, avant de se retourner sur le dos, les quatre pattes en l'air, me suggérant habilement de faire une pause dans mon nettoyage pour lui gratter le ventre.

— Plus tard, McFangus, murmurai-je.

Je finis donc de nettoyer le sol, en faisant attention à ne pas salir l'ourlet de ma robe. Elle était jolie, mais je n'avais pas l'intention de la garder. J'avais dans l'idée d'en faire un lot avec ma robe de mariée et de l'apporter à l'Armée du Salut. Peut-être que Nat voudrait que je la soulage également de la sienne…

Le lendemain, je ferais le tri dans tous les objets que j'avais accumulés au fil des brocantes. J'avais sûrement de quoi organiser mon propre vide-grenier. Quitte à repartir de zéro… Et je commencerais à faire mes cartons, même si je n'avais pas encore trouvé de maison. Cela ne devrait pas tarder.

Je vaporisai du nettoyant, puis séchai les carreaux avant de jeter les essuie-tout dans la poubelle. Angus redressa soudain la tête, puis bondit sur ses pattes et sortit comme une flèche de la cuisine, saturant l'air de petits cris perçants.

Ouaf! Ouafouafouaf!

— Qu'est-ce qu'il y a, bébé?

Ouafouafouaf!

Curieuse, je finis par le rejoindre dans le salon. J'écartai les rideaux et jetai un coup d'œil à l'extérieur. Mon cœur bondit dans ma poitrine, puis exécuta un triple salto arrière. Je déglutis, manquant m'étouffer.

Callahan O'Shea se tenait sur ma terrasse.

Il croisa mon regard, leva un sourcil et attendit.

J'avançai vers la porte, les jambes en coton, la démarche quelque peu vacillante. J'ouvris, et Angus se jeta sur lui, sans aucune timidité, comme s'ils s'étaient quittés la veille.

— Salut, dit-il, sans prêter attention à mon animal.

— Salut.

Son regard se posa sur mes gants de caoutchouc.

— Qu'est-ce que tu faisais?

— Euh… Angus a vomi.

— Très joli…

Cal était devant moi. Là, sur ma terrasse, exactement comme la première fois.

— Tu veux bien rappeler ta petite terreur ?

Celle-ci, les crocs plantés dans son pantalon, secouait la tête de droite à gauche, laissant échapper un grognement de jouet en peluche.

— Euh… Oui, bien sûr. Allez, Angus ! Va dans le sous-sol, bébé ! Allez !

Malgré mes genoux tremblants, je parviens à attraper mon chien, à le pousser dans le sous-sol, à refermer la porte sur lui. Il gémit, puis parut accepter son sort — au milieu des sculptures de ma mère ! —, car il n'y eut plus de bruit.

Je me retournai vers Callahan.

— Qu'est-ce qui t'amène dans le quartier ? demandai-je, la voix rauque.

— Tes sœurs m'ont rendu visite.

— Ah bon ? soufflai-je, la bouche entrouverte.

— Hum…

— Aujourd'hui ?

— Il y a une heure environ. Elles m'ont raconté, pour Andrew.

— Ah…

Je fermai la bouche.

— Quelle histoire… Une grosse pagaille. Le chaos, repris-je.

— J'ai entendu dire que tu l'avais frappé.

— Oui. Un grand moment d'anthologie.

Une pensée me traversa soudain l'esprit.

— Comment ont-elles su où te trouver ?

C'est vrai, il n'avait pas été d'humeur à laisser une adresse où faire suivre son courrier, quand il était parti !

— Margaret a contacté la personne qu'elle connaît au bureau des libertés conditionnelles.

Je ravalai un sourire. Brave Margs !

— Natalie m'a dit que j'étais un idiot.

Sa voix basse provoqua une vibration dans mon estomac.

— Oh ! m'exclamai-je, en prenant appui contre le mur. Désolée… Tu n'es pas un idiot. Elle n'a sans doute pas voulu dire ça…

— Elle m'a aussi raconté que tu avais tout déballé devant tout le monde.

Il fit un pas vers moi. Je sentis mon cœur s'emballer et, un instant, je me vis lui sauter dessus, mue par la même réaction animale qu'Angus.

— Elle m'a dit, en conclusion, que j'étais un idiot si je quittais une femme comme toi.

Un sourire sur les lèvres, Callahan prit une de mes mains, fit glisser le gant, puis répéta la chose pour l'autre. Incapable de soutenir son regard, je gardai la tête baissée, les yeux fixés sur nos doigts entrelacés.

— Le fait est, Grace, que j'en étais déjà arrivé à cette conclusion. Je n'avais pas vraiment besoin de l'entendre. Je savais déjà ce que je voulais.

— Oh…

— Mais je dois avouer que j'ai trouvé ça bien, que tes sœurs fassent enfin quelque chose pour toi, pour changer.

Il me prit le menton, me forçant à le regarder.

— Grace, pardonne-moi, chuchota-t-il. Je me suis conduit comme un idiot. Moi, plus que quiconque, j'aurais dû savoir qu'il nous arrive à tous de faire parfois des choses stupides pour les gens qu'on aime. Et que tout le monde mérite une seconde chance.

Les larmes aux yeux, la respiration courte et saccadée, je tentai de reprendre mon souffle.

— Ecoute, Grace, à la minute où je t'ai vue, dit-il avec un sourire enjôleur, dès l'instant où tu m'as frappé avec ta crosse de hockey…

— Tu ne cesseras pas de me le rappeler, hein ? coupai-je en marmonnant.

Il rit.

— Et puis après, quand tu m'as cogné avec ce râteau, que tu m'espionnais de ton grenier, que ton chien faisait ses dents sur moi et que tu es rentrée dans mon pick-up, reprit-il, je savais que tu étais faite pour moi.

— Oh ! chuchotai-je, les lèvres tremblantes.

— Veux-tu nous donner une autre chance, Grace ? Qu'en dis-tu ?

Il semblait n'avoir aucun doute sur ma réponse.

Pourquoi parler ? Les mots étaient inutiles. Je nouai les bras autour de son cou et l'embrassai passionnément. Parce qu'on ne peut rien contre le « paf bing ! »... contre la certitude d'avoir rencontré l'homme parfait.

Epilogue

Deux ans plus tard

— Pas question d'appeler notre fils Abraham Lincoln O'Shea. Trouve autre chose.

Mon mari fit mine de prendre un air sérieux, presque offusqué, son effet quelque peu gâché par Angus qui lui léchait avec grande conviction le menton. Nous traînions au lit, profitant de la douceur de ce dimanche matin. Le soleil entrait à flots par la fenêtre, et l'odeur du café flottait dans la pièce, se mêlant au doux parfum du bouquet de roses posé sur la table de chevet.

— Tu as déjà rejeté Stonewall, lui rappelai-je en caressant mon gros ventre. Stonewall O'Shea. Au moins, c'est original. Il n'y aurait certainement pas d'autres petits garçons avec ce prénom, au jardin d'enfants !

— Grace, il faut qu'on se décide. Tu as déjà dépassé ton terme de quatre jours. Allez, sois sérieuse. C'est notre enfant, et s'il doit porter un prénom tiré de la guerre de Sécession, il doit être yankee. D'accord ? Nous sommes tous les deux originaires de Nouvelle-Angleterre, après tout. Angus, sors ta langue de mon oreille. C'est dégoûtant.

Je gloussai. Lorsque nous avions emménagé ensemble, Cal avait décidé de s'occuper du dressage d'Angus. « Les animaux ont besoin d'être cadrés », m'avait-il dit. Une prise en main qui avait duré huit longues semaines. Depuis, le chien lui était dévoué corps et âme.

— Et pourquoi pas Ulysses S. O'Shea ? suggérai-je.

— Je m'arrêterai à Grant... Grant O'Shea. C'est un bon compromis, je trouve, Grace.

— Grant O'Shea. Non. Désolée. Et que dirais-tu de Jeb ?

— C'est ça, mam'zelle !

Il fondit sur moi et se mit à me chatouiller. Un instant plus tard, nous nous roulions des pelles comme deux adolescents.

— Je t'aime, chuchota-t-il, la main posée sur mon ventre.

— Je t'aime aussi.

Oui, nous nous étions mariés. J'avais décroché le gars d'à côté. Et par conséquent, j'avais aussi eu la maison. Cal avait dit qu'elle ne pouvait être qu'à nous et nous l'avions achetée ensemble, deux semaines après le « non-mariage » de Natalie.

Habiter juste à côté de mon ancienne maison ne me dérangeait pas le moins du monde. C'était un peu comme « passer de l'autre côté du miroir ». Je n'oubliais pas tout ce que je lui devais. Elle avait été un merveilleux cocon où j'avais pu cicatriser à mon rythme, et c'était quand même là que j'avais rencontré mon mari, après tout.

En parlant mariage et « non-mariage », Natalie allait bien. Elle était toujours célibataire, travaillait beaucoup et semblait heureuse. Elle avait eu quelques aventures, mais rien de sérieux. Stuart et Margaret étaient devenus parents un an plus tôt d'un petit James — un bébé qui avait beaucoup pleuré au cours de ses quatre premiers mois de vie à cause de coliques, avant de se transformer en un petit bouddha joufflu, aux sourires baveux et aux craquantes fossettes, adoré de sa mère, qui en était même limite gaga.

— Comme tu sens bon..., marmonna Cal contre mon cou.

Il enfouit son nez en un chatouillement agréable.

— Tu veux faire l'amour ? reprit-il.

Je le regardai, contemplant ses longs cils, ses cheveux toujours en bataille, ses yeux doux, d'un bleu sombre... *J'espère que notre fils lui ressemblera*, songeai-je en sentant mon cœur se gonfler et se contracter dans une série de spasmes délicieusement douloureux. Le souffle me manqua pour lui répondre. Comme je l'aimais ! Et tout à coup, je ressentis une autre douleur, inconnue, qui me vrilla le dos, accompagnée d'une sensation d'humidité.

— Trésor ? Est-ce que ça va ?

— Je crois que je viens juste de perdre les eaux.

Trente minutes plus tard, Cal essayait de me faire franchir la porte d'entrée, pendant qu'Angus aboyait frénétiquement dans le sous-sol, furieux d'y avoir été jeté sans cérémonie par l'homme qu'il s'était mis à adorer. Ce dernier n'avait cependant plus la tête aux subtilités, tournant autour de moi comme s'il y avait le feu dans la maison. De Margaret qui ne tarissait pas de détails sur son accouchement « long et horrible », je savais que le travail pouvait durer plus de douze heures. L'obstétricien avait dit la même chose, mais Cal semblait persuadé que j'allais m'accroupir et expulser son enfant dans la minute… ou pire, au bord de la route, entre ici et l'hôpital.

— Est-ce que la sucette est dans le sac ? m'enquis-je calmement, consultant la liste que j'avais faite lors de mon cours de préparation à la naissance.

— Oui, oui, elles y sont…

Il semblait nerveux — il aurait été plus juste de dire « terrifié » —, et je trouvai ça trop mignon.

— Allez, ma chérie, allons-y. Le bébé arrive, n'oublie pas.

Je lui lançai un regard amusé.

— J'essaierai de m'en souvenir, Cal. Mon joli peignoir, je l'ai bien mis ? Comme je ne vais pas pouvoir compter sur mes cheveux, au moins que je sois à mon avantage des pieds jusqu'au cou.

Je jetai un nouveau regard à ma liste.

— Et l'appareil photo ?

— Je l'ai, Grace. Allez, viens, mon cœur. Je n'ai pas envie que tu aies ce bébé ici, dans le couloir.

— Cal, je n'ai eu que deux contractions. Relax.

Il eut un étrange petit bruit de gorge que, par charité, je préférai ignorer.

— Tu sais, pour les vêtements de bébé… cette petite grenouillère bleue avec le chien dessus ?

— Oui, chérie, s'il te plaît, j'ai déjà tout vérifié. Tu penses que nous arriverons à l'hôpital avant les trois ans de l'enfant ?

— Oh ! et l'objet pour m'aider à me concentrer ! Ne l'oublie pas.

La sage-femme m'avait conseillé d'apporter quelque chose que j'associais à des souvenirs agréables pour me concentrer dessus, pendant les contractions.

— Je l'ai.

Il tendit le bras au-dessus de la porte d'entrée et décrocha ma crosse de hockey, qu'il avait installée là, le jour où nous avions emménagé dans la maison.

— C'est bon. Allons faire connaissance avec notre garçon. Tu veux que je te porte ? Ça ira plus vite. Je vais faire ça. Mets les bras autour de mon cou. Allez, allons-y.

Dix-neuf heures et demie plus tard — de longues, impressionnantes et inoubliables heures —, nous avions appris deux trois choses… deux trois leçons de vie… D'abord, que je pouvais être très, très bruyante en certaines circonstances. Ensuite, que Cal, qui avait été épatant pendant le travail, pouvait aussi pleurer quand sa femme souffrait (juste quand on pense qu'on ne peut aimer davantage son homme…). Enfin, que l'échographie pouvait parfois se tromper.

Notre garçon était en réalité une fille.

Nous l'avons prénommée Scarlett.

Scarlett O'Shea.

REMERCIEMENTS

A l'agence Maria Carvainis… un merci en particulier à la brillante et généreuse Maria Carvainis pour sa sagesse et ses conseils judicieux, à Donna Bagdasarian et June Renschler pour leur enthousiasme.

Aux éditions Harlequin… merci à Keyren Gerlach pour ses suggestions toujours pertinentes, et à Tracy Farell pour son soutien et ses encouragements.

Un grand merci à Julie Revell Benjamin et Rose Morris, mes amies de plume, et à Beth Robinson de PointSource Media, qui a su me créer un site Web et des bandes-annonces si merveilleuses.

Sur un plan plus personnel, je voudrais remercier mes amis et ma famille : maman, Mike, Hilly, Jackie, Nana, Maryellen, Christine, Maureen et Lisa. Merci pour votre patience infinie. Quelle chance de vous avoir tous auprès de moi !

Une pensée toute particulière pour mes enfants, sans qui la vie n'aurait pas la même saveur, et à mon amour, Terence Keenan : les mots, ici, sont juste insuffisants.

Enfin, un grand merci à mon grand-père, Jules Kristan, un homme d'une grande loyauté, d'un dévouement sans bornes, d'une intelligence fine et d'une bonté débordante. Le monde est un bien meilleur endroit du fait que tu es là. Tu es un exemple, très cher Poppy.

Composé et édité par HarperCollins France.

Achevé d'imprimer en octobre 2016.

BLACK PRINT

Barcelone

Dépôt légal : novembre 2016.

Pour limiter l'empreinte environnementale de ses livres, HarperCollins France s'engage à n'utiliser que du papier fabriqué à partir de bois provenant de forêts gérées durablement et de manière responsable.

Imprimé en Espagne.